LA NUIT DES
ALBINOS

Du même auteur

Romans policiers
Cachemire, Libre Expression, 2004 ; réédition, 2012
Tsiganes, Libre Expression, 2007 ; réédition, 2012

Biographies
Lareau sans filet, Libre Expression, 2001
Nanette Workman – Rock'n'Romance, Libre Expression, 2008

MARIO
BOLDUC

LA NUIT DES
ALBINOS

Libre Expression

Une société de Québecor Média

Catalogage avant publication de Bibliothèque et Archives nationales du Québec et Bibliothèque et Archives Canada

Bolduc, Mario, 1953-

    La nuit des albinos : sur les traces de Max O'Brien
    (Expression noire)
    ISBN 978-2-7648-0514-5
    I. Titre. II. Collection: Expression noire.

PS8553.O475N84 2012   C843'.54   C2012-941224-4
PS9553.O475N84 2012

Direction littéraire : Monique H. Messier
Révision linguistique : Denis Desjardins
Correction d'épreuves : Céline Bouchard
Couverture : Axel Pérez de León
Grille graphique intérieure : Chantal Boyer
Mise en pages : Axel Pérez de León
Photo de l'auteur : Sarah Scott

Remerciements
Nous reconnaissons l'aide financière du gouvernement du Canada par l'entremise du Fonds du livre du Canada pour nos activités d'édition.
Nous remercions le Conseil des Arts du Canada et la Société de développement des entreprises culturelles du Québec (SODEC) du soutien accordé à notre programme de publication.
Gouvernement du Québec – Programme de crédit d'impôt pour l'édition de livres – gestion SODEC.

Les Éditions Libre Expression
Groupe Librex inc.
Une société de Québecor Média
La Tourelle
1055, boul. René-Lévesque Est
Bureau 800
Montréal (Québec) H2L 4S5
Tél. : 514 849-5259
Téléc. : 514 849-1388
www.edlibreexpression.com

Dépôt légal – Bibliothèque et Archives nationales du Québec et Bibliothèque et Archives Canada, 2012

ISBN : 978-2-7648-0514-5

Distribution au Canada
Messageries ADP
2315, rue de la Province
Longueuil (Québec) J4G 1G4
Tél. : 450 640-1234
Sans frais : 1 800 771-3022
www.messageries-adp.com

Diffusion hors Canada
Interforum
Immeuble Paryseine
3, allée de la Seine
F-94854 Ivry-sur-Seine Cedex
Tél. : 33 (0)1 49 59 10 10
www.interforum.fr

Note de l'auteur

Tout en étant basé sur la réalité, ce roman raconte une aventure totalement imaginaire. Aux personnalités existantes ou ayant existé s'ajoutent de nombreux personnages fictifs. Par ailleurs, la chronologie de certains événements a été modifiée pour des raisons d'efficacité narrative.

Pour Nicole Landry,
avec toute mon affection

Citation

Dieu dit : « Prends ton fils, ton unique, que tu chéris, Isaac, et va-t'en au pays de Moriyya, et là tu l'offriras en holocauste sur une montagne que je t'indiquerai. »

chap-verset

Genèse 22, 2

OUGANDA

Bukoba

Lac Victoria

Musoma

Nairobi

KENYA

RWANDA

Kigali

Île Ukerewe

Biharamulo

Mwanza

Kilimandjaro (Pic Uhuru) 5895 ▲

BURUNDI

Kibondo

Shinyanga

Lac Eyasi

Arusha Moshi

Mombasa

Singida

Île de Pemba

Chake Chake

Kigoma

Tabora

Tanga

RÉPUBLIQUE DÉMOCRATIQUE DU CONGO

Lac Tanganica

Dodoma

Zanzibar

Mahonda
Koani

Île de Zanzibar (Unguja)

Bagamoyo ★

Dar es-Salaam

Lac Rukwa

Iringa

Île de Mafia

Kilindoni

Mbeya

TANZANIE

Kilwa Masoko

OCÉAN INDIEN

Lindi

ZAMBIE

MALAWI

Lac Malawi

Mtwara

MOZAMBIQUE

0   100   200 km

Première partie

LA *KANDOYA*

p 14

Cette page est blanche

(S)

Chap. 1

À l'écran du mini-téléviseur coincé sous le tableau de bord entre un coffre à outils et une bouteille de whisky, la visite de Barack Obama en Tanzanie appuyée par le vacarme des fanfares et des discours ronflants habituels. Images délavées, dédoublées et sautillantes d'un événement historique majeur, selon Rashid, le pilote de la navette, qui manœuvrait son embarcation un œil sur TVZ, l'autre sur la sortie du port de Malindi, à Zanzibar. En ce début d'avril 2009, le nouveau président américain arrivait du Ghana, faisait escale à Dar es-Salaam, puis débarquerait quelques jours plus tard au Kenya, le pays de son père. Obama, c'est l'Afrique à la Maison-Blanche, avait lancé Rashid en accueillant Max O'Brien sur le quai, quelques minutes plus tôt, comme s'il avait voulu que son passager participe lui aussi à l'allégresse générale.

Mais Max avait autre chose en tête. Lui qui détestait l'improvisation avait dû s'en remettre aux décisions de Jayesh Srinivasan[1]. Rashid, lui avait-il répété au téléphone, a reçu et bien compris mes consignes, il t'obéira aveuglément.

---

1. Voir *Cachemire*, Libre Expression, 2004.

Jayesh n'avait pas précisé que cet ancien pêcheur recyclé en capitaine de navette était un mordu de politique, qui enquiquinait Max depuis qu'il avait fait sa rencontre, la veille. Dans le petit café enfumé de Stone Town où ils avaient finalisé l'opération, Rashid n'avait cessé de pérorer sur la politique internationale et ses conséquences – funestes, évidemment – pour le continent africain.

Dès la sortie de la rade, Rashid indiqua à Max un *dhow* de fortune ancré au milieu de la baie, où s'entassaient une centaine de réfugiés en haillons, peut-être plus, qu'une bâche rudimentaire, posée à la va-vite, ne parvenait pas à protéger du soleil et de la chaleur oppressante. Des cris d'enfants. Les pleurs de plusieurs bébés. Mais surtout le regard perdu de ces êtres émaciés, affamés, qui arrivaient directement des entrailles de la misère.

— Ils se sont enfuis de Burgavo, expliqua Rashid par-dessus le vacarme du moteur.

Burgavo, en Somalie, près de la frontière kényane.

Ils avaient sûrement tenté d'accoster à Mombasa, au nord du Kenya, mais les autorités leur avaient refusé l'entrée au port, conséquence, probablement, des tensions politiques entre le Kenya et la Somalie. Ils avaient donc poursuivi leur chemin et pénétré dans les eaux territoriales tanzaniennes, s'échouant au milieu du port de Malindi, attendant qu'on s'occupe de leur sort.

— Mais ils ont choisi la mauvaise journée, ajouta le pilote. Le samedi, à Zanzibar, les bureaux des autorités portuaires sont fermés. Le dimanche aussi.

Résultat : ces malheureux ne pourraient voir les agents d'immigration qu'à la reprise des activités, lundi. Plus de trente-six heures à cuire au milieu du port, sans nourriture et avec une réserve d'eau très limitée, sans doute. Il faisait quarante degrés, l'humidité collait à la peau comme un enduit salé.

À une centaine de mètres du *dhow*, un monstre flottant, rutilant, blanc de partout : le yacht de Jonathan Harris, nouvellement sorti des chantiers allemands de Blohm & Voss. En direction de la Méditerranée où se trouvait son port d'attache – à Nice, plus précisément –, le *Sunflower* arrivait du Cap et comptait faire escale à Mombasa puis à Suez, après avoir ignoré Djibouti. Dans le golfe d'Aden, la route était infestée de pirates. On avait dissuadé le milliardaire de tenter le passage – même le capitaine, d'ordinaire si obséquieux, s'était mis de la partie –, mais Harris n'était pas du genre à se laisser effrayer par des « primitifs à machettes », comme il disait. Après avoir conclu des affaires en Afrique du Sud, il avait décidé de s'offrir les services d'une milice privée armée jusqu'aux dents, qui voyagerait avec l'équipage et les passagers. L'équipe de choc monterait à bord à Mombasa et serait de quart jusqu'à Suez. Ignorant, bien sûr, que ce Robert Flanagan qui lui avait offert son expertise et qui venait aujourd'hui signer le contrat s'appelait en réalité Max O'Brien. Un escroc notoire, activement recherché par Interpol.

D'habitude, Max choisissait ses victimes avec soin, chacun de leurs gestes épié, scruté, étudié. Chaque arnaque se déroulait selon un mode opératoire à peu près identique. Après une longue période d'observation, après s'être assuré d'avoir bien appâté le client et que ses complices avaient « réchauffé » le sujet, Max intervenait. Le travail pouvait prendre quelques jours, ou alors s'échelonner sur plusieurs mois. Chaque victime était unique, il fallait s'ajuster sans cesse. Surtout, il fallait avoir le contrôle total de l'affaire du début à la fin de l'opération.

Mais avec Harris, Max avait dû s'en remettre au plan et aux préparatifs d'un autre, ce qu'il détestait par-dessus tout. Même s'il s'agissait de Jayesh Srinivasan, son ami, avec qui il avait travaillé en Inde.

L'époque des arnaques était bien terminée pour Max et il avait juré qu'on ne l'y reprendrait plus. À son retour d'Europe, après l'affaire des tsiganes[2], il avait peu à peu ralenti ses activités et s'était installé dans le village de Shela, à l'extérieur de Lamu, au nord du Kenya.

Deux semaines plus tôt, Jayesh l'avait appelé de Mumbai. Pour une affaire en or, selon lui. Un pigeon pour lequel il avait monté le piège parfait : le milliardaire Jonathan Harris. Ne manquait plus que le maître d'œuvre, l'«artiste» qui mettrait la touche finale à l'escroquerie. Jayesh avait pensé à Max, puisqu'il vivait maintenant dans la région.

— Les mauvais coups, c'est fini pour moi. J'ai pas envie de quitter mon paradis.

Jayesh avait insisté, augmenté le pourcentage de Max – il aurait la moitié de la cagnotte –, mais celui-ci avait refusé de plonger. Sa retraite, il ne voulait pas la sacrifier pour tout l'or du monde.

Peu après l'appel de Jayesh, Sophie Stroner, la fille de Valéria Michieka, lui avait annoncé sa visite. Ce qui l'avait étonné, mais réjoui dans un sens. Il recevrait enfin des nouvelles de Valéria, qui prenait soin de ne jamais lui en donner. Max ne lui en voulait pas. Les choses s'étaient mal terminées entre eux. Il lui avait fallu des mois pour réussir à s'affranchir du souvenir de cette femme, même si un appel ou un courriel de sa part l'aurait rempli de joie. Orgueilleux, Max attendait qu'elle fasse le premier pas de leur réconciliation. La visite de Sophie en était peut-être le signe avant-coureur.

---

2. Voir *Tsiganes*, Libre Expression, 2007.

D'un industriel italien, Max avait loué une villa toute blanche qui donnait sur l'océan Indien. Ses journées, il les passait à déambuler sur la plage, vers le sud, plus isolé, ou alors direction nord, ce qui lui permettait d'atteindre Lamu où se trouvaient quelques hôtels, trois ou quatre restaurants décents, et la vie animée d'une petite localité swahilie dominée par les activités du port et le va-et-vient des mulets chargés d'épices et autres denrées.

C'était là que Max était allé accueillir Sophie, dont l'avion en provenance de Bukoba, en Tanzanie, via Nairobi, s'était posé une heure plus tôt de l'autre côté du détroit, où se trouvait le petit aéroport de Lamu. Il la reconnut au milieu des touristes, debout dans la navette, s'efforçant de garder l'équilibre alors que le pilote immobilisait la barque le long du quai. À vingt-cinq ans, Sophie avait gardé des airs de gamine dont elle ne se départirait probablement jamais, comme sa mère, en fait.

Il tendit la main à la jeune femme pour l'aider à rejoindre la terre ferme. En bandoulière, un petit sac de voyage indiquait que son séjour serait de courte durée. Pour rejoindre le village de Shela, on pouvait faire le trajet à pied, le long de la plage, comme Max en avait pris l'habitude, ou reprendre un *dhow* qui vous débarquait devant l'hôtel Peponi. Mais Sophie était fatiguée, elle était partie tôt de Nairobi, et elle avait soif. Max l'emmena dans le bar d'un petit hôtel donnant sur le port, l'un des seuls autorisés à servir de l'alcool puisque Lamu se trouvait en territoire musulman.

— Heureuse de te revoir, lui lança Sophie dès qu'elle eut pris place dans la pièce plongée dans la pénombre.

Max se doutait que son voyage avait un but bien précis, mais se garda bien de la presser de questions.

— Tu es revenu en Afrique, dit-elle.

Max sourit. Bien sûr, après sa rupture avec Valéria, plus rien ne le rattachait à ce continent, mais il avait pourtant décidé de s'y installer temporairement. Lamu et les environs lui plaisaient. L'endroit semblait appartenir à un autre monde, avec ses rues ensablées et son humidité poisseuse.

— Comment va ta mère ?

— Bien, très bien même.

Plusieurs années plus tôt, dès sa sortie de l'Université de Makerere, une fois son diplôme d'avocat en poche, Valéria avait ouvert un bureau à Bukoba, au nord-ouest de la Tanzanie, près de la frontière de l'Ouganda – sur les rives du lac Victoria. Dans la région de la Kagera, en fait. Un endroit isolé du reste de la Tanzanie, plus près de Kampala ou de Nairobi que de Dar es-Salaam, l'ancienne capitale, la plus grande ville du pays. Autrefois, la région des Hayas avait formé un royaume prospère très développé sur le plan économique, mais tout cela avait disparu quand les Allemands puis les Britanniques avaient colonisé le pays au début du vingtième siècle. Les choses s'étaient lentement dégradées par la suite. Le développement de la région s'était fait, et continuait de se faire au compte-gouttes. Aujourd'hui, en guise de route, il n'y avait qu'un tronçon pavé au sud de Bukoba, le chef-lieu de la région, le reste du réseau étant composé de mauvais chemins de terre, ou alors de pistes raboteuses utilisées par les fermiers et les pêcheurs des villages avoisinants.

Autour du lac Victoria s'étaient déroulés les conflits les plus sanglants des dernières années, épilogue d'une colonisation qui avait laissé la région exsangue, ravagée par les prédateurs occidentaux. Des rescapés du Rwanda et du Burundi, à l'ouest, avaient trouvé refuge dans la Kagera au moment du génocide de 1994. Quelques années auparavant, les exclus du régime d'Idi Amin

Dada – au nord – avaient traversé la frontière ougandaise, eux aussi, en quête d'un havre de paix. Sans parler du sida qui avait achevé les survivants et décimé des familles et des villages entiers. Dans la région de la Kagera, à une certaine époque, au dire de Valéria, près du quart de la population était infectée. Le plus haut taux d'Afrique de l'Est.

Bref, Bukoba et ses environs étaient une sorte de condensé de ce que l'Afrique possédait de plus beau, mais aussi de plus terrifiant. Dans cette région de Tanzanie, l'Histoire semblait avoir revisité les tragédies et les cataclysmes des siècles précédents, leur avait donné, en quelque sorte, une couleur exotique. Le mal, oui, mais dans un environnement luxuriant. L'enfer dans un décor magnifique, imaginé par un dieu vengeur, cruel et ironique.

C'était là que Valéria offrait ses services juridiques à une population qui n'en avait pas les moyens. Bien entendu, à Dar es-Salaam, les choses auraient été plus faciles. Mais elle avait choisi Bukoba pour une raison bien précise : l'effroyable chasse aux albinos, une véritable plaie sociale qui décimait les familles et semait la désolation.

Pour des raisons génétiques, la Tanzanie comptait davantage d'albinos – deux cent mille, selon certaines estimations – que d'autres pays d'Afrique, dont la population albinos était d'ailleurs beaucoup plus élevée qu'en Europe ou ailleurs en Occident.

Depuis la nuit des temps, on prêtait aux albinos, ces « nègres blancs », des pouvoirs magiques. Cette superstition faisait la fortune des truands qui ratissaient le pays à la recherche d'albinos de tous âges, qu'on enlevait, tuait et dépeçait, et dont les morceaux étaient vendus à des sorciers et des guérisseurs qui les refilaient à leurs clients. Régulièrement, des albinos disparaissaient pour ne plus jamais revenir, sinon sous forme d'amulettes ou de porte-bonheur.

Le trafic des albinos avait évolué. Au moment où Valéria décida de s'y attaquer, dans les années 1990, c'était devenu un commerce en pleine expansion. Autrefois, on s'intéressait aux albinos, à leurs « pouvoirs », dans le but de guérir les maladies, de mettre un terme aux épidémies, d'éliminer la sécheresse. Un albinos immolé à la saison des pluies garantissait des récoltes prodigieuses la saison suivante. Des membres d'albinos attachés aux mailles des filets faisaient miroiter la possibilité de pêches abondantes.

Mais les besoins avaient changé. À mesure que le pays sortait du sous-développement, une nouvelle clientèle avait fait son apparition. Des organes d'albinos étaient vendus à des ambitieux avides d'une promotion, à des employés qui rêvaient d'une augmentation de salaire, ou tout simplement comme billet de loterie pour gagner une grosse somme d'argent.

Dans son bureau, Valéria recevait des parents éplorés venus demander réparation pour le bras ou le pied qu'on avait arraché à leur fils ou à leur fille. Elle les défendait avec une énergie jamais démentie, et avec l'appui du gouvernement tanzanien, qui avait déclaré la guerre aux trafiquants. Avant l'intervention de Valéria, ceux-ci s'en tiraient avec des peines ridicules, faute de témoins, effrayés par le climat de terreur imposé par les sorciers et les guérisseurs. Sans enthousiasme, les policiers se lançaient aux trousses des revendeurs, on arrêtait quelques sorciers plus tapageurs que d'autres, et tout ce beau monde se retrouvait en prison, mais pour des peines minimes sans commune mesure avec la gravité de leurs actes. La clientèle des chasseurs d'albinos s'étant diversifiée, il fallait des sanctions en conséquence. Et des témoins qui ne craignaient pas de parler et de les dénoncer.

Valéria les amenait peu à peu à sortir de leur mutisme et à désigner les coupables, à venir en cour témoigner contre eux pour qu'ils cessent enfin de semer la mort. De sa résidence, à Bukoba, Valéria avait créé The Colour of Respect Foundation, afin de venir en aide aux albinos et à leur famille. Pour récolter des appuis et du financement, elle n'hésitait pas à parcourir l'Afrique, mais également l'Europe et l'Amérique, pendant que sa fille, Sophie, avocate elle aussi, gardait le fort à Bukoba.

Comment pouvait-on rester insensible à ce massacre récurrent – en 2008 seulement, vingt-sept albinos assassinés – qui ramenait chaque fois l'Afrique à un passé trouble, laissant croire que, malgré des efforts soutenus, rien n'avait changé sur ce continent, tout était toujours aussi primitif et sanguinaire ?

La traversée ayant été éprouvante et le voyage aussi, Sophie refusa de remonter dans une navette quand Max le lui proposa, à la sortie du bar. Il saisit son sac de voyage et entraîna la jeune femme sur le sentier de la plage, en direction de Shela. Le soir tombait, mais il faisait encore très chaud. Tout en marchant, Sophie lui parla de sa mère, de son bureau qui avait pris de l'expansion, qui s'occupait toujours des albinos, mais tentait de varier ses activités. Droit commercial et immobilier, droit familial aussi, au gré des besoins de ses clients. Valéria faisait encore partie du Women's Legal Aid Centre, dont elle avait ouvert une succursale à Bukoba. Parfois on la payait, d'autres fois non, mais Valéria, fidèle à son habitude, ne refusait aucun client. Sophie l'assistait dans ce boulot. Après avoir amorcé ses études en droit dans une université montréalaise, la jeune femme était rentrée au pays pour y obtenir son diplôme. Qu'elle ait choisi la même profession que sa mère remplissait Valéria de fierté.

— Elle parle de toi, parfois.

Surprise de Max. Il doutait de la sincérité de la jeune femme. De toute évidence, elle voulait amadouer son hôte.

— Elle regrette ce qui s'est passé, ajouta-t-elle.

Ils continuèrent en silence. Max n'avait pas envie de ressasser ces vieilles histoires, il était déjà rendu ailleurs. Revoir Sophie ne devait pas servir à faire remonter à la surface les remords, les regrets, à relire sa vie à l'envers, ce qu'il avait fait trop souvent déjà. Il aimait encore Valéria à la folie, mais les choses n'avaient pas tourné pour le mieux. En discuter ne changerait rien à la situation. Les mensonges de Sophie non plus.

Il dit :

— Parlons d'autre chose, veux-tu ?

Max aida Sophie à s'installer sur la terrasse de sa maison, qu'il avait transformée en chambre d'amis. Une immense pièce couverte de bambous, sans fenêtres, ce qui permettait d'entendre la rumeur de la place, plus bas. Le passage des ânes, leurs cris et celui des enfants. Dans un coin, une douche rudimentaire à l'eau froide uniquement. Mais l'eau chaude aurait été inutile. Il faisait tellement chaud, même tôt le matin. Les nuits étaient torrides, à la limite du supportable.

Ce soir-là, Max invita Sophie à dîner au Peponi, l'un des seuls endroits à Shela où l'on servait de l'alcool. L'établissement accueillait des touristes, jeunes pour la plupart, bruyants et démonstratifs. Max avait hâte à la fin du repas, ponctué de silences inconfortables, comme si, déjà, ils étaient à court de sujets de conversation.

Sur le chemin du retour, alors qu'il guidait Sophie avec sa lampe de poche – le village était plongé dans le noir –, la jeune femme lui prit le bras.

— Il est arrivé quelque chose…

La lune, voilée, éclairait à peine son visage.

— Tu te souviens de Teresa Mwandenga?

Max ignorait de qui elle parlait.

— La comptable. Tu t'en rappelles sûrement. Toute petite, avec une voix rauque.

Il se souvenait maintenant d'avoir vu cette femme autour de Valéria à quelques reprises, sans savoir qu'elle s'occupait de comptabilité. Une collègue du Women's Legal Aid Centre, croyait-il. Beaucoup de gens allaient et venaient dans le cercle de l'avocate. D'un séjour à l'autre, Max y rencontrait toujours de nouveaux visages.

— Elle s'est enfuie avec la caisse de la fondation, reprit Sophie. En fait, pendant des mois, discrètement, elle a détourné des fonds, qu'elle déposait dans un compte parallèle dont on ignorait l'existence, maman et moi.

Le mois précédent, Teresa Mwandenga avait demandé un congé pour aller visiter sa tante à Kigoma, mais n'était pas rentrée la semaine suivante. Sophie avait essayé de la joindre sur son portable; aucune réponse. La tante en question semblait n'avoir jamais existé, son numéro était fictif. Soupçonnant quelque chose, Valéria avait vérifié les livres, le compte de banque et les autres documents dont Mwandenga avait la responsabilité, et découvert que la fondation était non seulement à sec, mais endettée de l'équivalent en shillings de plusieurs centaines de milliers de dollars. Mwandenga avait fait patienter les créanciers, histoire de récolter encore plus de fric, puis s'était évanouie dans la nature.

— Vous avez cherché à la retrouver? Vous avez appelé la police?

— La police, non. Ça n'aurait servi à rien.

Elle ajouta:

25

— J'ai fait quelques téléphones. On a même pensé engager un policier à la retraite pour traquer Mwandenga, mais on y a renoncé, finalement.

En fouillant dans son bureau, Sophie et sa mère avaient découvert que la comptable avait placé plusieurs appels à Dubaï. Et acheté un billet d'avion pour un vol quittant Dar es-Salaam en direction des Émirats.

— Colour of Respect va devoir déposer son bilan. Je suis venue te demander de l'aide. Valéria n'est pas d'accord, elle n'est même pas au courant de mes démarches. Elle me croit à Dar es-Salaam en train de négocier avec la banque.

Max imaginait très bien Valéria, orgueilleuse, refuser une pareille humiliation.

— Je vais y penser, répondit Max avant de reprendre le chemin de la maison.

Incapable de trouver le sommeil, il tourna en rond sur la terrasse jusque tard dans la nuit pendant que Sophie dormait à l'étage. Sous ses pieds, la fraîcheur de la tuile, qui ne tarderait pas, dès le lever du soleil, à redevenir brûlante. Avant l'aube, il quitta la maison et se dirigea vers la plage, qui s'ouvrait devant le Peponi. La nuit était claire, tout à coup, les nuages d'humidité s'étaient peu à peu retirés, on distinguait les vagues qui venaient mourir sur la grève. Sa décision était prise, mais il voulait y réfléchir encore un peu.

À quoi bon ?

Dès son retour à la maison, avant même le réveil de Sophie, Max rappela Jayesh Srinivasan, à Mumbai.

Ch. 2

Rashid immobilisa son embarcation au pied de l'échelle du *Sunflower*, où un homme d'équipage tout de blanc vêtu, un marin de bande dessinée, attendait déjà Max O'Brien, qui le suivit sur le pont. Le capitaine Robson – une tête d'amiral britannique d'un autre âge, style *The Bounty* – l'accueillit avec un grand sourire et une poignée de main collante d'humidité.

— Bienvenue à bord du *Sunflower*, monsieur Flanagan.

Max jeta un regard autour de lui : tout ce blanc l'aveuglait. Lui faisait tourner la tête. L'étourdissait. De cette luminescence agressive et tape-à-l'œil surgit tout à coup un type grand, bronzé, dont les cheveux gris tentaient de s'échapper de son panama qu'il portait de façon très élégante, comme s'il s'apprêtait à poser pour la page couverture d'un magazine sur les plaisirs de la navigation récréative. Sourire ravageur, dents étincelantes. Chemise froissée – volontairement – dont la poche indiquait les initiales J.H. Malgré la chaleur extrême, ce dandy semblait frais comme une rose.

Il tendit la main au nouveau venu.

— Jonathan Harris. Très heureux de vous rencontrer.

— Robert Flanagan, répliqua Max en le saluant d'un léger mouvement de la tête.

Harris le détailla. Son examen d'entrée, se dit Max. Mais le milliardaire n'était pas méfiant, heureusement. Tapes sur l'épaule, clin d'œil complice et sourire engageant.

— *Poor fellows*, s'exclama Harris en indiquant les Somaliens.

Jonathan Harris et son *Sunflower* partageaient la baie de Zanzibar avec d'autres navires de plaisance au luxe extravagant, ce qui était habituel, mais ce vieux *dhow* venu de l'enfer appartenait à une autre planète. Un cancrelat au milieu d'une table de mariage.

— Ils dérivent en mer depuis une semaine, reprit Harris. Avoir réussi à filer entre les pattes des milices islamistes pour se retrouver aujourd'hui victimes de la bureaucratie tanzanienne…

Ce trait d'esprit, le milliardaire devait le répéter souvent depuis son arrivée, la veille.

D'où lui venait sa fortune ? Harris était le président de Sunflower Media à Los Angeles, une société de fabrication d'appareils électroniques – héritée de son père – qui s'était lancée dans le développement de téléphones intelligents à une époque où le iPhone et le BlackBerry étaient encore à l'état de projet. Résultat : quand l'engouement des consommateurs pour ce nouveau type de portable devint incontournable, Harris était prêt. Son téléphone Stellar s'était répandu partout aux États-Unis et en Europe, mais aussi au plus profond de l'Afrique et au cœur du sous-continent indien. Depuis, la société de Jonathan Harris avait pris de l'expansion, diversifié ses opérations, piqué une pointe du côté des tablettes tactiles – avec un succès mitigé, par contre. Le Stellar était et demeurait la vache à lait de Sunflower Media.

Le milliardaire indiqua de nouveau le *dhow*.

— J'ai parlé moi-même au commissaire du port que j'ai joint à son domicile, et il ne veut rien faire. C'est ça, l'Afrique. Des fonctionnaires qui se croient les maîtres du monde. Dès qu'ils ont un peu de pouvoir...

— Vous auriez dû lui offrir un pot-de-vin, suggéra Max.

Harris se tourna vers le visiteur, qu'il toisa d'un regard implacable.

— Je ne mange pas de ce pain-là, Robert – je peux vous appeler Robert? La corruption ne mène à rien. Le message doit venir de nous, les Occidentaux. Vous comprenez?

Max comprenait surtout qu'il étalait ses beaux principes à un bien mauvais moment.

— Une centaine de dollars aurait suffi.

De nouveau, le regard inquisiteur de Harris scrutait le visage de son interlocuteur. Il se demandait à qui il avait affaire. Robert Flanagan, spécialiste en sécurité maritime? Max était convaincu que ses subalternes avaient fait les recherches nécessaires. Robert Flanagan avait évidemment son site internet, faisant état de références professionnelles irréprochables, il appartenait à une association corporative, et même à un club de tennis à Dubaï. Une existence virtuelle créée en moins d'une semaine, mais donnant l'impression que Max était un vieux routier de la région. Jayesh avait abattu du bon boulot. Il avait poussé le canular jusqu'à faire croire que derrière le nom de Chris Mason – le chroniqueur maritime qui signait depuis six mois des articles sur la piraterie dans *Aden News*, une cyberlettre très populaire auprès des skippers – se cachait Robert Flanagan.

Bref, malgré l'échéancier serré, sa fausse identité avait été élaborée avec soin.

Jonathan Harris sourit pour détendre l'atmosphère. Comme s'il voulait se faire pardonner d'avoir douté un instant de l'honnêteté de son invité.

— Si on rentrait?

Une porte-patio s'ouvrit devant Max. Les autres passagers étaient restés au frais, à l'intérieur. Des avocats, tous, en tenue de croisière, version Lacoste et Hilfiger. Plus jeunes que leur patron. Ils se levèrent spontanément quand Max pénétra dans la pièce, un grand salon au plafond bas, décoré par un passionné de la mode maritime, amateur des romans de Joseph Conrad : vieilles boussoles, cartes marines d'autrefois, garnitures en cuivre doré.

Derrière le petit groupe, accrochée au mur, une immense télé allumée sur CNN retransmettait, elle aussi, la visite d'Obama en Tanzanie. Le choix de ce pays n'était pas innocent, disait-on. Tout comme le Ghana et le Kenya, la Tanzanie était une démocratie, l'une des seules qui semblaient fonctionner en Afrique, même si le parti au pouvoir – le Chama cha Mapinduzi, le «parti de la révolution» – y régnait sans partage depuis l'indépendance. Un exemple pour les autres nations du continent aux prises avec des dictateurs sanguinaires, plus ou moins dérangés, qui considéraient leur pays comme des propriétés privées, des terrains de jeu pour leurs fantasmes les plus délirants.

— Quelle chaleur! s'écria Harris dès qu'il eut refermé la porte derrière lui. Des journées comme aujourd'hui, j'envie mon fils…

Il se tourna vers l'un des passagers.

— Barney, tu te souviens de Jim? *Little* Jim.

Le type acquiesça mollement.

— L'an dernier, il lui a pris l'envie d'aller se ressourcer au Népal, dans une lamaserie. Au cœur de l'Himalaya.

Il boit du thé aux épices, du lait de yak et se promène en robe de moine à longueur de journée, le crâne rasé. Du yoga et de la méditation, un peu de lévitation peut-être, dans le plus beau paysage du monde. Il m'a envoyé des photos. Les pics rocheux, les neiges éternelles...

Sourire ému de Harris, encouragé par le regard bienveillant de ses subalternes. Pendant ce moment de tendresse paternelle, Max observa les passagers. La fine fleur de la nouvelle société américaine, celle de Barack Obama, justement. D'ailleurs, ils avaient l'intention de profiter de l'escale à Mombasa pour s'offrir une visite éclair à Kendu Bay, où était né le père du président. Une excursion qui ne manquerait pas d'être bouleversante, surtout pour la plus jeune du lot, une ravissante Noire originaire d'Atlanta, dont le visage irradiait une confiance inébranlable en l'avenir de l'Amérique.

Une porte s'ouvrit dans la coursive, plus loin, et un type énorme, imposant, une montagne de muscles, s'échappa d'une cabine et tangua jusqu'au petit groupe. Noir et vêtu de noir des pieds à la tête, le crâne rasé, luisant, le regard acéré, petite boucle à l'oreille et chaînette au cou. Une large cicatrice traversait en oblique son visage, ratant de peu le nez au passage. Un tee-shirt trop serré couvrait tant bien que mal son torse hypertrophié. Il courbait le dos de peur de se frapper au plafond, ce qui lui donnait l'air d'un fauve affamé sur le point de se jeter sur une antilope sans défense. Bref, le *bodyguard* typique que les riches Américains affectionnent. Du genre qu'il valait mieux ne pas contrarier – du moins en apparence.

Mais Max savait par expérience que ces brutes huilées, taciturnes et gonflées aux stéroïdes, affichant leurs blessures de guerre, jouaient trop sur leur *look*. Faute de véritables opposants, négligeant l'entraînement, elles s'avéraient souvent molles et vulnérables.

— Je vous présente Ferguson, lança Harris. Mon ange gardien, comme je m'amuse à le désigner. Il dit que je fais une erreur en vous engageant. Avouez qu'il est quand même intimidant. Il n'aurait qu'à se balader sur le pont pour faire fuir les pillards, foulards et turbans par-dessus tête !

Sourire – faussement – timide du molosse.

Une dent en or, bien entendu.

Il fallait s'en méfier, selon Jayesh. Extrêmement dangereux.

Harris ordonna à son homme de main de leur servir à boire – thés verts glacés, *lattes* et boissons mentholées, sans alcool, bien sûr. L'ère du scotch était révolue. Mais pas pour Max, qui tenait à maintenir auprès de ces énergumènes sa réputation et son style de mercenaire d'une autre époque.

— Alors vous aurez le privilège de goûter mon Single malt, Robert. Je le fais venir directement d'Édimbourg.

Max s'installa dans un fauteuil confortable, séparé de ses hôtes par une table basse, couverte de contrats et autres documents juridiques, pendant que Ferguson jouait dans la vaisselle avec ses grosses mains, derrière le comptoir. Harris, lui, resta debout, appuyé sur une vieille roue de gouvernail patinée par l'âge. Par le hublot, à sa droite, les réfugiés somaliens continuaient de cuire au soleil. Mais Harris les avait oubliés, déjà.

— Je me suis renseigné sur plusieurs sociétés de protection ; la vôtre me semble la plus sérieuse.

Grand sourire de Harris, qui poursuivit :

— Évidemment, vous facturez le gros prix.

— Le travail est risqué.

— Vous avez raison d'être exigeant. C'est ce que je me tue à répéter à mes collègues : inutile de vendre à rabais son talent et son expertise. Ce que l'Afrique a toujours fait jusqu'à maintenant. Heureusement, les choses changent.

À l'écran, comme pour lui donner raison, Barack Obama passait en revue la garde militaire tanzanienne, en compagnie du président Joseph Lugembe. Brillant économiste formé à Londres, à la tête du pays depuis 2005, Lugembe était un peu plus âgé qu'Obama, mais suscitait les mêmes espoirs.

Fils d'un petit commerçant, il avait grimpé peu à peu les échelons du parti au pouvoir, avec la bénédiction du président Komba, son mentor et ancien professeur à l'université de Dar es-Salaam. En 1982, il avait épousé Myriam Ikingura, déjà mère de deux fillettes, Faith et Clara. Des jumelles albinos. Phénomène exceptionnel. L'albinisme était provoqué par la présence d'un gène déficient chez les deux parents − pas nécessairement albinos eux-mêmes. La mère avait une possibilité sur quatre d'enfanter un albinos, et il était plausible, mais plus rare encore, d'avoir des jumeaux albinos. C'était la situation de Myriam Ikingura. Ami de son mari depuis des années, Lugembe avait fait la connaissance de Myriam dans une réunion politique. À la mort du père des jumelles, il s'était rapproché de la jeune femme, qu'il avait finalement épousée.

Leur mariage n'avait pas duré. Aux prises avec de graves problèmes mentaux, Myriam avait été internée à l'hôpital Mirembe de Dodoma, seul établissement psychiatrique de Tanzanie. Elle s'y était donné la mort en 1986, quelques mois après l'assassinat de sa fille Faith, enlevée par des chasseurs d'albinos. En 2002, Clara disparaissait dans les mêmes circonstances.

Bouleversé, enragé, fou de douleur, Lugembe mit l'appareil policier au service de sa propre souffrance. Il promit cadeaux, bonus et autres faveurs pour quiconque lui ramènerait sa grande fille saine et sauve. Pendant des jours, carburant à la vengeance, Lugembe apparut sur toutes les tribunes. Bientôt, ses efforts donnèrent des résultats. Samuel Musindo, un infirmier employé d'un dispensaire près de Dodoma, avait été aperçu avec Clara la veille de sa disparition. Quand on vint pour l'interroger, il avait disparu. Plus tard, on apprit que Musindo se servait de la couverture que lui offrait son travail pour refiler des enfants albinos aux sorciers des environs. Il avait été surpris à rôder près de la pouponnière avant la disparition de bébés albinos, mais on n'avait jamais pu, jusqu'alors, le lier à ces enlèvements et l'incriminer d'aucune façon.

Musindo était issu d'une famille aisée et sans histoire de Dar es-Salaam ; son père, Thomas, possédait un terrain de golf, le Bahari Beach, dont plusieurs notables étaient membres. Ce qui ajoutait au malaise et à l'horreur de la chose. On s'était attendu à ce qu'un analphabète à moitié nu, échappé de la savane, ait commis le crime, mais c'était un jeune homme bien sous tout rapport. Son seul travers : l'utilisation abusive d'éphédra pour combattre ses allergies.

La police l'intercepta alors qu'il s'apprêtait à traverser la frontière du Kenya. Interrogé sans relâche, Musindo avoua finalement avoir jeté la dépouille de Clara dans la décharge industrielle de Dodoma, il ne savait plus où exactement. L'esprit embrouillé par l'éphédra, il se souvenait d'avoir creusé toute une nuit, mais ignorait l'endroit où il avait enterré la victime. Il ne savait pas non plus pourquoi il avait choisi de faire disparaître le corps, plutôt que de le démembrer, comme c'était l'usage chez les trafiquants.

Pendant une semaine, la police avait cherché Clara partout, craignant le pire. On découvrit finalement le cadavre boursouflé de la jeune fille au milieu d'un tas de détritus.

Pendant qu'on interrogeait le suspect, Joseph Lugembe, dévasté, s'était cloîtré dans sa résidence de Dodoma. La colère avait fait place à la tristesse. Des jours durant, les journalistes firent le pied de grue devant la propriété en attente d'une déclaration. Qui vint du président Komba. Afin de témoigner sa tristesse à son ami et dauphin, il annonça le rétablissement de la peine capitale pour les meurtres d'albinos.

Le 14 novembre 2002, à l'issue de son procès, malgré la performance de l'avocat de la défense Jason Chagula, le couloir de la mort du pénitencier d'Ukonga à Dar es-Salaam fut rouvert avec Samuel Musindo comme premier pensionnaire, bientôt rejoint par d'autres trafiquants. Le jeune infirmier fut exécuté en juillet 2003, en présence du président Komba, de Lugembe et de l'avocat Chagula. Les parents de Musindo, eux, s'étaient réfugiés dans un hôtel, assaillis par les journalistes auxquels ils refusèrent des entrevues.

P. 36

Cette page est blanche

Ch · 3

Jonathan Harris bombait le torse, relevait la tête, le visage illuminé d'une assurance et d'une confiance lui ayant permis de se hisser où il se trouvait maintenant. Aucune mauvaise décision dans ce parcours sans faute. On vantait son flair et son intelligence ; sa richesse émotive, au dire d'un journaliste, avait augmenté en même temps que son compte de banque. Harris pratiquait le capitalisme autrement, n'hésitant pas à bousculer les méthodes d'autrefois. La compassion étant devenue une valeur à la mode, il n'avait pas hésité à donner la sienne en exemple, investissant dans la pitié et la miséricorde avec la même énergie que celle qui lui avait permis de s'attaquer à Nasdaq et aux autres terrains de jeux des entrepreneurs modernes. Pas surprenant que l'Afrique ait touché une corde sensible chez lui. S'il avait raté le réveil de l'Asie – c'était déjà chose faite quand il prit la direction de l'entreprise –, il n'avait pas l'intention de louper les formidables occasions d'affaires offertes par la nouvelle classe moyenne qui ne tarderait pas à émerger du bourbier africain. Même les despotes et leurs royaumes sanguinaires viendraient à mourir, un jour, bientôt. Harris serait là, au premier rang, pour tirer profit de ces ruines encore fumantes.

Sans se retourner, d'un geste de la main, le milliardaire indiqua le *dhow* des réfugiés, derrière lui.

— Cette Afrique d'autrefois, exploitée, résignée, disparaîtra peu à peu, j'en suis sûr. Grâce à nous. Grâce à l'Amérique. D'ailleurs, le message d'Obama à l'égard des dictateurs est clair. Il ne veut pas les voir autour de la table, un point c'est tout.

Il ajouta :

— La prise de position de notre nouveau président a plus d'impact que toutes les armées de George W. Bush réunies. Obama a compris, lui, que la diplomatie et les relations publiques sont le nerf de la guerre que nous livrons aux barbares empêtrés dans leurs coutumes obsolètes.

Max surprit le regard de la jeune avocate d'Atlanta. Rayonnant, étincelant. Lumineux. Elle buvait les paroles du milliardaire. L'Amérique a évolué, semblait-elle dire. Après des années de politiques néfastes, après une vision caricaturale des relations internationales, nos dirigeants ont enfin compris. La supériorité américaine devait s'appuyer sur un contrat moral, que le pays le plus puissant du monde se devait de respecter en priorité.

— Nous ne pouvons plus imposer justice, démocratie, respect des droits de l'homme au reste de l'humanité si, de notre côté, nous bafouons allègrement ces principes essentiels, poursuivit Harris.

Ferguson déposa les drinks devant chacun des passagers, puis se retira de nouveau derrière le comptoir, feignant d'en astiquer la surface en cuivre.

Alors que Max goûtait à son scotch, Harris ajouta :

— Je l'admets. Dominer le monde est une responsabilité pour laquelle nous étions mal préparés jusqu'à tout récemment. D'où bavures, mésalliances et autres faux pas. Nous être acoquinés à tous les dictateurs de la planète a terni notre réputation auprès des peuples qui ont besoin de notre aide et de notre appui.

Un long silence. Si Harris s'était attendu à ce que son invité commente, il n'en laissa rien paraître. Le scotch était excellent. Max reposa le verre sur la table. Risqua un sourire. Que lui rendit Harris.

Le préambule terminé, il fallait passer aux choses sérieuses. En dépit de la fraîcheur des lieux, Max fut soudain envahi par une bouffée de chaleur qui pouvait dépendre de l'alcool ou, plus probablement, de sa grande nervosité. Malgré son assurance apparente, lui aussi savait qu'il jouait gros et que la situation pouvait se retourner à son désavantage. Mais il était trop tard pour reculer.

D'une voix enjouée, Harris lança :

— Ces histoires de pirates me semblent bien exagérées, Robert. J'ai vu les reportages comme vous, mais tout de même…

— Des anciens pêcheurs, évincés par les bateaux des autres pays qui pillent allègrement les eaux territoriales de la Somalie, rétorqua Max.

— Ils n'ont plus de gouvernement, ces malheureux.

— Des types bien armés, par contre, et de plus en plus audacieux. Un jour, vous verrez, ils aborderont les cargos dès leur sortie de Mombasa.

— J'en doute. Les Kényans ne le permettraient pas.

— Il est encore temps pour vous de rebrousser chemin.

Harris éclata de rire.

— Et laisser ces voyous décider du trajet du *Sunflower*? Pas question.

— Comme vous voulez.

— Je vous le répète : la menace me semble exagérée. Monter à bord d'un yacht, s'emparer de l'équipage et des passagers. Réclamer une rançon…

Il indiqua le *dhow*, de nouveau.

— Ceux-là, oui, ils n'ont pas les moyens de se défendre.

— Vous non plus, répliqua Max, puisque l'autre lui tendait la perche.

— Pardon ?

— Monter à bord d'un yacht. Réclamer une rançon…

Max regarda Harris dans les yeux.

— C'est exactement ce que je suis en train de faire, ajouta-t-il.

Silence total, puis Harris éclata de rire.

— C'est la meilleure de la journée !

Max ignora le sarcasme.

— Deux millions de dollars.

Jonathan Harris eut un mouvement de recul. Ferguson cessa d'astiquer son comptoir. Les avocats se regardaient les uns les autres, sans comprendre.

— Payable dès maintenant, ajouta Max.

Dans le salon du *Sunflower*, on aurait entendu voler une mouche si l'atmosphère n'avait pas été stérilisée à l'insecticide Carlington Haven, réservé d'ordinaire aux trois Gulfstream G550 de Jonathan Harris parqués à l'aéroport de Nice. En d'autres termes, l'ambiance s'était considérablement rafraîchie, et ça n'avait rien à voir avec la climatisation poussée au maximum.

— Vous n'êtes pas…

— Spécialiste de la sécurité maritime ? Non.

Max marqua une pause, puis :

— Je suis un escroc. Ma spécialité : des milliardaires comme vous, Harris, imbus de leur importance, et dont l'argent brûle les doigts. Les types de votre espèce, je les ai toujours méprisés. Vos discours ronflants, votre générosité de pacotille, vos bonnes intentions dégoulinantes d'hypocrisie, je n'ai jamais pu supporter. Contentez-vous de faire de l'argent, Harris, sans vouloir imposer votre morale de merde à qui que ce soit.

Pendant un moment, le businessman fixa Max avec un regard acéré. Il avait horreur de se faire avoir, surtout en présence de ses subalternes. Horreur de se faire sermonner. Il était convaincu que Max commettait une énorme bourde.

— Vous êtes une crapule, Flanagan. Téméraire, oui, mais pas très intelligent.

Il soupira. Il avait repris ses esprits, tout à coup. Ferguson fit un mouvement vers Max, mais Harris l'arrêta d'un geste de la main.

— De toute évidence, vous ignorez à qui vous parlez. Je peux être très méchant quand on me provoque.

Max ne répondit rien. Il avait hâte d'en finir, hâte de se débarrasser de ces zigotos, Harris le premier.

— Si vous quittiez ce yacht dès maintenant ? proposa Harris avec une voix de vendeur d'appareils ménagers. J'oublie ce petit incident, je n'avertis même pas la police. Je vous donne une chance. Une seule. La dernière. C'est à vous de la prendre, maintenant.

Il sourit.

— J'ai grand cœur. On me l'a toujours reproché.

— Deux millions de dollars.

Le nabab ne répondit rien. Il continuait de fixer Max. Du coin de l'œil, celui-ci ne perdait pas de vue Ferguson, qui ne demandait qu'une chose : la permission de se jeter sur cet imbécile qui prétendait pouvoir dépouiller son patron.

— Allons, allons, Flanagan. Un peu de sérieux. Vous croyez pouvoir vous en tirer aussi facilement ?

— Oui.

Nouveau sourire de Harris.

— Je vous ai fait une offre. Acceptez-la maintenant et foutez le camp. Disparaissez de ma vie.

Un long silence.

Enfin, Max sortit son téléphone Stellar sous le regard intrigué de Harris et des autres. Il appuya sur une touche, comme s'il voulait faire une démonstration de l'appareil. L'air de dire : même ici, en Afrique, on ne saurait vivre sans un Stellar.

— Qu'est-ce que ça veut dire ? demanda Harris, visiblement perplexe.

Max obtint la communication. À l'image, bientôt, des montagnes. La neige. Le ciel bleu.

Il tendit son portable à Harris.

— C'est pour vous.

Harris regarda le Stellar sans comprendre. Puis il reconnut la voix, qui venait de très loin.

— *Dad, dad... Are you there ?*

Le milliardaire arracha le téléphone des mains de Max. À l'écran, son fils. Le crâne rasé. Vêtu d'une robe de moine bouddhiste.

Il ventait au Népal. De temps en temps, un bout de vêtement cachait le visage de *little* Jim, qui l'écartait d'un geste impatient.

Les avocats se redressèrent, sans comprendre eux non plus, mais ayant remarqué le désarroi de leur patron. Ferguson les poussa sans ménagement et s'approcha de Max comme un fauve en colère, sans oser se jeter sur lui.

— *Jim, are you O.K. ?* demanda Harris, des trémolos dans la voix.

— Bien sûr, répondit Max. Il est en parfaite santé. Pour l'instant du moins.

À l'écran du portable, un deuxième bonze apparut, un revolver à la main : Jayesh Srinivasan. Il pointait son arme sur la tête de Jim. De son autre main, il tenait le Stellar, pointé lui aussi sur le jeune homme.

— Malgré les apparences, mon complice est un adepte de la non-violence, expliqua Max. Depuis deux semaines, il médite avec votre fils. Ils discutent et commentent les différents sûtras qui contiennent les enseignements du Bouddha. Aujourd'hui, les deux moines sont allés se balader en montagne. Personne n'est au courant de leurs allées et venues.

Un coup de feu se fit entendre dans le mini haut-parleur.

Harris eut un mouvement de recul.

— Ma proposition est très simple. Ou bien vous payez deux millions maintenant. Ou alors Jayesh met une balle dans la tête de *little* Jim. Après la méditation, la réincarnation.

Harris hurla :

— Vous êtes complètement fou ! C'est du terrorisme !

Sa confiance l'avait déjà quitté depuis un moment, en même temps que son sourire de milliardaire.

— Si vous touchez à un seul cheveu…

Un autre coup de feu en provenance du Stellar, que Max récupéra.

— À votre place, j'essaierais de ne pas trop indisposer mon ami. Il est du genre imprévisible. Impatient aussi. La non-violence a quand même des limites.

De nouveau, le silence. Harris était coincé. Et les autres le savaient aussi.

Un troisième coup de feu.

— Je n'ai pas cet argent sur moi, balbutia Harris.

— Ça, c'est votre problème. Dans trois minutes, si mon collègue n'a pas eu de nouvelles de ma part, il va tuer votre fils d'une balle dans la tête.

Ferguson, les muscles saillants, n'attendait de son patron que l'ordre de se jeter sur Max. Sur son front, des gouttes de sueur en chapelet.

— Deux millions, reprit Max.

Harris se tourna vers son homme de main, qui ne bronchait toujours pas.

Max retint son souffle.

Mais Harris revint à Max sans donner d'ordre au matamore.

— D'accord.

Max lui tendit une série de numéros.

— Votre compte à Zurich. Et le mien, dans une autre banque, ailleurs en Europe. Un coup de fil, votre mot de passe, la reconnaissance vocale, et la transaction est réglée.

— Ils vont refuser. Ils vont...

— C'est samedi. Tout est fermé, lança la jeune avocate d'Atlanta, d'une voix hésitante.

— Demandez Alison, au service des dépôts étrangers. Elle fait des heures supplémentaires. C'est une amie.

— Vous êtes un salaud, Flanagan.

— Deux millions.

Harris sortit son portable d'une main tremblante. Obtint la communication avec Zurich. Demanda à parler à Alison, qui se fit attendre – Max s'inquiéta de nouveau, Alison était aussi le contact de Jayesh, pas le sien. Mais elle prit l'appel, finalement.

Harris passa la commande en butant sur les mots. Un moment plus tard, Max recevait l'appel de confirmation sur un deuxième cellulaire. De Zurich également. D'un collègue d'Alison à la Deutsche Bank, lui aussi recruté par Jayesh.

C'était gagné.

Max vida son verre d'un coup sec.

Il ne put s'empêcher de jeter un regard à Ferguson en sortant du salon. Le cerbère semblait totalement dépassé par la situation, ses muscles hypertrophiés inutiles, tout à coup. Les autres, Harris le premier, affichaient le même air hébété que Max avait rarement l'occasion de voir sur ses victimes. D'ordinaire, celles-ci prenaient conscience d'avoir été bernées longtemps après la disparition de l'escroc.

Sur le pont, la chaleur accablante le saisit à la gorge. Rashid l'attendait dans son embarcation, au pied de l'échelle, les yeux toujours rivés sur sa mini-télé et la visite du président Obama.

Surgi de nulle part, le capitaine Robson s'approcha du visiteur, surpris de le voir repartir si tôt, ignorant bien sûr la tournure prise par la rencontre. Ratant de peu la main visqueuse que Robson lui tendait de nouveau, Max mit le pied sur la première marche de la passerelle. Harris et les autres l'observaient sur le seuil de la porte-patio. Le soleil les éblouissait.

— Vous êtes pire que les pirates, Flanagan, lança Harris.

— Je suis un pirate.

— Vous allez payer pour ce que vous venez de faire.

Ça ne valait pas la peine de répondre. Pas la peine de l'humilier davantage.

Harris fulminait, mais n'ajouta rien. Max remarqua de nouveau le *dhow* des réfugiés somaliens. L'embarcation avait dérivé et se trouvait maintenant à tribord. La bâche recouvrait d'autres malheureux, ceux qui cuisaient au soleil, tout à l'heure. Combien d'entre eux ne verraient pas la fin du jour ?

Max se tourna de nouveau vers le milliardaire.

— Ces pauvres gens meurent de soif. Invitez-les à bord, Harris. Vous qui voulez tant soulager leurs malheurs…

Le visage de Harris se transforma de nouveau. La colère avait fait place à la stupeur.

— Votre bar bien garni, je suis sûr qu'ils en profiteraient. Même si ce sont des musulmans. Ils ont soif, ils ont faim. Vous êtes le seul qui puisse les soulager.

Max brandit de nouveau le Stellar, devenu une arme aussi dangereuse qu'un revolver. Une sorte de détente virtuelle, en fait, qu'il pouvait actionner à distance. De nouveau, la vie de *little* Jim ne tenait plus qu'à un fil.

— Allons, Harris. Un beau geste…

Après une longue hésitation, le milliardaire fit un mouvement de la tête à l'intention du capitaine Robson. Celui-ci ne réagit pas, Harris insista de nouveau. Robson, résigné, donna des ordres à des membres d'équipage, qui agitèrent les bras en direction du *dhow*, invitant le capitaine du rafiot à venir s'amarrer au yacht.

Max observa les réfugiés. Une frénésie s'était emparée des passagers. Des hommes se précipitèrent pour remettre le moteur en marche, écartant au passage femmes et enfants. Des bruits de voix, des cris se firent entendre. Lentement, le *dhow* se déplaça vers le yacht, que les réfugiés observaient sans y croire, comme si ce n'était qu'un mirage, un autre.

Max se tourna vers Harris, toujours à la porte du salon.

— Merci, Harris. Avec des types comme vous, l'Afrique s'en sortira.

Le milliardaire réintégra le salon sans rien répliquer. Les hommes de Robson s'agitaient en tous sens, maintenant. Le tiers-monde dans ce qu'il avait de plus misérable allait bientôt envahir leur univers, des mesures s'imposaient…

Quelques instants plus tard, juste avant d'arriver au port, alors que Rashid réduisait la vitesse du moteur, Max tenta de joindre Sophie, à Bukoba, pour lui annoncer que les problèmes financiers de Valéria étaient maintenant réglés. Elle avait éteint son portable, il lui laissa un message succinct en évitant les détails, bien entendu.

Avant d'accoster, Max se retourna. Le *dhow* était maintenant amarré au yacht et les passagers montaient à bord par groupes entiers, s'y répandant à la vitesse d'une colonie de fourmis en manque de châteaux de sable. De toute évidence, l'équipage avait perdu le contrôle, même si Robson et ses hommes tentaient tant bien que mal d'encadrer cette cohue. Jonathan Harris et ses passagers n'étaient pas réapparus sur le pont, probablement barricadés dans leurs cabines, laissant ces va-nu-pieds, cette *autre* Afrique, cette Afrique misérable et en voie de disparition prendre d'assaut leur palace flottant.

Le lendemain soir.

Autour du Serena Inn, un Zanzibar transformé. Décoré. Illuminé. En l'honneur de Barack Obama, dont on avait affiché partout le visage. De grands panneaux à mi-chemin entre les pubs de rock stars et la propagande soviétique.

La personnalité du nouveau président fascinait, séduisait, ses origines africaines en faisaient presque un enfant du pays. Son élection, à laquelle personne n'avait cru, semblait irréelle

Un Noir à la tête du pays le plus puissant du monde.

On s'en frottait encore les yeux.

— Les Américains vont enfin s'intéresser à l'Afrique autrement que pour la piller, lança le barman, derrière son comptoir.

Max se contenta de siroter son drink, ignorant la conversation que son interlocuteur tentait d'amorcer.

— Qu'est-ce que vous en pensez ? insista le barman.

— Rien. Je ne connais pas suffisamment l'Afrique. Et un peu trop les États-Unis. Mauvaise combinaison.

— La Tanzanie aura enfin sa chance.

— Je vous le souhaite sincèrement, répondit Max, sans se compromettre.

En fin de journée, la veille, Vincent Kalitumba, le gérant de la succursale de la Bank of Baroda à Dar es-Salaam, lui avait confirmé que l'argent avait été transféré dans le compte qu'il avait ouvert pour Valéria. Après l'arnaque, le fric de Harris s'était baladé un peu partout dans le monde, histoire de brouiller les pistes d'un enquêteur éventuel. Jayesh avait pris sa part, et Max avait récupéré la sienne, le million destiné à Valéria.

— Les Européens seront pris de cours ! s'écria le barman. Les Britanniques, surtout. Sans parler des Chinois. C'est un monde nouveau qui commence, monsieur Cheskin.

Cheskin : le pseudonyme que Max avait donné à la direction de l'hôtel à son arrivée. Celui qu'il utilisait depuis son installation en Afrique.

— Tant mieux, répondit Max.

La sonnerie de son portable lui fournit un bon prétexte pour quitter le comptoir et échapper au babillage du barman. C'était sans doute Sophie, enfin, qu'il avait tenté de joindre sans succès.

— Robert Cheskin ?

La voix d'un homme. Max eut un mouvement de recul.

— Qui êtes-vous ? Où est Sophie ?

— Inspecteur Henry Kilonzo, de la police tanzanienne.

— Qu'est-ce qui se passe ?

— Où êtes-vous, monsieur Cheskin ?

Il n'avait aucune raison de lui mentir.

— À Zanzibar. Passez-moi Sophie.

Un long silence, puis :

— Sophie Stroner est morte.

Max sentit le sol céder sous ses pieds.

— Je veux parler à Valéria.

— Morte elle aussi. Elles ont été assassinées, toutes les deux.

P. 50

Cette page est blanche

(5)

Ch. 4

Albert Kerensky avait choisi cette maison de retraite
parce que la chambre qu'on lui avait proposée donnait
sur le Walls Unit, à Huntsville, le plus vieux pénitencier
du Texas, où s'était déroulée presque toute sa carrière
après un court séjour à la prison de Dallas. Stanford Hill
n'était pas la résidence la plus moderne de la région, les
installations, vétustes, laissaient même à désirer, comme
l'avait constaté Roselyn lors de la visite. Mais son mari
restait inflexible.

Sa décision n'était pas non plus motivée par une question d'argent. Avec sa généreuse pension du gouvernement, il aurait pu s'offrir le Woodbridge Manor ou même
le Brighton Lodge, sur la route de Houston. Non, Albert
voulait Stanford Hill Residence, un point c'est tout.

Roselyn s'était inclinée.

C'était aussi sa vie, après tout. Son mari voulait la
terminer dans la solitude en contemplant à longueur
de journée un pénitencier lugubre, c'était son droit. Si
Norah, leur fille, avait été encore de ce monde, elle aurait
pu le faire changer d'idée. Mais il n'y avait plus que
Roselyn, dorénavant, et Albert ne l'avait jamais écoutée,
même quand ses arguments étaient fondés et valables.

Ce n'était pas ce genre d'homme. Toute sa vie, elle avait essayé autant que possible d'ignorer ses caprices, comme l'avait fait sa propre mère avec son mari à elle, mais avec moins de succès, hélas.

À la mort de Norah – des suites d'une insuffisance rénale chronique, quelques années plus tôt –, Roselyn s'était rendu compte à quel point sa fille assurait un semblant d'ordre et de stabilité dans l'existence de son mari. C'était elle, en tout cas, qui le motivait et lui donnait envie de se lever, le matin. Pas Roselyn. Après le décès de Norah, elle avait cru qu'ils retrouveraient leur bonne entente des débuts de leur mariage, mais non. Depuis des années, Albert, nostalgique invétéré, l'était devenu encore plus en vieillissant, se complaisant dans des souvenirs qui ne disaient plus rien à personne – sinon à son vieux copain Glenn Forrester avec qui il pouvait échanger des réminiscences du bon vieux temps, comme il disait. Deux amateurs de chasse qui se racontaient sans cesse les mêmes balivernes.

Roselyn avait également compris, à son grand désarroi, qu'elle n'était pas indispensable à son mari. À soixante-seize ans, elle était encore alerte et solide mais moins qu'autrefois. Toujours aussi droite, pourtant. Grande, élancée, le portrait de sa mère. Albert, lui, paraissait fragile, replié sur lui-même. Dans la dernière année, il avait perdu l'appétit, il semblait déprimé. Même la télé l'ennuyait. Un soir, il lui avait annoncé son intention de quitter Houston, où ils vivaient depuis sa retraite et la vente de leur maison, et de retourner à Huntsville s'installer à la résidence Stanford Hill.

Seul.

Toute une vie ensemble, et voilà que, du jour au lendemain, il l'écartait de la sienne comme un vieux meuble dont on se débarrasse.

Après qu'Albert fut monté se coucher, Roselyn avait pleuré comme jamais, plus encore qu'à la mort de Norah quand elle avait cru ne pas pouvoir s'en remettre.

Le jour du déménagement, Roselyn avait espéré, naïvement, qu'Albert changerait d'idée et l'inviterait à le rejoindre. Au contraire. Une fois installé à Stanford Hill, Albert avait cessé peu à peu de communiquer avec sa femme. Roselyn songea à déménager à Huntsville à son tour, pour être plus près de lui, mais renonça vite à cette idée.

Ils avaient peu de contacts, et c'était toujours Roselyn qui initiait les choses. Le dimanche matin, systématiquement, elle téléphonait à son mari et, malgré ses appels à heure fixe, avait toujours l'impression de le déranger. Parfois il choisissait ce moment précis pour s'absenter, comme s'il refusait de lui parler.

Quoiqu'un peu froissée au début, Roselyn s'y était faite. Son mari voulait vivre sa vieillesse dans la solitude, dans ses souvenirs, les yeux rivés sur le Walls Unit. Il préférait la compagnie de Glenn Forrester à celle de sa femme. Tant pis pour lui. Roselyn n'avait pas l'intention de gâcher les dernières années de sa vie à tenter de convaincre un vieux grognon de la garder près de lui.

Et pourtant, elle l'aimait encore. Elle n'avait jamais cessé de l'aimer malgré son attitude. Mais Roselyn ne savait plus trop comment se comporter avec ce mari énigmatique, mystérieux, qui vivait loin d'elle, dorénavant, et qui prenait plaisir, justement, à cultiver l'énigme et le mystère, surtout aux dépens de sa femme.

Roselyn n'avait donc pas été surprise lorsque Mme Callaghan, la directrice de la résidence, l'avait appelée sur son portable, alors qu'elle filait à un rendez-vous important au Four Seasons, où aurait lieu l'exposition annuelle de la Wildlife Artists Association of Texas.

Roselyn s'était toujours intéressée à la peinture, même avant de rencontrer Albert. Quand il avait déménagé à Huntsville, Roselyn, sans hésiter, retrouvant la passion de sa jeunesse, s'était jointe à ce groupe d'artistes amateurs spécialisés dans les sujets animaliers. Elle s'y était montrée enthousiaste, dynamique, imaginative. Elle n'avait pas tardé à se faire élire au conseil d'administration.

— Désolée de vous déranger, c'est au sujet de votre mari, dit Mme Callaghan, au téléphone.

Roselyn immobilisa aussitôt sa Mazda.

— Il est arrivé quelque chose?

— Ce matin, Albert n'est pas venu au petit-déjeuner, ce qui lui arrive souvent. Mais quand l'infirmière est entrée dans sa chambre pour lui faire prendre ses médicaments, la pièce était vide. Le lit n'avait pas été défait.

Roselyn réprima sa colère. Albert avait pris la clé des champs sans avertir personne et malgré l'assurance des autorités de la résidence qu'une telle chose serait impossible. En tout cas, elle l'aurait été au Woodbridge Manor Home ou dans n'importe quelle autre maison de prestige. Dans ce taudis, évidemment, les résidents allaient et venaient à leur guise, au mépris des plus élémentaires règles de sécurité.

— Vous avez vérifié chez son ami Glenn Forrester?

— Il n'y est pas.

Si Glenn n'était pas au courant des allées et venues d'Albert, ça voulait dire qu'il fallait s'inquiéter.

La directrice s'efforça de la rassurer:

— Heureusement, il n'est pas en perte de mémoire comme plusieurs de nos pensionnaires.

Ce que lui disait la directrice ne rassurait pas Roselyn, au contraire. Ça signifiait que son mari avait soigneusement planifié son départ et qu'il serait ainsi plus compliqué de le retrouver.

— C'était son habitude ? demanda-t-elle. Partir sans prévenir ?

— Non. Jamais.

Albert n'avait pas agi ainsi dans le but de se faire remarquer, puisqu'il refusait précisément qu'on s'occupe de lui et qu'on lui accorde la moindre attention. Néanmoins, il fallait agir. Le plus simple aurait été de rouler jusqu'à Huntsville, mais Roselyn détestait conduire la nuit, ce qui aurait été le cas au retour. Après avoir fait promettre à Mme Callaghan de la tenir au courant du moindre fait nouveau, elle avait aussitôt appelé son gendre, au Huntsville Police Department.

Peter Sawyer, fils d'un gardien du Wynne Unit, s'était marié avec Norah à sa sortie de l'académie de police de Galveston, quand il avait été embauché par la municipalité. Mais les deux s'étaient connus des années plus tôt à Camp Connally, au cœur du parc Big Thicket, une colonie de vacances pour les enfants des employés du système pénitentiaire du Texas.

Peter s'empressa de rassurer Roselyn. Il irait à la résidence jeter un œil informel sur la situation, comme il disait. Il s'entretiendrait avec Mme Callaghan.

Roselyn était de retour à la maison quand son gendre la rappela.

— Pour l'instant, rien d'anormal, sinon son absence. J'ai vérifié dans les hôpitaux des environs. J'ai demandé à mes hommes de prêter attention à un vieillard seul…

Trente-six mille habitants à Huntsville, dont le tiers derrière les barreaux. Un gros village, en fait. Tout le monde se connaissait plus ou moins. Albert n'aurait pas erré cinq minutes dans la rue, l'air perdu, sans qu'on donne un coup de fil à la police. Sa disparition en était d'autant plus étonnante.

— Il a pris ses médicaments avec lui, ajouta Peter. Sa dosette avait été renouvelée la veille, donc il a des réserves pour quelques jours.

Albert était diabétique. Et son cœur, parfois, faisait des siennes, surtout depuis son attaque de l'année précédente. Le médecin de service lui avait donc prescrit du coumadin.

Roselyn, pour sa part, faisait de l'hypertension. Quand ils vivaient ensemble, son mari et elle se coordonnaient pour la prise de leurs médicaments. Souvent, Albert oubliait sa dose quotidienne. C'était lui, le plus négligent des deux. Et pourtant, il avait eu la présence d'esprit d'emporter sa réserve de cachets.

— Et son parapluie, conclut Peter.

Le lendemain matin, après une nuit blanche à attendre, en vain, un nouvel appel de Peter, de la directrice de la résidence ou même de Glenn Forrester, Roselyn monta dans sa Mazda et prit la direction de Huntsville. En cours de route, elle appela Brian Pallister, le président de son groupe d'artistes, pour lui demander de la remplacer pour les derniers préparatifs de l'exposition. Avare de détails, elle lui expliqua néanmoins qu'elle devait répondre à une urgence. Elle le tiendrait au courant régulièrement.

En chemin, Roselyn se surprit à jeter un œil sur les abords de l'autoroute et jusque dans les broussailles, de chaque côté, dans le but d'y apercevoir Albert. Bien sûr, il n'y avait personne, même pas d'auto-stoppeur. D'ailleurs, qui aurait accepté de faire monter un inconnu à la sortie de Huntsville ?

Les derniers mois, Roselyn avait espacé ses visites à son mari, sans réaction de sa part. Au début, elle s'installait chez Peter, ce qui lui permettait de voir son petit-fils Adrian et de marcher jusqu'à Stanford Hill. Elle passait la journée avec Albert, regardait la télévision et partageait son repas du soir. La majorité des résidents étaient des anciens employés du système carcéral, ou leurs veuves. Pourtant, personne ne semblait comprendre l'ironie de la situation. Assis autour de grandes tables dans une immense salle, ils n'étaient pas si différents des prisonniers qu'ils avaient surveillés toute leur vie. Au Walls Unit et dans les autres pénitenciers de la ville, des détenus du même âge que ces vieux gardiens mangeaient eux aussi une soupe claire, à toute vitesse, dans une atmosphère lugubre.

Roselyn avait toujours trouvé l'expérience pénible. Elle le faisait pour son mari qui se rendait bien compte de son inconfort. Lui-même, comme d'habitude, restait dans sa bulle. Roselyn avait remarqué que personne ne cherchait sa compagnie, ce qui semblait très bien lui convenir, d'ailleurs.

Au bout d'un certain temps, Roselyn avait mis un terme à ces pénibles repas. Avait écourté ses séjours chez Peter. Dorénavant, elle se contentait de faire un saut à Noël, et de revenir une autre fois durant l'été.

À chaque visite, l'atmosphère particulière de la ville la surprenait. Fille d'un gardien de prison, Roselyn était née à Huntsville, et dans son enfance, et même plus tard, à l'adolescence, cette cohabitation avec les prisonniers lui avait semblé peut-être pas normale mais ordinaire, ou plutôt dans l'ordre des choses. De ses choses, à elle. De son univers. Par exemple, tout l'aménagement paysager de la ville, l'entretien des parcs, mais aussi le nettoyage des rues, étaient effectués par des détenus jugés non dangereux par les autorités des sept pénitenciers de la municipalité.

Personne ne remettait en cause cette situation, qui remontait au milieu du vingtième siècle. Et aucun parent, même le plus frileux, ne mettait en garde les enfants de la présence parmi eux de ces détenus. Tous les habitants de la ville avaient – et c'était encore le cas aujourd'hui – une confiance inébranlable dans le jugement des autorités carcérales. Des pères de famille comme eux, qui vivaient à Huntsville, qui n'auraient jamais accepté de faire courir le moindre risque à leurs concitoyens.

Durant sa jeunesse, Roselyn avait souvent croisé dans cette rue des détenus fraîchement libérés au terme de leur peine, se dirigeant avec de petites valises identiques vers la gare routière. Les libérations avaient toujours lieu à onze heures le matin, le cortège se répétait jour après jour. Mais qu'advenait-il de ces hommes, qui avaient la chance de tout recommencer à neuf, de remettre le compteur à zéro ? Roselyn l'ignorait.

Avec son laconisme habituel, son père, à qui elle avait posé un jour la question, lui avait répondu :

— La plupart d'entre eux reviennent tôt ou tard. Ils ont la prison dans la peau.

De temps en temps, une évasion. La nouvelle faisait illico le tour de la ville, qui se refermait sur elle-même automatiquement. Les parents rentraient chez eux, verrouillaient les portes. Si ça se produisait le samedi, Roselyn ordonnait à Norah de rester à la maison. À l'école, les élèves demeuraient en classe jusqu'à la levée du couvre-feu par le chef de police. Le fugitif avait été repris – ce qui était le cas, d'ordinaire – ou alors on présumait qu'il était rendu loin de Huntsville. Les évasions ne duraient jamais longtemps – une semaine maximum. Parfois, elles se terminaient violemment par un échange de coups de feu, ou même par la mort du fugitif, mais Roselyn ne se souvenait pas qu'un dénouement aussi tragique ait eu lieu à Huntsville même.

Dans les années soixante-dix, pourtant, elle avait suivi des cours de maniement d'arme offerts aux femmes des employés des pénitenciers. Une initiative des autorités municipales, abandonnée par la suite.

À droite du Walls Unit, au bout de la rue principale, une petite rue débutait, bordée de chênes. Un peu plus loin, Stanford Hill Residence, devant laquelle Roselyn gara sa voiture. Elle avait averti Mme Callaghan de son arrivée. Celle-ci l'attendait à la porte. Une quinquagénaire au visage souriant, un peu guindé. Ancienne infirmière – au Walls Unit justement –, elle avait investi ses économies dans cette maison de retraite après avoir quitté le pénitencier.

— Pas de nouvelles, désolée. Mais ce policier a appelé tout à l'heure…

— Peter.

— Je lui ai dit que vous arriviez. Il veut vous voir.

Roselyn la suivit le long d'un corridor, croisant des vieillards qui la saluèrent d'un mouvement de tête. L'endroit était propre, les résidents bien traités, de toute évidence, mais Roselyn n'avait jamais aimé l'atmosphère du lieu.

Pour bénéficier d'une vue sur le Walls Unit, Albert devait se contenter d'une chambre plus petite que les autres, qui donnait toujours l'impression d'être embourbée malgré un mobilier réduit au minimum. Une immense télé à gauche, un énorme La-Z-Boy un peu plus loin. Un lavabo à droite, près d'un petit frigo renfermant la réserve de Canada Dry d'Albert.

Roselyn l'ouvrit. Les tablettes étaient vides. Plus de Canada Dry. Albert avait vraiment planifié son départ, ne laissant rien derrière lui.

Au mur, une toile de Roselyn, qu'elle lui avait offerte lors de son déménagement.

— Vous avez une idée d'où il est allé ? demanda Roselyn pour la dixième fois peut-être.

Mme Callaghan haussa les épaules.

— Il est très réservé, vous savez. Il ne se lie pas facilement.

Sous le regard de la directrice, toujours postée à l'entrée de la pièce, Roselyn s'approcha d'un petit bureau. Avec le fauteuil inclinable et la télé, c'était la seule chose qu'il avait souhaité conserver après la vente de leur maison. C'était le bureau dans lequel, à l'époque, Albert conservait les comptes de taxes, d'électricité et de téléphone. Roselyn vérifia l'intérieur des tiroirs : rien, sinon de vieux menus de la salle à manger, qu'Albert gardait pour une raison obscure.

Roselyn les examina.

— Il n'avait plus beaucoup d'appétit, ces derniers jours, dit la directrice.

— Ah bon ? Il s'est plaint de la nourriture ?

— Jamais.

— Le docteur Taylor, qu'en pense-t-il ?

— Il sera ici cet après-midi. Vous pourrez lui en parler.

Roselyn regarda de nouveau les menus. Chaque jour, Albert avait entouré sa préférence d'un cercle rouge. Côtelettes de porc, dinde fumée, jambalaya…

Des choses qu'il n'avait jamais aimées. Bizarre.

Mais ses huit disques étaient à la même place que d'habitude, détail étrangement rassurant. Depuis toujours, les choix musicaux d'Albert s'étaient résumés à la musique populaire américaine – avec une préférence, bien sûr, pour Johnny Cash. Toutes ces chansons de prison touchaient une corde sensible. Albert n'avait aucun intérêt pour Elvis, une « marionnette » disait-il, un chanteur pour « femmes ». Cash, c'était autre chose.

Toutes sortes de petits *hobbys* occupaient les résidents d'un repas à l'autre. Mais Albert, lui – et Roselyn s'en était rendu compte –, préférait rester dans sa chambre et s'asseoir devant la fenêtre pour fixer le pénitencier. Parfois, il faisait jouer un de ces huit disques un peu trop fort. Ou alors il recevait un téléphone de Glenn Forrester. Ou, plus rarement, une visite de sa part.

Peu à peu, Albert avait fait le vide autour de lui.

Roselyn s'approcha de la fenêtre. Au-delà des arbres, le Walls Unit, le vieux pénitencier de Huntsville, qu'on surnommait ainsi en raison du mur de brique qui entourait la cour. Quel plaisir Albert prenait-il à observer cet endroit jour après jour, sans se lasser ?

Il avait quitté l'animation de Houston pour revenir ici, dans cette petite ville, mais pas n'importe où : juste devant la prison, avec vue sur l'édifice principal, l'enceinte et les barbelés.

Toutes ces années à l'intérieur du pénitencier l'avaient peut-être complètement bouleversé. « Ils ont la prison dans la peau », avait lancé son père, à propos des anciens détenus. Albert se trouvait exactement dans la même situation. Une fois libéré de son métier, il avait été incapable de s'en séparer tout à fait. Mais aussi dans l'impossibilité d'en parler. Un peu comme un soldat qui a vécu les atrocités de la guerre et qui se tait une fois de retour à la vie civile, parce qu'il sait très bien que personne, jamais, ne comprendra ce qu'il a subi.

— Il y en a d'autres ici, comme lui ? demanda-t-elle.

— Que voulez-vous dire ?

— D'autres bourreaux.

Mme Callaghan hésita un moment.

— C'est le seul.

Roselyn observa de nouveau le Walls Unit. Là où avaient eu lieu toutes les exécutions réalisées par son

ch. 5

L'aéroport de Bukoba consistait en une longue piste de terre rouge, près de laquelle avait poussé, comme une sorte d'excroissance, une construction rudimentaire qu'on avait oublié d'entretenir au fil des ans. Un hangar d'aspect fragile, qu'un coup de vent aurait pu emporter jusqu'au lac Victoria, tout près. C'était en fait la salle d'attente, refuge des voyageurs à la saison des pluies, au printemps, quand la piste devenait impraticable. Des rigoles d'eau boueuses empêchaient les décollages et rendaient les atterrissages risqués. Quelques années plus tôt, expliqua le pilote, un avion de l'armée tanzanienne avait heurté un arbre au moment de son approche, avant de s'écraser sur une clinique, un peu plus loin.

— Formidable, railla Max O'Brien.

Aux commandes du Cessna 172, Roosevelt Okambo fixait la piste qui semblait se terminer abruptement dans le lac. Le pilote – né le jour de la mort du père du New Deal, ce qui expliquait son prénom – appartenait à la génération sacrifiée des aviateurs africains. À une certaine époque – et encore maintenant – on préférait voir des Blancs aux commandes des appareils, d'anciens mercenaires, souvent. Okambo s'était donc contenté d'une carrière de pilote de brousse, dans la région de la Kagera surtout, transportant le courrier, parfois des passagers. Max avait déjà eu l'occasion de faire appel à ses services. Un type casse-cou, casse-pieds aussi. Mais en totale maîtrise de son Cessna.

Alors qu'il amorçait la descente, Okambo indiqua une camionnette de la police, sur la piste.

— L'inspecteur Henry Kilonzo! hurla-t-il. Responsable de l'enquête. Arrivé deux jours plus tôt de Dar es-Salaam. Celui qui avait annoncé à Max la mort des deux avocates.

— Tu le connais bien? demanda Max.

— Surtout de réputation.

— Bonne ou mauvaise?

— C'est un policier, répondit-il sobrement.

Kilonzo était déjà venu dans la région quand il était dans l'armée, avait-il révélé à Okambo. Le pilote n'en savait pas davantage.

Un homme trapu mais costaud, avec une certaine rigidité militaire, en effet. Il semblait en rogne contre tout le monde, comme si la mauvaise humeur faisait partie de son uniforme, au même titre que les écussons et les épaulettes.

Le visage de Kilonzo s'épanouit, pourtant, quand il tendit la main à Max à la descente du Cessna.

— Bienvenue à Bukoba, monsieur Cheskin. Dommage que ce soit dans des circonstances aussi dramatiques.

Max acquiesça.

— Venez, j'ai à vous parler.

Le policier invita Max à prendre place dans son véhicule. Kilonzo s'installa à l'avant, où se trouvait déjà son subalterne, le lieutenant Bruno Shembazi. Un costaud au regard énergique, plus jeune que Kilonzo. Max se coinça sur la banquette arrière avec son sac de voyage.

Par rapport à la chaleur et à l'humidité de la côte, la fraîcheur de la région lui faisait du bien. Pendant un moment, alors que Shembazi s'engageait sur la route qui menait à Bukoba comme telle, Kilonzo parla de tout sauf des meurtres. Puis il expliqua à son passager qu'il avait été dépêché par le Directorate of Criminal Investigations, à Dar es-Salaam, pour enquêter sur ce double crime. Normalement, un officier de la Kagera Regional Police s'en serait occupé, mais la réputation de Valéria Michieka, et surtout les controverses à son sujet au cours des dernières années, avaient incité le gouvernement à envoyer quelqu'un de la métropole.

— Même si le taux de criminalité, à Dar es-Salaam, exige toutes les forces disponibles. C'est vous dire l'importance que le ministère accorde à cette enquête. Et même le président.

— Lugembe vous a mandaté ?

— On dit qu'il est très affecté par l'assassinat de son amie.

Son *amie*.

Max savait qu'ils avaient toujours été en bons termes, tous les deux – la cause des albinos réunissait Lugembe à Valéria d'une certaine manière, par l'entremise de ses deux filles, Faith et Clara, qui avaient connu un destin tragique. Mais des amis, sûrement pas. Ou alors cette amitié était récente.

Depuis le début de son engagement à l'égard des albinos, Valéria savait que la solution à leurs problèmes devait venir du gouvernement. À l'époque détenteur d'un poste stratégique – ministre de l'Intérieur –, confident du président Komba, Lugembe était essentiel pour Valéria. Son appui, indispensable. D'ailleurs, il s'était montré sympathique à la cause, d'autant plus que le problème était devenu endémique. Depuis une vingtaine d'années, la Tanzanie avait changé. Abandonnant le socialisme imposé par Julius Nyerere, le père de l'indépendance – dont les mesures économiques avaient appauvri le pays –, les nouveaux dirigeants s'étaient jetés dans les bras du capitalisme triomphant. Retour du multipartisme, volonté d'alléger la bureaucratie, désir d'encourager le tourisme afin de concurrencer le Kenya voisin. Une ombre au tableau, par contre : le trafic des albinos donnait de la Tanzanie l'image d'un pays arriéré, empêtré dans des traditions barbares et sanguinaires dont on croyait s'être libéré.

Pour Valéria, il fallait absolument briser ce commerce atroce en s'attaquant aux trafiquants, ces intermédiaires entre les victimes et les sorciers qui refilaient ensuite à leur clientèle amulettes et autres porte-bonheur. Et ce business ne pouvait être éliminé qu'en envoyant un message clair aux trafiquants et à tous ceux qui trempaient dans ces rackets : le rétablissement de la peine capitale pour ceux qui, de près ou de loin, même s'ils n'avaient pas tenu la machette, étaient responsables de la mort d'un albinos.

Joseph Lugembe avait d'abord hésité à recommander à son gouvernement d'aller aussi loin. Éliminer une coutume barbare et la remplacer par une mesure tout aussi barbare n'était peut-être pas la meilleure solution. Pour les Américains, la chose était défendable. Mais le gouvernement Komba ne voulait pas se discréditer aux yeux de l'Europe en remettant la peine capitale à l'ordre du jour. Komba – qui l'avait lui-même suspendue en 1996 – préférait donner l'image d'un leader moderne, ouvert, dans la tradition de Julius Nyerere, son mentor.

Valéria fit de nombreux voyages à Dodoma et à Dar es-Salaam pour tenter de convaincre Lugembe de la justesse de ses arguments. Bien sûr, la peine de mort était un châtiment d'un autre âge, mais on avait affaire ici, justement, à un problème d'une autre époque, qu'il était illusoire d'essayer de régler avec les moyens d'aujourd'hui.

D'autant plus que les sorciers et les autres guérisseurs imposaient une véritable dictature sur les paysans analphabètes, pauvres et superstitieux. Une sorte de mafia qui avait des ramifications partout, y compris au sein de l'appareil gouvernemental. Combien de doigts coupés, d'orteils ou de bouts d'oreille séchés, ratatinés, se trouvaient dans les fonds de tiroirs des fonctionnaires ?

À titre de ministre de l'Intérieur, Lugembe augmenta le nombre de policiers et d'agents frontaliers, imposa des amendes et des peines d'emprisonnement plus lourdes. Le commerce devint plus risqué, des guérisseurs se montrèrent plus prudents, ils s'enfoncèrent davantage dans la clandestinité, sans pour autant mettre un terme à leurs activités.

Effort louable mais insuffisant. Dans la Kagera, les albinos vivaient dans la crainte perpétuelle. Les parents gardaient les enfants à la maison plutôt que de les envoyer à l'école, les privant ainsi d'éducation, les condamnant à la pauvreté. La rue était dangereuse, terrifiante, un coupe-gorge permanent. Valéria invita un albinos à l'accompagner dans la capitale pour qu'il puisse raconter son enfance marquée par la terreur. Quand il marchait dans son village, il sentait toujours les regards sur lui, des regards d'envie. À plusieurs reprises, il avait échappé à la mort. Même aujourd'hui, il quittait la maison avec beaucoup de crainte et de réticence.

Lugembe était touché, bien sûr. Valéria savait qu'il dépensait une forte somme pour assurer la protection de sa fille adoptive, qui ne se déplaçait jamais sans un garde du corps, même si la chasse aux albinos était essentiellement un problème rural. Tous les jours, Clara était escortée à l'université de Dodoma, où elle étudiait en informatique. La jeune fille avait de la chance par rapport aux albinos des campagnes, sans défense, à la merci d'un illuminé plus cupide que les autres.

Et puis, les choses se bousculèrent.

En septembre 2002, malgré la protection dont elle bénéficiait, Clara fut enlevée comme l'avait été sa sœur jumelle dix-sept ans plus tôt. Le président Komba souscrivit enfin aux arguments de Valéria.

Arrêté et jugé, Samuel Musindo fut condamné à mort et exécuté, même si Jason Chagula, son avocat, avait utilisé tous les recours possibles pour faire commuer cette peine qu'il jugeait excessive.

Valéria s'était fait deux groupes d'ennemis bien distincts : les sorciers et les guérisseurs, car ses initiatives nuisaient à leur commerce ; et les bien-pensants occidentaux, adeptes de la rectitude politique, qui s'empressèrent de condamner l'avocate pour ses idées «réactionnaires».

Alors que la camionnette pénétrait dans Bukoba, se frayant un passage au milieu des badauds à coups de klaxon, Kilonzo se tourna vers Max :

— Vous avez tenté de joindre Sophie Stroner à plusieurs reprises. Nous avons vérifié la messagerie de son portable.

Peu après l'appel de Kilonzo, à Zanzibar, Max avait laissé un message à Vincent Kalitumba, le gérant de la succursale de la Bank of Baroda à Dar es-Salaam. Valéria avait-elle récupéré le million de dollars de Jonathan Harris, déposé dans son nouveau compte ? Il attendait sa réponse.

— Et alors ? demanda encore Kilonzo. Sophie Stroner ?

Max n'avait pas l'intention de lui révéler quoi que ce soit à ce sujet, pas même le voyage récent de Sophie à Lamu. Si Kilonzo ne lui avait encore rien demandé à ce propos, c'est qu'il ignorait tout du voyage en question. Ignorait la raison pour laquelle Sophie était venue lui parler.

— Je voulais revoir Valéria.

— La revoir ?

— Pour des raisons personnelles.

Kilonzo attendait la suite.

— Nous avons eu une relation amoureuse, elle et moi. Une relation qui ne s'est pas très bien terminée. C'est pourquoi je suis resté en Afrique. J'avais toujours espoir que...

— Et vous vouliez que Sophie vous facilite les choses ?

— Oui.

Kilonzo détourna le regard. Puis :

— Et vous l'avez connue comment, Valéria Michieka ?

Max mit un certain temps à répondre. Il fallait choisir parmi les souvenirs ceux qu'il pouvait raconter à un policier et les autres, qu'il ne voulait partager avec personne. Max devait évidemment lui cacher les circonstances de leur rencontre en octobre 2006. De passage à Toronto, où il planifiait une arnaque contre un haut placé du conseil municipal, il s'était installé au Sheraton Centre. Son séjour devait être de courte durée. En fait, une fois l'affaire amorcée, Max avait prévu rentrer à New York par le premier avion, le lendemain matin. Alors qu'il réglait sa note à l'hôtel, il avait aperçu une Noire en grande discussion avec le concierge au sujet d'un problème d'éclairage ou de micro, il ne s'en souvenait plus. Il ne fallait absolument pas que ça se reproduise, comme la dernière fois, s'était-elle écriée. Et le concierge d'acquiescer et de promettre et de jurer sur la tête de sa mère.

Ce qui l'avait séduit le plus chez elle ? Sa beauté, sa détermination aussi. La quarantaine, très mince, élégante. Ses cheveux crépus, longuets, qui n'étaient pas défrisés contrairement à la mode. Un look qui rappelait Angela Davis. Max se dit qu'elle travaillait sûrement dans le domaine de la publicité ou du marketing, dans son tailleur de belle coupe, de couleur vive. Ce soir-là, il y avait une présentation à des clients. Sa carrière se jouait peut-être le jour même. Ce qui justifiait le savon qu'elle avait servi au concierge de l'hôtel.

Max se surprit à voir en cette inconnue un pigeon éventuel. Tout dans son allure, dans sa prestance, dans sa manière de s'adresser à l'employé indiquait une ambitieuse qui avait dû piétiner plusieurs têtes avant de «réussir». Pour Max, c'était aussi une faiblesse, cette volonté à tout prix de se maintenir au sommet après avoir eu tant de difficultés à y accéder. Il pourrait peut-être en profiter, lui, l'escroc qui ne perdait jamais une occasion de ramasser les miettes tombant de la table des riches et des plus riches encore. Aucun doute : cette femme appartenait au club des nantis.

Dans le hall, alors que Max se dirigeait vers l'ascenseur, leurs regards se croisèrent. Et ce soir-là, curieux, intrigué, il fit un crochet par le deuxième étage, où étaient regroupées quelques salles de conférence.

Il s'était trompé du tout au tout.

Valéria Michieka n'était pas une publiciste, mais une avocate à la tête de la Colour of Respect Foundation, un organisme venant en aide aux albinos, comme l'indiquait un dépliant à l'entrée du salon. Max ne connaissait pas encore le drame vécu par ces «nègres blancs» dans certaines régions de l'Afrique.

Intrigué, il poussa la porte de la salle. Une cinquantaine de personnes occupaient des chaises disposées devant une tribune. Des têtes grises, surtout, mais aussi quelques jeunes loups qui semblaient perdre leur temps. *Has been* et *wannabe* délégués par les entreprises, indice de leur faible intérêt pour l'œuvre de Michieka. Derrière son ordinateur portable, Valéria s'adressait aux participants. *PowerPoint* classique, encombré de statistiques et de formules choc, enjolivé par des photos d'enfants albinos. Certains d'entre eux étaient handicapés. Il leur manquait un bras, une jambe. Ils s'appuyaient sur des béquilles rudimentaires, les yeux grossis par des lunettes aux verres épais. Un *freak show*, songea Max.

Valéria recueillait des fonds pour la création d'un hôpital entièrement réservé aux albinos et à leurs familles, ce qui manquait cruellement, selon elle. Le gouvernement contribuait, mais insuffisamment. Du moins, c'est ce que Max avait compris.

Dérangée par la porte qui venait de s'ouvrir et par la chaise que Max tira pour s'y asseoir, Valéria jeta un regard au nouveau venu, puis revint à sa présentation. Elle parla de son engagement, de sa mission, de sa vie, en fait, qu'elle consacrait aux albinos de la Kagera.

Max observa la conférencière discrètement, se laissant bercer par le son de sa voix. Charmé, sans aucun doute. L'avocate s'exprimait avec conviction, mais sans flagornerie. Décrivait la terrible situation des albinos avec des mots simples et percutants. Ne s'embarrassait pas de métaphores. Non, Valéria allait droit au but. Il lui fallait du fric, beaucoup de fric, sinon ces malheureux n'auraient nulle part où se réfugier et se faire soigner : maladies de peau dégénérant en cancer à cause de la faible résistance de la pigmentation aux rayons du soleil, une vue qui déclinait rapidement. Sans parler du harcèlement dont les albinos étaient victimes. Résultat : leur espérance de vie n'excédait pas une trentaine d'années. Les albinos épargnés par les trafiquants se voyaient fauchés par la maladie sans avoir les moyens de se faire soigner.

Max s'éclipsa avant la période de questions – de peur qu'on lui en pose, à lui – et regagna sa chambre. Après un souper solitaire dans la grande salle à manger du restaurant, au milieu des touristes qui avaient pris d'assaut le buffet comme si la fin du monde était au menu, il se réfugia au bar du rez-de-chaussée pour prendre un dernier verre.

Accoudé au comptoir, Max sentit une présence près de lui. Il se retourna. Valéria Michieka se tenait debout et le fixait droit dans les yeux. Elle était sans doute assise dans la salle, mais il ne l'avait pas remarquée.

— Je ne sais pas ce que vous cherchez, ni qui vous envoie, même si je m'en doute. Laissez-moi vous dire une chose : je ne me laisserai pas intimider.

Max la regarda un long moment. De toute évidence, il y avait méprise.

— Vous vous adressez à la mauvaise personne, répondit-il.

— Je vous ai vu ce soir dans la salle, dit-elle. Et dans le hall, cet après-midi. Vous voulez me faire peur, c'est ça ?

— J'ignore de quoi vous parlez. J'étais curieux, c'est tout. Ce que vous avez dit, c'était très bien.

— Vous n'êtes pas d'Amnistie internationale ?

— À moins qu'on m'y ait inscrit à mon insu.

Elle se détendit, un peu. Max profita de l'occasion :

— Robert Cheskin. Enchanté.

Elle semblait confuse. Mal à l'aise.

— Je suis désolée…

Max lui offrit un verre, qu'elle accepta, après avoir salué des connaissances à une table, plus loin, qui quittaient le bar au même moment. Longuement, sans même qu'il aborde le sujet, Valéria lui parla de son engagement envers la cause des albinos. De sa fondation. De cette tournée qu'elle effectuait pour trouver du financement. Au Canada, mais aussi en Europe et aux États-Unis. Des articles à son sujet, dans les journaux et les magazines spécialisés, avaient suscité un certain intérêt pour son travail.

— La charité s'est institutionnalisée, monsieur Cheskin. Il ne s'agit plus de convaincre les riches de donner, ce qu'ils acceptent aujourd'hui sans réticence, mais de donner aux bonnes organisations.

— Vous êtes tous en compétition.

— Et à l'intérieur même du continent africain. Un combat de chaque instant.

Famines, épidémies, désastres naturels. Les donateurs étaient fort sollicités, apparemment.

— Et les albinos n'ont pas la cote. Pas encore.

D'où l'obligation de parcourir le monde pour se démarquer. Pour rappeler aux âmes charitables l'existence de sa fondation. Maigre récolte, pourtant. Depuis qu'elle avait fait la promotion de la peine capitale pour les trafiquants, les bien-pensants s'étaient détournés de son œuvre. On ne pouvait, d'une même voix, vouloir sauver la vie de ces malheureux et, d'un autre côté, livrer à la mort des crapules, bien sûr, mais des êtres humains, néanmoins. À leurs crimes, on ne pouvait répondre par un autre crime.

De plus en plus, ses conférences étaient noyautées par des agitateurs bruyants, d'Amnistie internationale, notamment, qui n'avaient pas l'intention de laisser l'avocate Michieka s'en tirer aussi facilement.

De toute évidence, Valéria avait pris Max pour un de ces abolitionnistes qui l'avaient harcelée depuis son arrivée en Amérique.

Max et Valéria discutèrent jusqu'à l'aube, d'abord au bar de l'hôtel, puis dans l'un des petits salons après la fermeture.

— Désolée de vous ennuyer avec mes histoires. Je ne sais presque rien de vous.

Max ne voulut pas lui raconter quoi que ce soit. Ç'aurait été un mensonge, de toute façon. Dans l'ascenseur, il se contenta de l'attirer vers lui et de l'embrasser. Oublions les éclopés de la folie humaine, les victimes des atrocités diverses, lui murmura-t-il à l'oreille.

Elle était d'accord, visiblement.

Dans sa chambre, ils firent l'amour. Commandèrent du champagne. Au matin, Max était accroché. Il voulait passer la journée, la semaine, la vie avec elle.

Mais quand elle sortit de la salle de bain, de nouveau en tailleur, de nouveau professionnelle, elle lança :

— Je prends l'avion tout à l'heure. Pour Montréal.

Où elle devait rencontrer d'autres investisseurs. Séduire d'autres donateurs. Les convaincre, à leur tour, de l'importance de son travail. De son œuvre humanitaire.

Ensuite, elle rentrerait en Afrique.

— Vendredi, c'est l'anniversaire de Sophie.

Sa fille de vingt-trois ans, étudiante à l'Université McGill.

— À sa naissance, j'ai fait un vœu. Pour le reste de ma vie, peu importe l'endroit où je serai dans le monde, je rentrerai la serrer dans mes bras ce jour-là pour lui souhaiter un joyeux anniversaire.

Max, perplexe. Il y avait donc un mari quelque part.

Richard Stroner, un Canadien originaire de Winnipeg. Grand, costaud, une tête sympathique, d'après les photos que Max allait voir plus tard dans la maison de Valéria. Un ingénieur d'Alcan envoyé par la compagnie pour déterminer la valeur de la bauxite extraite en Tanzanie.

Il y avait eu des problèmes à régler sur le plan juridique, des permis à obtenir, on lui avait suggéré Valéria, qui venait d'ouvrir son étude et passait ses journées à courir après des clients potentiels. De retour au Canada, auprès de sa femme, l'ingénieur n'avait pu s'enlever Valéria de la tête. Divorce rapide, dans l'urgence, et retour du prétendant en Tanzanie. Valéria était folle d'amour elle aussi. Il n'était plus question qu'ils soient séparés. Jamais.

En 1994, la région de la Kagera avait accueilli plusieurs réfugiés rwandais qui s'installèrent dans des camps de fortune, montés à la va-vite. L'ONU confia à Richard la construction des services sanitaires de certains de ces refuges, en collaboration avec le gouvernement tanzanien qui supervisait les travaux. C'est en faisant la tournée de ces camps, cet été-là, que Richard avait perdu la vie dans un accident de voiture.

Remise de son choc, de sa douleur, vidée de ses larmes, Valéria songea un moment à quitter la région et à s'installer à Dar es-Salaam, où il aurait été plus facile de trouver du travail, mais elle décida de rester sur place avec Sophie – née en 1983. La cause des albinos l'occupait à temps plein, maintenant, et Bukoba était au cœur des activités des sorciers et des guérisseurs les plus fanatiques.

Au fil des ans, la réputation de Valéria allait dépasser le cadre de la région, mais Max doutait qu'elle se soit rapprochée des gens de Bukoba. Ils devaient continuer de la voir comme une sorte d'illuminée qui aurait eu les moyens de quitter ce bled et de vivre confortablement à Dar es-Salaam, mais qui avait choisi de rester parmi eux pour s'occuper de protéger les albinos.

Max l'embrassa longuement, passionnément.

— Ne me demande rien, dit-elle, énigmatique, quand elle se dégagea enfin.

Il savait très bien ce qu'elle voulait dire. Mais il n'avait pas l'intention de lui obéir.

— On va se revoir?

— S'il te plaît, pas ça.

— J'insiste.

Elle détourna le regard, se dirigea vers la porte.

Il croyait l'avoir perdue, déjà, mais elle revint sur ses pas, au dernier moment, et l'embrassa de nouveau.

De retour à New York, Max glissa un chèque de cent mille dollars dans une enveloppe qu'il avait prise à la sortie de la salle de conférence, et l'envoya au siège social de la Colour of Respect Foundation, à Bukoba – qui était également la résidence privée de Valéria. Une semaine plus tard, l'avocate appelait Max directement de son bureau.

— Vous voulez m'acheter, monsieur Cheskin?

— Je l'ai fait pour l'humanité souffrante.

Au bout du fil, son rire cristallin, qui lui manquait déjà.

— Je serai à New York en décembre. Pour un colloque.

— Si vous avez besoin d'un chauffeur…

— Ce n'est pas tout à fait ce que j'avais en tête.

Ch · 6

Selon l'inspecteur Kilonzo, Valéria et sa fille avaient été surprises samedi soir par un cambrioleur. D'un coup de machette, l'agresseur avait d'abord blessé Valéria à l'épaule, puis au cou. Sophie avait tenté de la défendre, sans succès. Tuée à coups de machette, elle aussi. À l'arrivée de la police, les deux femmes gisaient dans une mare de sang. Une mort rapide, on ne s'était pas acharné sur elles, du moins c'est ce qu'affirma le policier.

— Des témoins ? demanda Max O'Brien, alors que la voiture s'engageait sur la route qui menait à la maison de Valéria, sur le bord du lac.

— Non. Mais nous interrogeons encore les voisins.

— Vous avez retrouvé l'arme ?

— Des machettes, il y en a dans la plupart des maisons. Nous sommes à la campagne, monsieur Cheskin.

Il ajouta :

— D'après nos estimations, le crime a eu lieu vers onze heures. Peut-être minuit, mais pas plus tard. L'endroit est désert, un inconnu peut se glisser aisément dans la propriété sans se faire remarquer.

Max constata que l'enquêteur savait beaucoup de choses sur ces meurtres qui venaient d'être commis, pour

lesquels aucun témoin ne s'était manifesté. Un enquêteur qui n'était pas de la région, en plus, et à qui, selon
lui, tout le monde faisait confiance. Ce qui était étonnant.
Valéria et sa fille avaient agrandi la maison d'origine
pour y ajouter une section bureau, où elles recevaient
leurs clients. Une pièce au fond, plus grande que les
autres, conçue comme salle de réunion, servait surtout
d'entrepôt. Des tonnes de dossiers que les deux avocates
empilaient un peu partout.

Cette salle s'ouvrait sur un patio où poussaient dans
le désordre des plantes poussiéreuses. Selon Kilonzo,
le meurtrier s'était approché de la maison en provenance du lac, était entré par le patio avant de trouver les
deux femmes dans le salon. Il avait dû fuir par le même
chemin. Un complice l'attendait peut-être plus bas sur
la rive, dans un hors-bord.

— Elles étaient seules quand c'est arrivé ? demanda
Max.

— Le bureau était fermé. La comptable est absente
depuis quelques jours. Dans sa famille, il paraît. On tente
de la joindre.

Teresa Mwandenga se la coulait douce à Dubaï.
Normalement, Max aurait fait part à Kilonzo du détournement de fonds, mais cette information soulèverait des
questions embarrassantes. Il préféra ne rien dire.

D'autant plus qu'en apercevant les policiers de faction
autour de la maison, Max se mit à douter de l'expertise de
Kilonzo et de son équipe. Il avait la désagréable impression qu'on lui faisait le grand jeu pour lui en mettre plein
la vue. C'était la raison pour laquelle le policier était venu
le chercher à l'aéroport : l'éblouir, tout simplement.

Cette mauvaise sensation fut confirmée par le lieu du
crime comme tel. Le plancher du salon était couvert de
sang, et ce sang, maintenant séché, laissait apparaître des

traces de pas. La scène n'avait pas été protégée. Des tas de gens, y compris des policiers, étaient venus voir les corps de l'avocate assassinée et de sa fille, dont on avait emporté les dépouilles à la morgue hospitalière. On avait touché à tout, et même déplacé les cadavres avant l'arrivée des soi-disant experts – une initiative de Kilonzo, douteuse comme toutes les autres.

À observer ces énergumènes aller et venir dans la maison, Max eut l'impression qu'on violait la vie passée et l'intimité de Valéria et de sa fille. Les policiers ressemblaient à une bande de curieux venus fouiner chez cette femme étrange, sur laquelle on avait dû raconter les pires horreurs. Défendre les albinos, très bien. Mais combien de ces policiers étaient eux-mêmes clients des sorciers et des guérisseurs ?

— Dites à vos hommes de quitter la maison.

— Pardon ?

Kilonzo se tourna vers Max comme s'il avait prononcé une énormité.

— Les corps ont été déplacés à la morgue. Les lieux ont été examinés par vos hommes. Vous n'avez plus rien à faire ici.

— Au contraire. Les indices pourraient…

— Je m'en fous, de vos indices. Foutez le camp !

Le policier regarda Max un long moment, puis :

— Très bien.

D'un geste de la main, Kilonzo rameuta son petit groupe. L'un derrière l'autre, ils sortirent de la résidence, mais sans quitter la propriété. Rassemblés autour des voitures de patrouille, ils jacassaient comme des fillettes.

Max ignorait si on avait choisi Kilonzo pour ses qualités d'enquêteur. Probablement pas. Il espérait que non. Chose certaine, pour trouver les responsables de ce double meurtre, Max ne pouvait compter que sur lui-même.

Dans la chambre, le lit était resté défait. Valéria avait probablement été surprise dans son sommeil. En entrant, il avait remarqué les gonds arrachés de la porte patio. Détail étrange de la part d'un cambrioleur. Au lieu d'entrer discrètement, sans bruit, il avait dû produire un vacarme terrible, dans le but, probablement de semer la panique à l'intérieur de la maisonnée. Même s'il avait cru l'endroit inoccupé, il n'aurait pas utilisé une telle méthode.

Par la fenêtre, Max aperçut un Land Cruiser, le véhicule de Valéria. Un tout-terrain increvable que l'avocate détestait conduire. C'était Sophie, plutôt, qui la trimballait d'un endroit à l'autre. Son chauffeur attitré. Le Land Cruiser était garé au même endroit, bien en évidence, la nuit précédente. À la même place, sans doute. Donc, le meurtrier savait que Valéria se trouvait à la maison.

Ce qui éliminait d'emblée l'hypothèse du cambriolage. Même si, d'après Kilonzo, on avait pris des objets, de l'argent – comment pouvait-il le savoir ? –, le vol n'était pas le motif premier de l'assassin. Il était entré pour s'attaquer à Valéria et à sa fille, Max en était sûr.

Il prit le drap, puis l'oreiller, dans lequel il enfouit son visage. L'odeur de Valéria était encore là, perceptible à peine, mais suffisante pour lui tirer des larmes. Il avait dormi et fait l'amour avec Valéria dans ce lit. Un matin, très tôt, il l'avait trouvée plongée dans ses papiers, là, derrière ce bureau, déjà à l'œuvre alors que le soleil se levait à peine. Les petits-déjeuners pris dans la véranda, leur course effrénée, une autre fois, surpris par la pluie.

De se retrouver ainsi au milieu de tous ces objets familiers donnait l'impression que Valéria était encore vivante, que tout cela n'était qu'un mauvais rêve, dont il se réveillerait sous peu. Tout lui revenait à la mémoire, les moindres gestes, les mots les plus banals, ses sourires, son regard, comme s'il ne restait d'elle aujourd'hui que les souvenirs les plus anecdotiques. Il en voulait à sa mémoire d'ordonner le passé à sa manière, dans une sorte de fouillis où se mêlaient événements importants et choses insignifiantes.

Après leur rencontre initiale à Toronto, après la semaine formidable qu'ils avaient passée ensemble à New York, Max avait revu Valéria en Europe à quelques reprises. Puis elle l'avait invité à venir la visiter en Afrique. Dès son arrivée à Bukoba, en avril 2007, il s'était laissé guider par l'avocate qui lui avait ouvert les portes d'un continent dont il ne savait rien. Il s'était abandonné à l'ambiance, au paysage, à la chaleur des gens. Les yeux grands ouverts, il s'était émerveillé de ce nouveau monde, mais de Valéria, d'abord. Elle éclipsait tous les paysages.

Max n'était jamais allé en Afrique, représentée dans sa tête par des images plus ou moins folkloriques, ou alors carrément révoltantes. Il s'était attendu à un continent peuplé de sidéens avoués ou en devenir, les yeux creux, côtoyés par des enfants sous-alimentés avec des ventres en forme de ballons de plage. Un monde de poussière et de boue séchée sur lequel flottait en permanence une odeur de merde. Un brouillard interminable, rempli de mous-tiques infectés par du sang contaminé, où des individus à moitié nus et en sueur se couraillaient dans la savane, machette à la main, dans une sorte de frénésie morbide.

La réalité était tout autre, évidemment, beaucoup moins spectaculaire. La misère était là, oui, quotidienne, un certain fatalisme semblait peser sur la vie des gens, mais il y avait aussi un formidable bouillonnement, une sorte d'énergie brute inutilisée, comme en réserve de grandes choses qu'on promettait toujours mais qui n'arrivaient jamais, souvent gaspillée dans une violence gratuite et irrationnelle.

Dès le départ, Valéria et lui s'étaient juré de ne jamais parler d'avenir, de goûter le moment présent au maximum comme si le sol allait soudain s'ouvrir sous leurs pieds et les engloutir. Mais le futur ne demandait qu'à être rempli de projets et de rêves, tous plus irréalisables les uns que les autres. Ce n'était qu'illusion, un rêve de plus, un rêve de trop qui, bientôt, se fracasserait sur la dure réalité de la vie.

Privés d'avenir, ils ne pouvaient se rabattre sur le passé. Celui de Max regorgeait de fausses pistes et de culs-de-sac, celui de Valéria baignait dans une sorte de mystère permanent. À chaque détour, ils ne pouvaient que buter sur un mensonge. Alors ils préféraient ne jamais aborder le sujet, se contentant de vivre leur vie comme une sorte de cadeau venu de nulle part qu'ils ne méritaient ni l'un ni l'autre.

Aujourd'hui, ces pirouettes d'amoureux maladroits n'avaient plus d'importance. Des souvenirs qui s'estomperaient peu à peu, faute de ne pouvoir les partager avec qui que ce soit. La tristesse enveloppait Max comme une grande marée contre laquelle il n'avait pas envie de se débattre, il voulait se laisser couler dans ce trop-plein de douleur. Valéria et lui ne formaient plus un couple depuis plusieurs mois – l'avaient-ils été, réellement ? – mais la vue de tous ces objets, les siens, les petites choses qui composaient son quotidien le troublaient et lui rappelaient cet amour perdu à jamais.

D'une brosse à cheveux, il isola l'un d'entre eux, le tenant entre ses doigts comme un enfant qui fantasme sur son institutrice ou la femme du voisin, se sentant ridicule et désemparé. Jusqu'à la toute fin, Max avait cru que, peut-être, les choses se seraient réchauffées entre eux, mais la mort de Valéria, bien sûr, mettait un terme à ses rêves.

Il s'en voulait de ne pas avoir pris les devants, de ne pas avoir agi quand il en avait l'occasion. D'avoir tenté de jouer au plus malin avec la vie, le destin, ignorant volontairement qu'à ce petit jeu nous sommes de vulgaires amateurs, des pions qui se croient les maîtres du damier. Un long moment, Max resta ainsi, sans bouger. Valéria allait surgir d'une autre pièce, son portable à l'oreille, lui signifiant d'attendre un instant d'un geste du doigt, sans cesser de feuilleter un dossier à toute vitesse. Ou Sophie, aussi énervée que sa mère, lui ordonnerait de se calmer et de préparer du thé, un rituel chez elles dès que la pression du travail devenait insupportable. Elles s'assoyaient face à face dans la petite véranda qu'elles avaient transformée en serre, du côté sud de la maison, et buvaient leur thé en commentant les dossiers en cours. Max les avait surprises quelques fois, s'était senti exclu de leur monde, ce qu'il avait respecté, un pincement au cœur.

Curieusement, même si Valéria adorait Sophie, on ne sentait pas entre elles les rapports habituels entre une mère et sa fille. Une certaine dureté envenimait parfois leurs échanges. Pour un observateur extérieur comme Max, cette attitude était difficilement compréhensible. Comme si Valéria refusait à Sophie tout passe-droit, toute flexibilité, parce qu'elle était sa fille, justement. Aux yeux de sa mère, Sophie n'avait pas le droit à l'erreur. Une sévérité accrue que la jeune femme, chose plus étrange encore, acceptait sans rechigner.

Quelques années plus tôt, alors adolescente, Sophie avait été impliquée dans une histoire qui aurait pu très mal tourner, alors qu'elle était pensionnaire à Dar es-Salaam dans une école privée. Un soir, le téléphone avait sonné à Bukoba. Un policier informa Valéria que Sophie venait d'être arrêtée pour tapage nocturne, vandalisme et tentative de meurtre.

Valéria prit le premier avion pour Dar es-Salaam avec l'argent de la caution. Sophie avait passé la nuit dans une cellule du commissariat général, dans Sokoine Drive.

— Que s'est-il passé ? demanda Valéria au policier qui l'accueillit.

Pendant une rixe à l'extérieur du Bilicanas, un bar à la mode, Sophie s'était retrouvée un couteau sanguinolent à la main, réalisant tout à coup, trop tard, qu'elle venait de basculer du mauvais côté de la vie.

— Et la victime ? demanda Valéria.

— Des blessures superficielles. Il est déjà sorti de l'hôpital.

— Je veux voir ma fille.

Quand la porte de la cellule s'ouvrit, Sophie se jeta dans les bras de sa mère.

— Je suis désolée, maman…

L'accusation de tentative de meurtre était la plus sérieuse et aurait pu faire coffrer Sophie, même si elle n'avait que seize ans. Son ami aussi.

— Quel ami ? demanda Valéria, furieuse, déçue de ne pas avoir été mise au courant de l'existence de ce garçon.

La réponse de Sophie, imprécise. Ses explications, nébuleuses. Ce qui inquiéta Valéria davantage. Finalement, elle apprit la vérité. Cet ami, c'était un type dans la vingtaine, un Blanc, un marin américain rencontré lors d'une sortie en ville avec des copines.

— Je suis amoureuse, maman. Je veux partir avec lui aux États-Unis.

Un amour subit, soudain, pour lequel Sophie refusait tout compromis.

Valéria soupira, mais sourit à sa fille. Lui dit qu'ils allaient discuter de tout ça plus tard, mais d'abord il fallait la sortir de là au plus vite. Et elle se promit à elle-même d'aller engueuler les autorités de l'école qui n'avaient pas réussi à mieux encadrer leur pensionnaire.

— Mais il n'est plus question que tu voies ce marin.

— Il va aller en prison, lui aussi ?

— Je vais m'occuper de son cas, si tu promets de rompre avec lui.

Sophie avait promis, la mort dans l'âme. Valéria communiqua avec un avocat de Dar es-Salaam qui s'était occupé des affaires de Richard, à l'époque. Valéria lui donna carte blanche pour sortir Sophie et son copain de ce mauvais pas et de corrompre qui il fallait pour éviter la prison à sa fille. Après le versement d'un pot-de-vin appréciable, les deux accusés furent condamnés à des peines de prison d'un an seulement, avec sursis, sentence très clémente compte tenu des circonstances. Le marin rentra aux États-Unis, Sophie reprit ses études. Sérieusement, cette fois. En septembre 2004, elle fut admise à l'Université McGill.

Pourquoi s'était-on attaqué à Valéria et à sa fille ? Max n'en avait aucune idée. Il continua de fouiller les pièces. À ouvrir tiroirs et placards, jetant des regards sous les lits, sous les meubles, dans l'espoir futile qu'un indice, n'importe lequel, puisse le guider. Pour l'instant, il ne pouvait se raccrocher à rien, sinon aux hypothèses farfelues de Kilonzo.

Qui pouvait en vouloir aux deux femmes ?

Des clients insatisfaits, ou alors les victimes de ces clients, frustrés de ne pas avoir eu gain de cause dans un litige donné, rejetant le blâme sur l'avocate de la partie adverse ? Il faudrait examiner avec soin la liste des contrats actuels et passés de Valéria et de sa fille, mais Max doutait d'y trouver quoi que ce soit de pertinent. L'entrée violente de l'assaillant continuait de le troubler. Le bruit. La destruction d'une porte. Une véritable invasion. Peut-être le meurtrier n'avait-il pas opéré seul. Possible. Même si Kilonzo, dans sa grande lucidité, y voyait l'œuvre d'un seul homme.

Un ordinateur était posé sur la table. Max l'alluma : lettres, tableaux, budgets, factures et autres documents semblables. Puisqu'il s'était intéressé au portable de Sophie, Kilonzo devait en avoir exploré le contenu. Mais sans l'emporter pour vérification plus approfondie. Décidément, cette enquête était bâclée d'un bout à l'autre. Scène du crime corrompue par les va-et-vient des curieux, hypothèses sans fondement, porte d'entrée saccagée…

Si les policiers eux-mêmes avaient été à l'origine du crime, ils n'auraient pas agi autrement. De toute évidence, on souhaitait que l'affaire soit conclue au plus vite. La présence de Max nuisait à l'enquête, d'où la mise en scène qu'on lui avait montée avec soin.

Mais pas suffisamment.

C'est alors que Max remarqua, au fond d'un placard, dans un sac de papier, un camion jouet composé de résidus de métal et de plastique, d'un genre courant en Afrique. Des petits bijoux d'imagination et de débrouillardise, construits avec les déchets que la société de consommation abandonnait dans son sillage. Ce camion était particulièrement élaboré, rien n'y manquait : benne, cabine, et même le volant, minuscule. On avait fabriqué des petites vitres avec des morceaux de mica découpés dans des bouteilles d'eau. Rétroviseurs encore plus menus, écrous rouillés en guise de phares, pare-chocs en fil de fer… Magnifique objet, d'une naïveté et d'une fraîcheur remarquables.

Écrite de la main de Valéria, une note était fixée au jouet : « Pour toi, mon petit Daniel, mon amour. »

Daniel.

Max, songeur.

De qui parlait-elle ?

Qui était cet enfant ? À qui ce cadeau était-il destiné ?

Ch 7

— Cheskin ! Par ici !

Au milieu d'un groupe de policiers, l'inspecteur Kilonzo lui faisait signe avec de grands gestes nerveux. Max O'Brien s'approcha. Accroupi, Shembazi examinait quelque chose par terre.

— Écarte-toi, Shembazi.

L'officier se releva maladroitement, contrarié de voir que son supérieur lui volait la vedette.

— Voyez ce que nous avons trouvé.

L'inspecteur, rayonnant, indiquait des marques de pneus dans la terre meuble.

— Il est venu en 4 × 4, ajouta-t-il.

— Je croyais qu'un complice l'attendait dans un hors-bord, sur le lac.

— Il ne faut négliger aucune piste. Et celle-ci nous semble plus prometteuse que l'autre. Pas vrai, Shembazi ?

Celui-ci acquiesça mollement.

Max indiqua du doigt le Land Cruiser de Valéria.

— Nous avons vérifié, fit Kilonzo. Ce n'est pas le même type de pneus. Un véhicule récent. Mitsubishi, peut-être. Probablement de l'extérieur de la région, ou même d'Ouganda. On vérifie avec les autorités de ce pays pour savoir si un véhicule n'a pas été volé récemment.

Max soupira.

— Je veux voir Valéria.

Les dépouilles de l'avocate et de sa fille avaient été transportées à l'hôpital Kagondo, au sud de Bukoba. Max aurait préféré s'y rendre seul, mais Kilonzo insista pour l'accompagner.

Tout au long du trajet, Max ne pouvait s'enlever de la tête que le double meurtre était lié au détournement de fonds de la comptable, même si rien ne semblait pointer dans cette direction. Dès que Kilonzo cesserait de le talonner, il se promit d'aller fouiller de ce côté. Et puis, il y avait bien sûr le travail des deux femmes pour venir en aide aux albinos. De toute évidence, par leur engagement, grâce à leurs appuis gouvernementaux, Valéria et Sophie dérangeaient beaucoup de monde. Elles perturbaient, en tout cas, un commerce souterrain dont bénéficiaient plusieurs crapules et charlatans. Avaient-elles vexé l'un d'entre eux ?

Lors de sa première visite à Bukoba, en 2007, le lendemain de son arrivée, Valéria avait entraîné Max du côté du port, puis avait loué à un pêcheur l'une de ses embarcations pour la journée. Une ballade d'amoureux sur le lac Victoria, croyait Max. Au large, Valéria avait poussé le moteur. Elle manœuvrait la barque avec dextérité, ce n'était sûrement pas la première fois qu'elle se livrait à cet exercice.

Valéria avait levé les yeux sur Max, s'amusant de son air ébahi.

— C'est mon mari qui m'a appris.

De temps à autre, ils croisaient un pêcheur avec lequel Valéria discutait en kihaya, puis ils reprenaient de la vitesse, contournant les rochers, poussant le moteur à fond. Assis à l'avant, Max regardait Valéria avec les yeux d'un amoureux qui découvre, tout à coup, que la femme qu'il tient dans ses bras est capable de sauter en parachute ou de charger une kalachnikov. Il savait très peu de choses d'elle, finalement.

Max avait appris petit à petit, au fil des conversations, par des sous-entendus, des mots échappés, des phrases incomplètes, qu'elle venait de la campagne, d'une famille très pauvre. Valéria s'en était sortie grâce à un pasteur anglican qui avait ouvert une école dans le village voisin. Pour susciter l'émotion des âmes charitables, là-bas, en Grande-Bretagne, et les inciter à la générosité, le révérend Wellington avait fondé une chorale avec l'aide de sa femme, une chorale à laquelle Valéria s'était jointe à l'adolescence.

Elle avait conservé un disque, un microsillon que le missionnaire avait fait graver. La voix de Valéria était évidemment impossible à distinguer parmi toutes ces jeunes filles. Pas de doute, par contre, l'impact auprès des donateurs devait être plutôt remarquable.

Après un moment, Valéria réduisit la vitesse. Cette section du lac était moins animée, les rives différentes. Au lieu des huttes et des quais en bois plus ou moins improvisés, des maisons plus imposantes, certaines carrément luxueuses, perdues au milieu de la végétation.

— Les albinos ne sont pas uniquement chassés par des inconnus, par leurs proches aussi. Leurs parents, parfois. L'origine de ce commerce répugnant, il faut le chercher à l'intérieur même des familles.

Elle ajouta :

— Tu savais que la fondation avait dégagé un budget destiné à la cimenterie de Bukoba ?

— Du ciment ?

— Des dalles lourdes et épaisses que l'on remet aux familles des albinos défunts pour éviter que les tombes de leurs proches soient pillées par les trafiquants. Ou par des cousins ou des beaux-frères cupides.

Max se taisait.

— Le trafic des albinos est révélateur des contradictions de l'Afrique, ajouta Valéria, comme si elle donnait un cours ou tentait de convaincre des donateurs. Coutume barbare héritée d'une époque où les sorciers et les guérisseurs dominaient la vie sociale, elle était encore bien vivante aujourd'hui, poursuivit-elle.

— À l'aéroport d'Amsterdam, il y a trois ans, les douaniers ont intercepté un trafiquant. Dans le double fond de sa malle, douze pénis d'albinos. Le type se rendait à Londres pour approvisionner des guérisseurs britanniques d'origine tanzanienne. Tu sais combien vaut un pénis d'albinos au Royaume-Uni ?

Max l'ignorait.

— Très cher. Trop cher.

Valéria poursuivit son petit discours sur les origines de la fascination des Africains pour les albinos. Ces faux blancs, conçus les nuits de pleine lune, disait-on, ou alors du croisement maléfique d'êtres diaboliques, pouvaient paradoxalement, porter chance et permettre de réaliser les rêves les plus fous.

— Une lampe d'Aladin humaine, en fait.

— C'est le paradoxe de la mondialisation. Les spécialistes du continent croient qu'elle permettra à l'Afrique de rattraper le reste du monde. Lui donnera l'occasion de se moderniser, enfin. C'est le contraire qui se produit : la mondialisation permet de répandre à la grandeur de l'Univers des coutumes et des traditions d'un autre âge et d'un groupe culturel autrefois confiné à une région donnée, sans contact avec l'extérieur.

Max comprenait d'instinct que Valéria avait besoin de parler, de se libérer l'esprit des pensées qui la troublaient.

Si elle l'avait entraîné dans cette excursion sur le lac, c'était
pour lui décrire son combat mené depuis des années.
— Les crimes d'honneur ou les mariages arrangés,
par exemple. Il y a cinquante ans, jamais les forces policières de Paris ou de New York n'étaient aux prises avec
ce fléau.

Elle ajouta :

— Si les familles sont parfois complices, comme les
voisins, les amis, les sorciers et les guérisseurs sont au
cœur de ce trafic. C'est à eux, ultimement, que profite
ce commerce. Qui continue malgré les peines imposées
aux trafiquants.

Valéria devint songeuse, tout à coup. Elle avait éteint
le moteur. La barque dérivait doucement.

— Je croyais que la peine capitale serait la seule sanction vraiment efficace. Mais ces salauds se reproduisent.
La mort des uns libère la place pour les autres. C'est une
roue sans fin.

Max ne répliqua rien.

Elle ajouta :

— Au Kenya, en Ouganda, au Burundi… Même s'ils
n'ont pas suivi l'exemple de la Tanzanie, les crimes contre
les albinos ont diminué. Ce ne sont pas nécessairement
les mesures les plus extrêmes qui donnent les meilleurs
résultats.

Max était surpris de l'entendre remettre en cause
ce qu'elle préconisait depuis des années, son cheval de
bataille qui avait provoqué tellement de controverses.
Aujourd'hui, elle semblait avoir pris conscience de l'inu-
tilité de ce moyen de dissuasion.

— Ceux qui périssent sur l'échafaud : du menu fretin,
probablement, des petits trafiquants sans envergure qui
prennent les risques à la place des gros poissons, peinards
dans leurs palaces.

Max acquiesça. Pour le trafic des albinos, comme pour les autres rackets, c'était toujours la même formule, et les mêmes victimes, des deux côtés de la barricade.

Valéria indiqua une demeure, sur la rive.

— Un sorcier habitait dans cette maison, là-bas. On venait de très loin pour lui demander conseil. Il s'appelle Awadhi Zuberi.

— La police est au courant?

— Oui, mais elle ne fait rien. Zuberi, c'est le frère du propriétaire de l'hôtel Lakeview. Quand les politiciens et les fonctionnaires de Dodoma ou de Dar es-Salaam débarquent dans la région, c'est là qu'ils s'installent, et non pas au Walkgard, beaucoup plus confortable. Je ne serais pas surprise qu'il cache lui-même quelques morceaux d'ongles et des cheveux d'albinos dans un endroit secret, chez lui. Pour l'aider dans sa carrière. Pour s'assurer que son hôtel soit toujours plein. Ou pour les refiler à ses clients qui en font la demande. Ironique, n'est-ce pas?

Ironique, tragique et sans espoir.

— Aujourd'hui, la maison est vide. Inhabitée, mais Zuberi en est toujours le propriétaire.

À l'époque, Zuberi était le client de Samuel Musindo, expliqua Valéria. C'était pour lui que l'infirmier avait tué Clara Lugembe, la fille albinos du futur président de la Tanzanie, mais ses liens avec le crime n'avaient pu être prouvés. Musindo avait été condamné à mort et exécuté mais Zuberi, lui, avait réussi à s'en tirer grâce à la performance de son avocat, Jason Chagula.

— Le même que Musindo?

— Oui.

Après quelques mois de prison, il avait été libéré et s'était fondu dans le décor. Ne restait de lui que cette maison vide.

— Des complicités dans la police ou dans l'appareil judiciaire? demanda Max.

— Probablement.

La popularité de Zuberi remontait aux années 1990, quand il avait mis en marché son fameux médicament pour guérir le sida. Une potion qu'il refilait aux malheureux pour quelques shillings. Devant sa maison, les voitures et les piétons faisaient la file dès l'aurore pour rencontrer le sorcier et acheter sa fiole miraculeuse. Qui ne pouvait être vendue que par le sorcier lui-même, sinon les propriétés curatives du «médicament» ne faisaient pas effet.

— Un spectacle horrible, vraiment. Des sidéens qui pouvaient à peine marcher, soutenus tant bien que mal par des parents, des amis. Une disgrâce.

Par la suite, Zuberi avait été arrêté une première fois, son petit commerce démantelé. Un fonctionnaire du ministère de la Santé déclara que sa célèbre potion n'était que de l'eau colorée, tout simplement.

Mais Zuberi n'avait pas tardé à reprendre ses activités de guérisseur, plus ou moins clandestinement, avec la bénédiction des autorités qui avaient préféré fermer les yeux. Après la mort de Clara Lugembe, quand on avait découvert des liens entre Samuel Musindo et le sorcier, quand on s'était rendu compte de sa disparition, l'aveuglement volontaire n'était plus possible. Ou bien Zuberi était lié d'une manière ou d'une autre à la mort de la fille du ministre et il avait décampé, ou alors il n'y était pour rien mais savait qu'il ferait un bouc émissaire parfait. D'où sa décision de disparaître dans la nature dès sa libération.

Valéria ajouta:

— J'ai juré de faire tomber ce salaud.

En arrivant à l'hôpital, Max se tourna vers Kilonzo :

— Le guérisseur Zuberi. Vous devriez aller jeter un œil de ce côté. Vérifier ce qu'il faisait cette nuit-là, quand Valéria a été tuée.

Le policier ne sembla pas surpris par la suggestion. De toute évidence, l'existence de Zuberi lui était connue.

— Il se tient à carreau, répondit Kilonzo. Il n'a rien à voir dans cette histoire.

— Vous savez où il se cache ?

— Il ne se cache pas, il vit reclus. C'est différent. Mais je vous le répète : Zuberi n'est pas responsable de ces deux meurtres.

— Jason Chagula, vous l'avez interrogé ?

— Son avocat ? Il a quitté le pays.

De nouveau, son empressement à disculper le guérisseur semblait étrange. Chaque fois que Max voulait diriger son enquête sur une piste nouvelle, Kilonzo trouvait aussitôt un argument pour justifier son inaction.

— Ça vaudrait quand même la peine de leur payer une petite visite, à ces deux-là.

— Et vous croyez que Zuberi prendrait le risque d'aller, par lui-même, tuer les deux avocates ?

— Sûrement pas, vous avez raison. Mais Zuberi est peut-être impliqué dans le crime d'une manière ou d'une autre. Indirectement. Comme commanditaire.

Kilonzo regarda Max.

— Je comprends que Valéria Michieka vous était très chère. Mais laissez-moi faire mon travail. Pour l'instant, rien n'indique que les meurtres soient liés au trafic des albinos.

— Chose certaine, on n'est pas entré chez Valéria pour la voler.

Et Max lui fit part de ses observations, que Kilonzo ne rejeta pas du revers de la main, comme il l'aurait cru.

Mais le policier lui répéta, en mots polis, de se mêler de ses affaires et d'éviter de lui marcher sur les pieds. L'enquête suivait son cours. Il le tiendrait informé, bien sûr, mais sans devenir son homme à tout faire.

— Soyez assuré, monsieur Cheskin, que j'accorde à cette affaire une attention exceptionnelle. Je veux autant que vous mettre la main au collet de ce meurtrier. Mais selon mes méthodes et mes priorités.

Max se tut.

L'hôpital consistait en une série de pièces basses autour d'une cour, un peu à la manière d'un motel, où étaient situées les grandes chambres des patients, les salles communes, la salle d'opération, la maternité et l'administration. Plus loin, un atelier où étaient fabriqués des membres artificiels destinés notamment aux albinos victimes de mutilations.

La morgue occupait une salle à part.

Kilonzo avait fait sortir les deux corps, qui reposaient sur des tables placées côte à côte, deux comptoirs plutôt, entourés d'instruments chirurgicaux, comme si on s'apprêtait à opérer les deux femmes pour leur redonner vie. Les dépouilles étaient recouvertes d'une toile cirée, à moitié dépliée. Un travail bâclé. Encore une fois, Max eut l'impression que Kilonzo se donnait en spectacle malgré ce qu'il lui avait affirmé dans la camionnette. Que toute cette mise en scène avait pour objectif de lui montrer que la police tanzanienne opérait selon les normes occidentales.

Kilonzo se dirigea vers la première table, en faisant signe à Max de le suivre. D'un geste brusque, il retira la toile, comme on enlève une nappe après un repas. Il la garda dans ses mains, pendant que Max observait le corps de l'avocate. On lui avait laissé les vêtements qu'elle portait cette nuit-là. Une camisole maculée de sang, surtout au niveau de l'épaule, du côté droit. Kilonzo disait vrai : elle avait été tuée d'un coup de machette, après qu'on l'eut projetée par terre, probablement. Ses genoux et ses mains montraient des traces d'éraflures. Des ecchymoses étaient également visibles sur les bras. Kilonzo retira la toile qui recouvrait la dépouille de Sophie. Elle aussi portait encore les mêmes vêtements, imbibés de sang comme ceux de Valéria. Dans la mort comme dans la vie, les deux femmes se ressemblaient.

S'efforçant de maîtriser l'émotion qui l'assaillait, Max se tourna vers Kilonzo :

— Il arrive quand, le médecin légiste ?

Le policier hésita. Se frotta le menton.

— C'est que...

— Il n'y aura pas d'autopsie ?

— On lui a refusé le voyage. Je viens d'être informé.

— Et à Bukoba ?

— Le personnel est insuffisant pour s'occuper des vivants. Alors les morts...

Max soupira. Décidément, si ce double meurtre était une priorité pour l'officier, comme il l'affirmait, rien dans son attitude ne le laissait croire.

— De toute façon, la cause de leur décès est évidente, ajouta Kilonzo. Regardez vous-même.

Il ajouta :

— Nous avons cherché à retracer sa famille, sans succès.

— Elle avait coupé les liens avec eux.

— Une Africaine ? Impossible.

— C'est moi qui la connaissais. Pas vous. Sa seule famille, c'était Sophie et les albinos.

En sortant de l'hôpital, Max prit l'appel sur son portable : Vincent Kalitumba, de la Bank of Baroda, s'excusait de sa lenteur à donner suite à son message. Il était en réunion avec des investisseurs chinois. Max lui demanda si Valéria Michieka avait récupéré l'argent transféré dans son nouveau compte.

— Un instant, je vérifie.

Max entendit les doigts de Kalitumba pianoter sur le clavier de son ordinateur.

— Oui, c'est fait.

— Vous avez l'heure exacte de la transaction?

Les doigts de Kalitumba sur le clavier, encore une fois.

— Dimanche matin, deux heures vingt-six.

— Merci.

Max raccrocha, perplexe.

Le million avait été retiré peu de temps après la mort des deux avocates. L'assassin avait donc eu accès au compte de Valéria. Et s'était envolé avec le fric de Jonathan Harris, une fois son crime perpétré.

P. 98

Cette page est blanche

⑤

Ch . 8

Ce qui intriguait le plus Roselyn quand elle pénétrait dans le Texas Prison Museum ? La chaise électrique. *Old Sparky*, comme on la surnommait. Le clou de la visite. Les touristes qui débarquaient à Huntsville demandaient inévitablement à Glenn Forrester, le curateur, la permission de se faire photographier assis et attaché à la place du condamné. Glenn refusait toujours, parce qu'il considérait son musée comme un sanctuaire et non comme un parc d'attractions. Au Walls Unit, des hommes avaient souffert, plusieurs d'entre eux étaient morts. Des salauds pour la plupart, crapules, profiteurs et manipulateurs, sans doute, tous assassins, mais ils méritaient au moins un certain respect, peu importe leurs qualités ou leurs défauts.

La chaise électrique était quand même l'objet le plus populaire du musée. Forrester l'avait installée dans la dernière salle, au centre de la pièce, dans un décor qui rappelait la salle d'exécution de l'époque, utilisée jusqu'en 1964.

Le reste de la collection n'était pas banal non plus. Reproductions de cellules, du bureau du *warden*, le directeur de la prison, des armes utilisées par les gardiens, ou par des détenus ayant tenté de s'évader, mais aussi des œuvres d'art réalisées par les prisonniers à partir d'objets de tous les jours : papier de toilette, verres de carton, serviettes élimées, ustensiles en plastique. Au fil des rénovations de l'un ou l'autre des sept pénitenciers, Glenn avait recueilli des objets qui témoignaient d'une époque révolue.

En 1972, quand la Cour suprême des États-Unis avait décrété anticonstitutionnelle la peine de mort, les États qui la pratiquaient encore s'étaient débarrassés de leurs chaises électriques, qui prirent le chemin du dépotoir. Glenn Forrester avait récupéré celle du Walls Unit, l'avait installée dans son musée, mais dut la rendre au pénitencier en 1976, quand la Cour suprême revint sur sa position. Mais, déjà, on cherchait un nouveau moyen de mettre à mort sans douleur. Des expériences sur les injections létales avaient lieu depuis quelque temps. En 1982, au Walls Unit, ce moyen d'exécution fut utilisé pour la première fois sur Charles Brooks. La bonne vieille chaise électrique put reprendre sa place au musée, cette fois pour de bon.

Au Texas, toutes les exécutions se déroulaient au vieux pénitencier de Huntsville, mais le couloir de la mort se trouvait au Polunsky Unit.

Albert Kerensky était encore gardien au moment de la réintroduction de la peine capitale, il ne devint bourreau qu'en 1984. Roselyn ne se souvenait pas exactement à quel moment son mari avait été promu, sans doute parce qu'il lui avait demandé d'éviter le sujet devant leur fille.

Un soir, quand elle était adolescente, Norah avait demandé à son père :

— Ils te disent quoi, ceux qui vont mourir ?

— Rien. Ils se sont entretenus avec leur avocat, ils ont pris leur dernier repas.

— Tu es la dernière personne qu'ils voient ?

— Non. L'aumônier et le directeur de la prison. Debout au chevet du condamné, le *warden* donnait l'ordre d'exécution à Albert et sa *tie-down team*. À l'époque, comme sa fille, Roselyn s'était imaginé une équipe de bourreaux un peu comme un peloton d'exécution. Tous armés d'un fusil chargé à blanc, sauf l'un d'entre eux – qui l'ignorait. C'était sa balle à lui qui tuait le condamné à mort. Plus tard, Roselyn s'était rendu compte que l'équipe que dirigeait son mari n'avait pas pour but de diluer la responsabilité du bourreau, mais d'appuyer son travail. Chacun avait une responsabilité précise. Celle d'Albert avait été d'injecter le fameux liquide létal.

Les jours d'exécution, le mari de Roselyn partait plus tôt afin de se rendre au pénitencier avant l'arrivée des témoins. Au départ, il s'agissait des représentants de l'État et des membres de la famille du condamné, qu'Albert escortait jusqu'à la pièce d'où ils pourraient assister à l'exécution. Plus tard, à la suite de pressions des familles des victimes, celles-ci eurent droit, elles aussi, à être représentées à l'exécution. Les deux groupes entraient par des portes distinctes et ne se rencontraient jamais, confinés à des pièces séparées.

En arrivant tôt, Albert voulait aussi éviter le contact avec un troisième groupe, les manifestants, une poignée d'opposants à la peine capitale qui débarquaient à Huntsville les jours d'exécution. Toujours les mêmes têtes, avec les mêmes pancartes, ce qui donnait à cette journée l'allure d'une cérémonie bien planifiée, une sorte de rituel où chacun des participants jouait son rôle sans se poser de questions.

En tout cas, le mari de Roselyn jouait le sien avec professionnalisme. Aucune exécution ratée au cours de son passage à la tête du département, comme cela arrivait parfois dans certains États. Les soirs d'exécution – elles avaient toujours lieu à dix-huit heures –, il rentrait à la maison tard, sans fournir d'explication. Les premières années, Roselyn l'attendait. Elle avait préparé son repas, qu'elle le regardait manger avant de l'accompagner au lit. Un soir, visitant une amie à l'hôpital, Roselyn avait surpris Albert sur le chemin du retour. Il ne l'avait pas aperçue. Décidée à le suivre sans se faire remarquer, elle l'avait vu prendre une rue à gauche, dans la direction opposée à la maison familiale. Roselyn l'avait suivi un bon moment, fébrile, ses pas résonnant devant elle sur le pavé. Il cheminait sans regarder derrière, sans se douter de la présence de sa femme, tout près. Il gardait la tête basse et Roselyn eut l'impression qu'il marchait vers l'échafaud lui aussi.

Quelques rues plus loin, sans se retourner, Albert pénétra dans une église, lui qui d'ordinaire ne priait jamais et n'avait aucun intérêt pour la religion.

Bouleversée, Roselyn n'avait pas osé signaler sa présence, ni lui en parler de retour à la maison.

Mais, au milieu de la nuit, Albert s'était réveillé. Elle l'avait rejoint dans la cuisine.

— Ça va ?

— Oui.

— Qu'est-ce qui se passe ?

— Rien. Retourne te coucher, répondit-il d'une voix bourrue.

Jamais Albert ne fléchissait. Un roc. Cette fois, Roselyn avait eu l'impression, pourtant, qu'il était sur le point de craquer. Sans savoir pourquoi. La pression de son métier, peut-être. Ce soir-là, il en était à sa troisième exécution en autant de jours. Mais son mari se ressaisit aussitôt. Ce moment de faiblesse ne se reproduisit plus.

Glenn Forrester n'avait pas parlé à son vieil ami depuis une semaine. De toute façon, Albert et lui ne se fréquentaient plus aussi souvent qu'auparavant, quand ils partaient à la chasse ensemble. À l'égard de Glenn aussi, se dit Roselyn, son mari avait pris ses distances. Ce qu'elle croyait dirigé contre elle était en fait dirigé contre tout le monde. Elle avait eu tort de se croire aussi importante à ses yeux.

— Ça fait du bien de te revoir. Dommage que ce soit dans des circonstances aussi...

Il chercha ses mots.

— Il n'est peut-être rien arrivé, lança Roselyn.

— Tu as raison. Avec Albert, on s'inquiète toujours pour rien.

Alors que son mari était taciturne, Glenn, lui, était plutôt du genre expansif. Au musée, il s'agitait comme s'il venait d'ouvrir un nouveau commerce et doutait encore du succès de son entreprise. Quand il ne répondait pas au téléphone, il plaçait des appels qui semblaient toujours urgents, mais c'était une façade, évidemment. Alors qu'Albert avait choisi de vivre sa vieillesse dans la contemplation, Glenn carburait à l'action. Il mourra probablement dans cette pièce, se dit Roselyn, en train de faire les comptes de la journée, d'épousseter ses souvenirs de chasse ou d'engueuler un fournisseur au téléphone, comme il le faisait quand elle était arrivée.

— Ce n'est pas la première fois, lança Roselyn.

— Quoi donc?

— Tu as dit : on s'inquiète toujours pour rien.

Glenn soupira.

— Je ne te l'ai jamais avoué mais, au début, quand il a été choisi pour faire partie de la *tie-down team*, j'ai cru qu'Albert n'en serait jamais capable.

Les deux hommes avaient été gardiens au Walls Unit, où ils s'étaient connus au début de leur carrière, mais Albert était le seul à avoir répondu à l'appel du *warden*.

— Il était venu me voir à la maison, la veille de son entrée en fonction, et il m'avait avoué qu'il ne pourrait jamais exercer ce métier. Qu'il ne pourrait jamais mener à terme une exécution. Glenn lui avait servi un double bourbon pour lui donner des forces et lui remonter le moral.

— Il l'a fait ? Ça s'est bien passé ?

— Oui.

L'équipe dont Albert faisait partie – et qu'il dirigerait éventuellement – se composait d'une douzaine de personnes. Devant eux, Lewis Autry. Condamné pour avoir tué d'une balle dans la tête la caissière d'une épicerie – et un témoin – avec qui il s'était disputé au sujet du prix d'un *six pack* de bière, Autry avait été le premier d'une longue liste. Albert en avait perdu le sommeil, tellement il était nerveux Par la suite, les choses avaient été plus faciles pour Albert.

Ses nouvelles fonctions le changèrent peu à peu, et encore plus quand il prit la direction de l'équipe d'exécution. Déjà discret, réservé, il devint carrément secret. Même auprès des autres gardiens, d'après Glenn. Il s'était attendu qu'à sa retraite, Albert redevienne l'homme qu'il avait connu autrefois. Mais non.

— Son travail l'a marqué, comme il nous marque tous, dit-il. Lui davantage.

Selon Glenn, Albert aurait pu changer d'affectation. S'il l'avait voulu, des fonctions administratives l'auraient éloigné de la salle d'exécution. Pourtant, il avait toujours refusé les promotions.

Surprise de Roselyn. À la maison, même s'il ne s'emportait jamais, Albert critiquait parfois l'administration carcérale. N'hésitait pas à dire qu'ils ignoraient la difficulté de son métier – dont la charge de travail avait singulièrement augmenté durant les années 2000. À une certaine époque, le Walls Unit de Huntsville enregistrait jusqu'à quarante exécutions par année.

Pourtant, jamais Albert ne s'était prévalu de la chance d'occuper un poste de direction et de changer les choses à sa guise. Sa retraite venue, il était encore responsable de la *tie-down team*, alors que plusieurs de ses prédécesseurs n'avaient pas hésité à grimper les échelons de la hiérarchie quand on le leur avait proposé. Lui, il s'était refermé sur son boulot.

— Il m'a appelé la semaine dernière, ou la semaine d'avant, reprit Glenn. Je ne me souviens plus. Il voulait que je l'accompagne sur la tombe de Norah.

Pour son anniversaire de naissance, songea Roselyn.

Glenn sourit tristement.

— Il avait besoin de ma voiture, maintenant qu'il s'était débarrassé de la sienne. Il refusait de se faire conduire par ces blancs-becs de la résidence.

Roselyn avait toujours détesté cette vieille Dodge que son mari avait usée au maximum, une véritable ruine dont il ne parvenait pas à se débarrasser. Il avait fallu à Roselyn des semaines de discussion pour qu'il se résigne enfin à envoyer son tacot à la ferraille.

Les deux hommes s'étaient donc rendus au North Side Cemetery. Glenn avait escorté son ami jusqu'à la tombe de Norah, s'arrêtant plusieurs fois pour lui permettre de reprendre son souffle. Devant le monument, Albert était resté là, silencieux, concentré. Forrester se tenait à l'écart, n'osant pas déranger le recueillement de son ami.

Et puis, il s'était passé une chose étrange, selon Forrester. Il avait entendu Albert murmurer : « Je le ferai pour toi, Norah. Rien que pour toi. »

Roselyn était perplexe.

— C'est ce qu'il a dit?

— En tout cas, c'est ce que j'ai compris.

— De quoi parlait-il?

— Aucune idée. Et je ne lui ai pas posé la question.

D'ailleurs, à partir de ce moment, Albert était devenu indifférent à ce qui l'entourait. Pour lui changer les idées, Glenn lui proposa d'aller manger au Los Pericos, le restaurant qu'ils fréquentaient lorsqu'ils étaient gardiens. Mais devant leurs enchiladas, les deux hommes s'étaient contentés d'échanger des banalités. Glenn parlait tout seul, comme d'habitude; le regard d'Albert vagabondait d'une table à l'autre, sans se poser nulle part.

— Je l'ai reconduit à Stanford Hill. On a promis de se revoir. Voilà, c'est tout. Et je suis son meilleur ami, du moins je l'ai été pendant des années. J'ose à peine imaginer comment il se comporte avec les autres. Et avec ceux qu'il déteste.

— Il les ignore, tout simplement.

— C'est vrai. Il n'est pas violent.

— Un bourreau qui n'a jamais fait de mal à une mouche, rétorqua Roselyn.

— Mais à quelques chevreuils quand même.

Glenn éclata de rire. Un grand rire franc qui le rajeunissait. C'était encore un bel homme. Des tas de femmes, même plus jeunes, devaient lui faire les yeux doux.

Puis il redevint sérieux:

— J'espère qu'il ne lui est rien arrivé.

— Moi aussi.

«Je le ferai pour toi, Norah. Rien que pour toi.»

Qu'est-ce que cela signifiait?

Au lieu d'aller chez son gendre Peter – qui lui avait offert l'hospitalité, comme d'habitude –, Roselyn repassa devant Stanford Hill Residence, puis continua sur son chemin pour aboutir au North Side Cemetery. À l'époque aménagé dans la campagne, il avait été enveloppé peu à peu par la banlieue, qui maintenant l'entourait de tous les côtés, avec ses bungalows, doubles garages et piscines en forme d'espadon.

Roselyn se sentit vaguement coupable de ne pas visiter la tombe de sa fille plus souvent. En fait, en écoutant Glenn parler, elle s'était rendu compte qu'elle y était allée rarement avec Albert. Elle croyait même – d'où tenait-elle cette fausse certitude ? – que celui-ci ne s'y était pas rendu depuis son retour à Huntsville. Or, selon les dires de Glenn, son mari se rendait au cimetière régulièrement. À chaque visite, curieusement, jamais il ne lui offrait de l'accompagner, comme il l'avait fait avec Glenn. Autre détail surprenant, et insultant dans un sens, qui compliquait davantage leur relation.

Il avait fallu des années à Roselyn avant de comprendre qu'elle n'était pas la femme qu'il lui aurait fallu. Ce qui les unissait, c'était Norah. Une fois leur fille disparue, plus rien ni personne ne pouvait les retenir l'un à l'autre.

Roselyn marcha jusqu'à la tombe, coincée entre deux ormes immenses. Que venait-elle chercher ? Croyait-elle y trouver Albert ? Comme s'il avait élu domicile au cimetière ?

Bien entendu, il n'y avait personne.

Roselyn se recueillit un instant devant le monument, s'efforçant de ne pas penser aux derniers instants de la vie de Norah, à son hospitalisation douloureuse. Pendant des semaines, tous les jours, Peter et elle lui avaient tenu la main, une main de plus en plus osseuse, amaigrie, décharnée, dont la vie s'évadait peu à peu. Albert, lui, restait pudiquement à l'écart, s'occupant de son petit-fils, Adrian, comme s'il ne pouvait supporter de voir dépérir sa fille unique. Sa mort était venue comme une libération, autant pour Norah que pour ses proches, au terme de plusieurs semaines de souffrance atténuée par des injections de morphine qui ne donnaient plus rien. Adrian avait été aussi affecté que son grand-père, et il avait fallu tout le doigté et la sagesse de Peter pour éviter que les choses dérapent avec le petit.

La visite au cimetière remontait à l'anniversaire de Norah. Il avait plu, se souvint Roselyn tout à coup. C'était ce que Glenn lui avait dit : il pleuvait, j'ai aidé Albert à monter dans la voiture en le protégeant de mon parapluie.

Pourquoi avait-il choisi cette journée exécrable pour aller se recueillir sur la tombe de sa fille ? se demanda Roselyn. C'était son anniversaire de naissance, d'accord, mais pourquoi ce besoin absolu de s'y rendre ce jour-là ?

Et de prononcer ces paroles énigmatiques.

Parce qu'il s'apprêtait à entreprendre quelque chose, songea Roselyn. Un long voyage, qu'il avait déjà planifié et qui, peut-être, concernait la mort de Norah.

ch. 9

C'était arrivé au troisième ou quatrième séjour de Max O'Brien à Bukoba, plusieurs mois après sa rencontre avec Valéria. Un matin, très tôt, il faisait encore nuit, Valéria et lui avaient été réveillés par des coups à la porte de la chambre. Sophie, agitée, nerveuse, au bord de la crise de nerfs, venait de s'entretenir au téléphone avec un officier de la Kagera Regional Police. On avait découvert un charnier à Minziro, près de la frontière de l'Ouganda. C'était tout ce qui restait de ce qu'on appellerait plus tard «la nuit des albinos». Depuis quelques semaines, le nombre de parents venus demander de l'aide à Valéria avait augmenté. De toute évidence, des trafiquants s'étaient remis en chasse, mais on n'avait pu les retracer, encore moins leurs victimes. Le pogrom avait eu lieu la nuit tombée, à la dérobée, transformant en fantômes ces petits êtres sans défense. En swahili, on appelait d'ailleurs les albinos les *zerus*, ce qui signifiait esprit ou spectre.

Sophie n'avait pas le courage de se rendre sur place, mais Valéria ne pouvait s'y dérober. Les enfants de certains de ses clients comptaient sûrement parmi les victimes. Max décida de l'accompagner, malgré ses mises en garde. Ce qu'ils allaient découvrir tous les deux serait horrible, dit-elle, et hanterait Max pour des années à venir.

L'absence de circulation et la qualité de la route jusqu'à Kyaka facilitèrent la première partie du trajet. Après la traversée de la rivière Kagera, le chemin devenait une piste élargie, empruntée le jour par les habitants des villages voisins, allant ou revenant du marché, de lourdes charges sur leur tête, ou sur des bicyclettes qu'ils poussaient devant eux dans la pénombre.

Deux heures plus tard, Minziro apparut. Un hameau de rien du tout, à l'entrée d'un parc forestier qui se prolongeait de l'autre côté de la frontière ougandaise. Le policier avait dit à Sophie que ses hommes et lui étaient rassemblés au nord du village, dans une clairière qu'on pouvait atteindre après quelques kilomètres d'une piste boueuse utilisée surtout par les braconniers.

Au bout d'un moment, un véhicule de la police flanqué du drapeau tanzanien leur bloqua le chemin. Un type endormi, les yeux lourds, les laissa passer sans même vérifier l'identité de Valéria et de son passager.

Quelques instants plus tard, Valéria se tourna vers Max.

— Il est encore temps de rebrousser chemin, si tu veux. Je te rejoindrai tout à l'heure…

— Non, ça va.

Plus loin, après un détour, apparut un 4 × 4 près duquel se tenait le sergent Masanja. C'était lui qui avait parlé à Sophie. Max et Valéria le suivirent dans un sentier broussailleux qui semblait mener à une autre clairière, un peu plus loin. Ils croisèrent d'autres policiers, visiblement troublés par ce qu'ils venaient de découvrir.

Max avait prévu le pire, mais le pire n'était pas encore assez terrible pour décrire ce qu'il aperçut soudain.

Du sang. Partout. Un marais de sang imprégnant le sol sablonneux. Les hommes de Masanja pataugeaient dans ce bourbier, recueillant à mains nues des morceaux de vêtements. D'autres agents les entassaient plus loin, dans des piles séparées, sorte de mausolée improvisé de tissus imbibés de sang, seuls vestiges de la courte vie des victimes.

— Des paysans nous ont alertés, expliqua le sergent. La tuerie a eu lieu ici, il y a deux nuits. Ils étaient pressés, ils n'ont pas eu le temps de brûler les vêtements.

Le policier se tourna vers Valéria, secouée elle aussi.

— Ils ont tout récupéré de ces malheureux. On ne trouvera pas un ongle. Pas un poil de sourcil.

Les trafiquants les avaient enlevés dans leurs familles, chez eux, les avaient surpris dans leur sommeil, petites têtes blanches au milieu de la noirceur profonde.

Les coupables étaient déjà loin, selon Masanja. De là, on voyait la frontière ougandaise. Les albinos avaient probablement été tués la nuit même. Au petit matin, on avait empilé les corps dans un camion, direction l'Ouganda. Un passeur les avait fait traverser dans le pays voisin. Des sorciers et les guérisseurs rappliquaient déjà de partout pour acheter les membres de ces malheureux, qu'ils feraient sécher, et découper de nouveau en petits morceaux, pour les revendre à leur tour.

— Ça vaut combien ? demanda Max.

— Un albinos ? Jusqu'à soixante-quinze mille dollars. Davantage parfois.

Un commando qui avait les moyens de ses ambitions. Pots-de-vin, relations privilégiées…

— La police ougandaise est au courant ? demanda Valéria.

— On l'a informée dès le premier jour, répondit le sergent. Mais ils sont aussi impuissants que nous. À mon

111

avis, des morceaux d'albinos, on en retrouvera pendant des semaines, jusqu'à Kampala et Nairobi. À la Bourse, même.

Masanja faisait allusion à ce courtier récemment arrêté qui utilisait un pouce d'albinos comme talisman, afin de guider ses décisions d'achat ou de vente d'actions. Ou encore à ce voyageur de commerce dont les policiers congolais avaient ouvert la valise au cours d'une vérification de routine. À l'intérieur, une tête d'albinos séchée.

Masanja avait passé en revue tous les *mchawis*, les sorciers de la région. Quelques-uns avaient déjà été arrêtés pour des activités illégales, certains pour recel de membres d'albinos, mais son enquête n'avait donné aucun résultat.

— Et Awadhi Zuberi ? demanda Valéria.

Le policier répondit qu'il était surveillé depuis sa sortie de prison. S'il était impliqué dans quelque chose, on le saurait aussitôt. Ce qui n'était pas pour rassurer Max, ni Valéria.

— Tu crois que Zuberi pourrait être à l'origine de ce carnage ? demanda Max à Valéria, une fois qu'ils furent seuls, hors d'écoute de Masanja.

Valéria haussa les épaules.

— Peut-être.

Une toile avait été tendue sous un acacia, à l'orée du site. C'est là qu'étaient regroupés la direction de la police, les enquêteurs, divers spécialistes que Masanja avait rameutés d'on ne savait où.

Valéria s'étant éloignée, Max la rejoignit. Elle semblait durement affectée par toute la scène. Quand il s'approcha, il vit qu'elle pleurait à chaudes larmes. Elle s'abandonna dans ses bras, sans pouvoir s'empêcher de sangloter.

— Je veux rentrer, murmura Valéria.

Cette nuit-là, Max se réveilla en sursaut. Valéria avait quitté la chambre. Il la retrouva dans son bureau, prostrée sur elle-même, les yeux rougis, vidés de toutes leurs larmes. Sans rien dire, il la serra contre lui. Mais elle réagit à peine, comme s'il n'existait pas. Des vêtements recueillis par la police avaient été vérifiés et identifiés. Certains d'entre eux correspondaient aux enfants disparus pour lesquels les parents étaient venus voir Valéria. Demain, elle aurait à les appeler, à leur apprendre qu'on n'avait pas retrouvé leur fils, leur fille, ni même leur cadavre, mais ce qui les avait habillés et que les trafiquants avaient rejeté. Enveloppes inutiles dont ils s'étaient débarrassés, les seuls restes auxquels les parents pourraient désormais se rattacher.

Cloîtrée dans un monde étrange, fermé, interdit, Valéria regardait droit devant elle, ignorant Max. De toute évidence, elle était bouleversée par ce qu'elle venait de voir, mais il avait l'impression que sa douleur remontait à plus loin encore, à un lieu et à une époque auxquels il n'avait pas accès. Alors, exclu de son passé, il se contenta de la serrer bien fort dans ses bras, et de la bercer comme on berce un enfant, lui murmurant des mots d'encouragement.

Après un moment, alors que Max la croyait endormie, Valéria releva la tête.

— Je pense à lui tous les jours.

Max, perplexe... De qui parlait-elle?

— Evans. Mon grand frère.

Et alors, de sa voix chaude et infiniment triste, Valéria lui avait raconté.

Evans et Valéria travaillaient au chantier du chemin de fer, avec Dickson, leur père. Evans était l'aîné des huit fils de Dickson, celui qu'il aimait le plus, selon Valéria.

Un jour, en revenant du chantier, elle avait remarqué la souffrance d'Evans. Dickson et lui marchaient côte à côte sur le petit chemin menant au village, après avoir quitté d'autres travailleurs, qui eux regagnaient Lulando par-delà les collines. Après la petite côte de la rosée, comme les vieux l'appelaient, Evans avait senti un élancement dans le genou gauche. Sa jeune sœur avait d'abord cru qu'il avait fait un faux mouvement dans la journée, vu que les Chinois l'avaient affecté au nettoyage des remblais, travail fastidieux qui l'obligeait à rester penché de longues heures. Il s'était sûrement trop appuyé sur ce genou, qui le lui reprochait, maintenant. Mais la douleur ne paraissant pas s'atténuer, Evans s'était installé sur un rocher en bordure de la piste. Il avait posé son sac, se massait le genou.

Plus loin, Valéria et son père s'étaient retournés.

— Ça va ? demanda Dickson.

— Continuez. Je vous rejoindrai au village.

Evans s'y était rendu péniblement. Valéria et sa famille habitaient une maison toute simple, agrandie par son père au fil des ans. Le lendemain, la jambe d'Evans lui faisait encore mal. Dickson s'approcha et prit le visage de son fils dans ses mains, comme une chose très précieuse. Il le regarda longuement, les yeux remplis d'amour, jusqu'à rendre Evans inconfortable.

Maria, la mère d'Evans et Valéria, fit venir le médecin de Kibau, un type austère, avec de grosses lunettes.

— Montre-moi ton genou, ordonna-t-il à Evans d'une voix autoritaire.

Le jeune homme jeta un regard derrière le médecin. Maria se tenait à la porte, bras croisés, en compagnie de Dickson. Derrière lui, Valéria. Il leva péniblement la jambe, ce qui semblait lui demander un effort inouï.

— Approche, petite, lança le médecin à l'intention de Valéria.

La fillette s'avança et retint son frère pendant que le médecin lui palpait la jambe, lui triturait le genou. Après un moment, il retira ses lunettes et montra un visage plus grave. Son visage des mauvaises nouvelles, songea Valéria.

Il se tourna vers les parents de la jeune fille :

— Ce qui lui arrive est très grave. Il faut l'emmener à Iringa.

— Tu me prends pour un riche de la ville qui ne sait pas quoi faire de son argent ?

— Je suis sérieux, Dickson.

Avec sa voix des grandes occasions, le médecin ajouta :

— Je ne peux me prononcer catégoriquement. Il faudrait des examens. Je n'ai pas l'équipement, même à Kibau.

— Qu'est-ce qu'il a, docteur ?

Maria s'était approchée, Valéria avec elle.

— Encore une fois, je ne peux pas...

Il ajouta :

— Mais c'est grave. Il faut s'en occuper.

Ils restèrent ainsi un long moment, à observer Evans comme un animal blessé. Le jeune homme finit par détourner la tête. Valéria comprit que son état l'humiliait. Elle en voulait à sa mère d'avoir laissé entrer un médecin, un étranger, dans leur maison. Valéria s'approcha et mit la main sur le visage de son frère. Evans la serra dans la sienne.

Une fois le médecin disparu, Valéria retrouva ses parents démolis, découragés, à bout de ressources.

Plus tard, son père s'approcha d'elle.

— Au chantier, l'autre jour, le terrassier de Mlimba est venu avec sa nièce. Je t'ai vue parler avec elle, sous l'acacia.

Valéria le regarda sans comprendre.

— Une *zeru*, ajouta Dickson.

— Mlimba, c'est loin.

— Ton grand frère va mourir.

Ils avaient marché des heures durant, ne s'arrêtant que pour boire et reposer leurs pieds. Ils n'avaient pas réfléchi au moyen à prendre pour isoler l'albinos de sa famille. Ils n'en avaient pas parlé, tous les deux, comme s'ils évitaient d'aborder les détails techniques de leur initiative. La foi et la superstition les guidaient, une sorte de folie mystique, dirait Valéria plus tard, la conviction que les embûches s'évanouiraient d'elles-mêmes, sans qu'on ait à les affronter. En fait, ils ne pensaient qu'à Evans. À la terrible perte que serait sa mort.

En arrivant aux abords de Mlimba, Dickson parut perdre confiance. Il marchait plus lentement, se traînant les pieds, soufflant davantage. Il cherchait une excuse pour rebrousser chemin. Loin d'Evans, la maladie de son plus vieux semblait moins grave, moins urgente, tout à coup.

Devançant sa question, Valéria lui dit :

— Elle va me suivre. Elle ne se méfiera pas de moi.

Valéria avait appris que la fillette vivait dans une case à l'orée du village et que sa famille élevait des poules. Ils n'eurent aucune difficulté à repérer l'endroit. Dickson voulait attendre la nuit venue, mais ce n'était pas l'idéal. L'enfant serait couchée avec ses parents, donc difficile à isoler. Le jour, c'était mieux.

Sur une colline, à l'orée du village, Valéria et son père attendirent que le soleil décline. Ils n'avaient rien à se dire, comme si l'importance de ce qu'ils allaient accomplir les laissait sans voix, tout à coup. Valéria sentait son père fléchir, de nouveau. Mais elle lui disait alors de penser à Evans, couché sur sa paillasse, accablé de douleur, et le courage et la détermination lui revenaient.

Valéria se tourna vers Dickson :

— J'ai soif.

Il lui tendit sa gourde en cuir, celle qu'il transportait au chantier tous les jours. Elle vit sa main trembler. Elle détourna le regard, gênée de sa faiblesse. À ce moment-là, dira-t-elle plus tard, je l'ai détesté. Son fils allait mourir, et il hésitait encore à le sauver. C'était ainsi que je le voyais, ajouta-t-elle. Du haut de ses onze ans, elle était la plus forte et la plus déterminée des deux.

De leur position, Valéria et Dickson virent la petite albinos rentrer au village avec son père et les autres. Les enfants se précipitèrent vers la fillette, lui touchèrent la tête en guise de porte-bonheur. Valéria avait déjà vu des ouvriers, au chantier, se comporter ainsi avec elle. Mais son père écarta les enfants et entraîna sa fille avec lui.

Quelques instants plus tard, ils rentraient chez eux. L'albinos ressortit pour nourrir la volaille. C'était le moment où jamais. Valéria et son père dévalèrent la colline sans faire de bruit et se faufilèrent derrière la maison.

Son sac de toile à la main, la fillette semblait surprise de voir Valéria.

— Viens, lui dit Valéria. J'ai quelque chose à te montrer.

L'autre hésitait.

— N'aie pas peur.

La petite albinos s'approcha, encore craintive, mais amadouée par le sourire de Valéria. Ensuite, tout se passa très vite. Dickson surgit de nulle part, s'empara de la fillette, qu'il saisit d'un seul bras, puis se mit à courir, tout en couvrant de sa main la bouche de l'enfant pour l'empêcher de crier.

Dans la forêt, ensuite, loin du village.

La jeune albinos, évanouie, devant Valéria et son père. Ils la regardaient comme on regarde une image sainte, une statue, une idole. Du respect, oui. Mais aussi un incroyable sentiment de puissance. La fillette faisait penser à un insecte pris au piège. Immobilisée dans les nervures d'un fil d'araignée. Sa peau était pâle, avec des plaques roses à cause du soleil. Ses cheveux hirsutes, d'une blancheur maladive, semblaient irréels. Pendant leur course, la gamine avait perdu ses petits souliers blancs, ses pieds nus trempaient dans une rigole de boue.

— Elle va bientôt se réveiller, dit Valéria.

Dickson s'empara de sa machette.

Saisit la jambe de la fillette par la cheville.

Visa juste sous le genou.

Les cris et les gémissements de l'enfant les suivirent pendant des heures, quand Valéria et son père rentrèrent au village, hagards, les yeux fous, se relayant pour transporter cette jambe toute blanche mais sanguinolente, leur trophée, leur talisman, le remède miracle qui sauverait Evans d'une mort certaine. La fillette, ils l'avaient laissée gémissante dans une mare de boue et de sang mêlés, ignorant ses cris, fuyant droit devant, les bras maculés de rouge, leurs vêtements striés de coulées de sang, n'osant plus se parler ni même se regarder, complices d'un crime qui les dépassait et dont ils ne pourraient jamais plus se libérer.

Quelles étaient leurs intentions, à ce moment-là ? Guérir Evans, oui, mais comment ? Il suffirait de frotter cette jambe sur celle du jeune homme pour y transférer l'énergie salvatrice qu'elle contenait. Ça ou autre chose. La superstition existait sans mode d'emploi. Il faudrait improviser, à moins de recourir à un sorcier. On verra sur place, avait lancé Dickson.

Quand ils parvinrent au village, Maria les attendait devant la case. Evans venait de mourir. Valéria et son père arrivaient trop tard. Dickson se jeta par terre tête la première, se frappant le front contre le sol, maudissant Dieu et le monde entier, offrant sa vie en échange de celle d'Evans, pendant que Valéria, perdue, déboussolée, courut se perdre dans la brousse, errant le long de la rivière, tenant par la cheville cette jambe trop blanche qui n'avait servi à rien, sinon à l'enfoncer davantage dans une nuit sans espoir, sa vie, désormais.

Accroupie près de la rivière, elle ferma les yeux. Sentit le long de sa jambe la coulée d'un mince filet de sang, ses premières règles. Comme si son sang venait remplacer le sang séché et la jambe morte de la petite albinos. Dégoûtée, d'un geste brusque, elle jeta la jambe de la gamine dans la rivière, trophée inutile, fétiche souillé qui disparut bientôt dans les flots.

Il était très tard, Sophie dormait dans la pièce à côté. Valéria se taisait, maintenant, encore habitée par l'histoire qu'elle venait de raconter à Max. Son histoire, qui la hantait depuis toutes ces années. Il posa son verre de scotch – c'était son troisième depuis une heure – et la serra contre lui. Après un moment, il réalisa qu'elle pleurait en silence.

P. 120

Cette page est blanche

(S)

Ch. 10

À l'hôtel Lakeview où logeait Max O'Brien depuis son arrivée à Bukoba, le personnel se traînait les pieds avec conviction, comme s'ils avaient un vieux compte à régler avec la surface du plancher. De la cuisine, cachée derrière un rideau malpropre, émanait une odeur indistincte et peu invitante. Là aussi, un personnel lambin, à deux pas de la mort cérébrale. Les seuls êtres vivants qui semblaient prendre leur travail au sérieux, c'étaient les cafards, discrets et redoutables, qui livraient aux clients et au personnel une bataille à finir dont l'issue ne faisait aucun doute.

Max avait choisi ce palace dans le but de loger le plus loin possible d'Henry Kilonzo, qui s'était installé avec Shembazi au Walkgard, le meilleur hôtel de la région, même si le Lakeview était habituellement privilégié par les employés de l'État, au dire de Valéria. Piscine, vue magnifique, nourriture excellente et autres délicatesses dont les deux policiers devaient profiter abondamment.

Pour plus de liberté de manœuvre, Max avait dû rogner sur le confort. À première vue, le Lakeview s'adressait surtout à une clientèle ougandaise. Le frère du sorcier Zuberi leur refilait-il des morceaux d'albinos en guise de cadeau de bienvenue ? C'était l'étape obligée sur la route de Mwanza, qui contournait le lac Victoria, par le sud, où s'échouaient les passagers d'autocars en provenance de Kampala. Après être montés dans un autre car à Mutukula, ces malheureux s'étaient cassé le dos sur le mauvais chemin qui menait à Bukoba, souvent inondé à la saison des pluies. Dans le hall, des valises qui n'en avaient plus la forme, contenants de toile ou de carton bourrés de vêtements. Beaucoup de femmes parmi les clients qui poireautaient à la réception dans une sorte de résignation bon enfant, sirotant des Coca-Cola. Les hommes étaient vêtus comme des Témoins de Jéhovah, lunettes noires et vestons taillés au millimètre près. Le chic africain.

À la réception, Max interrompit la conversation téléphonique de la préposée pour lui montrer le camion jouet récupéré chez Valéria. Il lui demanda où il pourrait en trouver un semblable à Bukoba. Une requête qu'on devait lui faire souvent, puisque la jeune femme lui indiqua sans hésiter l'atelier d'un fournisseur, à la sortie de la ville.

— Vous voulez un taxi ?

— Non merci. Je me débrouillerai.

La jeune femme, soulagée, retourna à son portable.

Un ascenseur poussif laissa Max devant la porte de sa chambre. À l'intérieur, de la lumière à profusion surgissait des grandes fenêtres maculées de fientes d'oiseaux. Vue plongeante sur la piscine, deux étages plus bas. Résultat : une odeur de chlore flottait en permanence dans la pièce.

Max posa le camion jouet sur le buffet et ouvrit le minibar, il avait besoin d'enfiler quelque chose de costaud. Et de faire le point. Sirotant son whisky tiédasse, il repensa à Valéria et à son destin tragique. La douleur et la tristesse avaient fait place au questionnement.

Comme si, pour éviter d'avoir à penser à Valéria, il lui fallait occuper son esprit à autre chose. Chercher. Se creuser les méninges. Pour découvrir qui avait commis ce double crime, Max était convaincu qu'il fallait retourner dans le passé de l'avocate pour y chercher le petit fil qui dépassait et le tirer jusqu'à défaire le tricot.

Les albinos, d'abord.

L'engagement de l'avocate envers eux venait de très loin dans son enfance, de ce crime commis avec son père. Un crime qu'elle avait avoué à Max pour s'en libérer, peut-être. Pourquoi l'avait-elle choisi, lui, comme confident? Chose certaine, l'aide apportée aux albinos lui avait permis d'atténuer son mal, de conjurer l'acte horrible dont elle avait été complice, ce jour-là. Elle s'était donnée à fond à la cause, y consacrant toute son énergie, entraînant même sa fille Sophie dans son sillage. Il était compréhensible que Valéria ait pu négliger ce qui se passait dans les coulisses de sa fondation. Qu'elle n'ait pas découvert à temps les manœuvres d'une comptable malhonnête.

Valéria et Sophie s'étaient efforcées de dissimuler la chose, le temps de se remettre sur pied. Max les comprenait d'avoir agi avec prudence et discrétion. Elles avaient résisté à la panique, ce qui était remarquable. Si les donateurs apprenaient que l'administration de la fondation avait été victime d'un vol, que son contrôle financier avait été entre les mains d'une crapule pendant des années, ils suspendraient leurs contributions et exigeraient des comptes de la part de Valéria. Celle-ci, toujours soucieuse de ses bailleurs de fonds, les traitait aux petits soins, sachant que sans leur participation, son travail auprès des albinos serait voué à l'échec. Sa promotion de la peine capitale avait refroidi certains d'entre eux – les représentants de certaines Églises notamment –

et Valéria avait eu grand-peine à rassurer les autres. Pas question qu'un scandale financier vienne de nouveau mettre en péril son entreprise.

Et puis, la disparition du million de Jonathan Harris le tracassait. Le meurtrier en était responsable, à première vue. Les deux femmes avaient été obligées de lui fournir les détails requis pour récupérer ces fonds, un peu comme Max l'avait fait à l'égard du milliardaire. Mais la transaction avait eu lieu plus de deux heures après les meurtres, selon l'évaluation de Kilonzo. En principe, l'assassin aurait dû attendre d'avoir détourné l'argent avant de liquider les deux avocates. Et si le million avait été encaissé par quelqu'un d'autre ? La comptable Teresa Mwandenga, à partir de Dubaï ? Peut-être. L'assassin aurait été son complice ? Possible.

Au Women's Legal Aid Centre, où Max s'était rendu au retour de Kagondo, Désirée Lubadsa, petite et énergique, les yeux vifs, lui avait décrit une Valéria engagée à fond dans la cause des femmes tanzaniennes, les aidant, autant que possible, à régler les problèmes qu'elles lui soumettaient. Viols, divorces, garde des enfants...

— Valéria aurait pu indisposer un de ces maris ou leur famille, suggéra Max. .

Lubadsa hocha la tête.

— Peu probable, selon moi. À ma connaissance, elle n'avait jamais été menacée par qui que ce soit.

— Vous avez la liste des femmes qu'elle a aidées récemment ?

— Non. En fait, tout se déroulait de façon informelle. Chaque semaine, le mercredi, Valéria occupait l'un de ces bureaux, elle discutait avec les femmes qui venaient la voir. Rien de plus.

— Donc elle ne profitait pas de ce bénévolat pour recruter de nouveaux clients ?

Lubadsa était scandalisée par ce que Max semblait insinuer. Valéria n'avait pas besoin de travail, au contraire. Sa fille et elle en avaient plein les bras, déjà. Mais Sophie lui avait révélé, à Lamu, le désir de sa mère de varier ses champs d'activités. De trouver une autre clientèle.

Max ne releva pas la chose.

— Valéria était l'honnêteté même, reprit Lubadsa d'une voix tranchante. Elle n'abusait de personne. C'était l'inverse, plutôt. À Bukoba, tout le monde profitait de sa générosité. Au point où le docteur Scofield a été obligé de la raisonner.

Dès le départ, quand elle s'était intéressée au sort des albinos, Valéria avait créé une antenne londonienne présidée par un ophtalmologiste à la retraite, le docteur Harold Scofield. Dans l'ordinateur de Valéria, Max avait trouvé des lettres adressées à celui-ci. À plusieurs reprises, quand il la visitait à Bukoba, Valéria s'entretenait par téléphone avec le médecin.

De sa chambre, au Lakeview, Max lui donna un coup de fil à Greenwich, en banlieue de Londres. Il se présenta à titre d'enquêteur de la police canadienne mandaté par le haut-commissariat pour faire la lumière sur le double meurtre. Valéria et sa fille avaient la citoyenneté canadienne grâce à Richard Stroner.

— Bien sûr. Et que voulez-vous savoir, monsieur…

— Cheskin. Robert Cheskin.

— Nous nous parlions régulièrement, mais on ne s'était pas vus depuis deux ans au moins.

— Votre rôle, c'est quoi au juste ?

— À l'égard de la fondation, vous voulez dire ?

— Oui.

— Essentiellement de rassurer les donateurs.

— On vous envoie l'argent à vous ?

— Au début, oui, mais plus maintenant. Valéria et sa fille administraient la fondation directement de Bukoba. Je m'occupe de faire la promotion de leur travail à l'intérieur de mon cercle d'influence, ce qui est peu de chose en fait. L'année précédente, par exemple, à la demande de Valéria, il avait aidé au financement de la construction d'une école à Ukerewe. La plus grande île du lac Victoria, du côté est. Là où s'étaient réfugiés un grand nombre d'albinos.

Les habitants de cette île n'accordaient aucun crédit aux superstitions liées aux albinos, donc ne les pourchassaient pas comme partout ailleurs. L'endroit était devenu au fil des ans une sorte d'oasis pour les albinos, au point où on la surnommait Albino Island. À présent, le pourcentage d'albinos installés dans l'île d'Ukerewe était le plus élevé de Tanzanie.

— D'où des besoins criants pour des écoles, des dispensaires, reprit Scofield.

— Cette école, elle a été construite?

— Oui. Avec l'argent de la fondation.

— Et les montants que vous avez recueillis, ils étaient envoyés directement à Valéria?

— À sa comptable, plutôt.

— Teresa Mwandenga?

— Oui.

— Cette école, vous y êtes allé? Vous l'avez vue?

— Pourquoi me le demandez-vous?

— Vous êtes certain qu'elle a été construite?

— J'ai vu les photos. Qu'est-ce que vous insinuez, monsieur Cheskin?

— Rien. Valéria et sa fille ont été tuées et j'essaie tout simplement de savoir pour quelle raison. Pour l'instant, leur travail auprès des albinos me semble la piste la plus probable.

— Il ne faut pas surestimer la force de frappe et le sens de l'organisation des trafiquants. De pauvres types sans scrupules qui opèrent au jour le jour, à l'aveuglette.

Selon Scofield, ce n'était pas un commerce structuré, hiérarchique, comme celui de la drogue ou des armes, par exemple. Au contraire. L'œuvre de petits voyous sans envergure.

Pourtant, ce soir-là à Minziro, Max avait eu l'impression qu'il s'agissait d'une organisation plutôt efficace. On ne pouvait enlever une dizaine d'albinos dans des villages différents et les tuer, puis les démembrer et les distribuer en Afrique de l'Est sans l'appui d'une infrastructure hiérarchisée, qui possédait peut-être même ses entrées auprès des forces policières.

Mais Max préféra ne pas poursuivre cette piste. Il demanda plutôt :

— Donc, vous ne croyez pas que l'un d'entre eux pourrait être responsable de la mort des deux femmes ?

— Je l'ignore. Vu d'ici, il est difficile d'imaginer des trafiquants s'en prendre à Valéria et à sa fille. Qu'avaient-ils à gagner ? Rien du tout.

Scofield avait raison. L'action de Valéria sur le plan politique avait suscité des remous, mais le travail des trafiquants n'allait pas être facilité par la disparition de l'avocate. La peine de mort resterait en vigueur, de même que les initiatives adoptées par le gouvernement tanzanien. On pouvait même s'attendre à ce que, compte tenu de la mort tragique des deux femmes, la pression s'accentue sur les trafiquants et leurs clients, les guérisseurs. Bref, l'assassinat de Valéria et de sa fille desservait les chasseurs d'albinos.

Donc, il fallait chercher ailleurs.

— Ces photos d'Ukerewe, qui vous les a envoyées ? Valéria ?

— La directrice de l'école. Naomi Mulunga.

— Ça remonte à quand, votre dernière conversation avec Valéria?

— La semaine dernière.

— Elle semblait préoccupée?

— Comme d'habitude.

— Elle vous a déjà parlé d'un enfant, Daniel?

— Qui est-ce?

— Je l'ignore. Je pensais que vous étiez peut-être au courant.

— Je n'ai jamais entendu ce nom, répondit Scofield.

Après une douche et un déjeuner sur le pouce, Max tenta de joindre l'avocat du guérisseur Zuberi, qui avait aussi défendu Samuel Musindo. Max avait appris de Kilonzo que Jason Chagula travaillait maintenant au Rwanda, à Kigali plus précisément, où il agissait comme consultant auprès du gouvernement Kagame. Max lui laissa un message détaillé, lui demanda de l'appeler de toute urgence, sans évoquer, par contre, ses liens avec Valéria Michieka.

En milieu d'après-midi, Max se dirigea vers l'adresse donnée par la préposée, à la réception. En sortant de Bukoba, on découvrait une rue bordée d'échoppes et de restaurants, occupée par des marchands, indiens surtout, scotchés à leur portable. Des commerçants chassés de l'Ouganda par les politiques d'épuration ethnique d'Idi Amin Dada, à la fin des années 1970, mais restés en Tanzanie une fois le dictateur renversé grâce à l'intervention de Julius Nyerere.

Dans son délire, Idi Amin s'était mis en tête d'envahir la Tanzanie, plus particulièrement la région de Bukoba et la rive ouest du lac Victoria. Une entreprise qui faisait suite à des années de provocation de la part du dictateur ougandais, dont l'antipathie pour Nyerere était légendaire.

Deux hommes très différents. Alors qu'Idi Amin était une brute sanguinaire à peu près illettrée, dont la cruauté était la marque de commerce – on l'a même accusé de cannibalisme –, Nyerere, lui, formé à l'université d'Édimbourg, ancien professeur, donnait l'impression d'être un intellectuel perdu dans le monde politique. Et pourtant, dans des enregistrements rendus publics après sa mort, Idi Amin avouera avoir « aimé » Nyerere d'un amour aussi fort que celui d'une femme pour un homme. Nyerere, fantasme d'Idi Amin?

En tout cas, la fascination du dictateur n'avait pas amadoué Nyerere. Dès que les troupes ougandaises bombardèrent Bukoba et envahirent le nord de la Tanzanie, le président tanzanien y dépêcha son armée – équipée et financée par les Chinois –, qui repoussa celle d'Idi Amin – équipée et financée par le colonel Kadhafi – et remonta jusqu'à Kampala pour y déloger le dictateur. Idi Amin prit la fuite en Libye et devait mourir en Arabie Saoudite en 2003.

Opération spectaculaire, qui faisait cependant de l'ombre aux politiques audacieuses de Nyerere. Dans les années 1960, en plus d'imposer sa version africaine du socialisme – l'*Ujamaa* –, Nyerere avait mis de l'avant une politique de brassage de population dans le but de mettre un terme à la division de la société selon des critères tribaux, poursuivant ainsi son idéal marxiste-léniniste d'égalité des peuples et de lutte contre le nationalisme ethnique. D'abord décriée, cette politique avait donné une Tanzanie plus mélangée, prévenant ainsi les poussées de fièvre et les épidémies de tribalisme qui avaient terni les indépendances de plusieurs pays africains. Aucun conflit racial, en Tanzanie. Ni religieux. Pas de nettoyage ethnique comme ailleurs autour du lac Victoria. Même la fusion avec l'île de Zanzibar, indépendante jusqu'en 1964, s'était réalisée dans un calme inhabituel pour un pays africain.

Julius Nyerere poussa l'expérience plus loin. Il fit de la langue swahilie, l'une des langues minoritaires du pays, utilisée par à peine cinq pour cent de la population, la langue officielle de la Tanzanie. Geste surprenant, d'autant plus qu'il ne s'agissait pas de la langue maternelle de Nyerere. Le fondateur de la république avait agi ainsi afin d'empêcher que l'une ou l'autre des langues les plus répandues – le sukuma, dans la région du lac Victoria, par exemple – ne devienne la langue prédominante, ce qui aurait laissé croire que la Tanzanie était dirigée par un groupe ethnique plutôt qu'un autre.

Cette décision donna un essor formidable au swahili, parlé tout le long de la côte est, des frontières de la Somalie jusqu'au sud de Zanzibar.

Quand Max montra à un paysan le camion jouet, celui-ci lui indiqua un chemin de terre qui bifurquait vers le nord. L'atelier apparut après quelques minutes : une cour remplie de bric-à-brac, au milieu de laquelle était planté un vieux hangar. Max immobilisa la Jeep et se dirigea vers un homme penché qui remplissait un bac de résidus. L'homme se redressa. Un Indien rondelet, le front couvert de sueur. Il invita Max à le suivre à l'intérieur de l'atelier. L'endroit était rempli de jouets divers, tous réalisés à partir de rebuts. Max lui montra le petit camion.

Après un moment d'hésitation, le type sortit des lunettes de la poche de son veston et examina l'objet.

— C'est une belle pièce, dit-il, comme s'il parlait d'une sculpture makondée.

— Il vient de chez vous ?

— Ça m'étonnerait. Ce type de camion, avec la benne, j'en vois rarement. Celui-ci, non.

— Vous connaissiez Valéria Michieka ?

— L'avocate assassinée ? Je sais qui c'est, mais je ne l'ai jamais rencontrée. Ce qui est arrivé est épouvantable.

— Valéria n'est pas venue acheter ce jouet ?

— Non.

— Et à part vous, de qui elle aurait pu l'obtenir ?

— De tout le monde.

Ce qui n'était au départ que des jouets improvisés avait suscité peu à peu l'intérêt des touristes. Maintenant, on en trouvait dans toutes les boutiques, à côté des sculptures africaines, vraies ou fausses.

— Mais celui-ci vient probablement de Mwanza ou des alentours. Regardez cette pièce.

Max s'approcha.

— Sur ce morceau de canette, vous voyez ?

Il indiquait une des parois de la benne.

— Le logo de la Mwanza Brewery. Une bière très populaire à l'est du lac Victoria. À mon avis, c'est là qu'habite votre bricoleur.

P. 132

Cette page est blanche

Ch. 11

Roselyn avait toujours apprécié son gendre, Peter Sawyer. Solide, honnête, quoiqu'un peu terne à ses yeux. Après la mort de Norah, elle s'était attendue à ce qu'il quitte la ville et poursuive ailleurs sa carrière de policier. Mais, pour une raison inconnue, il avait choisi de rester à Huntsville. Et ne s'était jamais remarié.

Peter avait levé les yeux du dossier qu'il consultait quand Roselyn fit son entrée dans son bureau, au quartier général de la police. De sa voix officielle, celle qu'il avait prise pour la présenter à ses collègues, quelques instants plus tôt, il lui dit :

— De près ou de loin, Roselyn, à titre de responsable ou de membre de la *tie-down team*, votre mari a été impliqué dans deux cent trente-quatre exécutions au cours de sa carrière.

— Je sais.

Il tendit une feuille à Roselyn, qui la survola. Des noms qui ne lui disaient rien, des dates qui remontaient à 1984, quand Albert avait eu sa promotion. Mais aussi, dans la colonne de droite, la liste des crimes pour lesquels ces inconnus avaient été condamnés. Pour la première fois, elle constatait l'ampleur du travail de son mari.

Le nombre d'exécutions était plus élevé au Texas que partout ailleurs aux États-Unis, le seul pays développé à maintenir la peine capitale. On pouvait donc avancer qu'Albert Kerensky avait été le plus grand tueur légal du monde occidental pendant toutes ces années. Cette conclusion donnait le vertige à Roselyn, qui reposa la feuille sur le bureau, devant elle.

— Que cherches-tu à me dire ? demanda-t-elle.

Peter se racla la gorge.

— Même si je suis convaincu qu'on n'en viendra pas là, je dois examiner toutes les éventualités.

La veille, le supérieur hiérarchique de Peter avait confié le dossier à un de ses collègues, Kenneth Brownstein. Après l'avoir interrogée, Brownstein s'était rendu avec Roselyn à la Stanford Residence pour rencontrer Mme Callaghan. Roselyn se sentit un peu coupable de constater que la directrice de la maison de retraite connaissait les habitudes d'Albert aussi bien qu'elle-même, et peut-être mieux encore. Mais le policier ne sembla pas s'en formaliser.

Glenn Forrester, à qui Brownstein avait parlé au préalable, n'avait pas mentionné la visite au cimetière, du moins c'est ce que Roselyn en déduisit. Elle décida de garder silence également. Glenn devait avoir ses raisons pour ne rien dire. Elle voulait lui en parler avant de le compromettre. Elle ne voulait pas lui créer d'ennuis. D'ailleurs, il ne s'était rien passé, sinon cette petite phrase prononcée par Albert.

Ce soir-là, Peter promit à Roselyn de vérifier certaines choses de son côté, sans préciser davantage.

D'où cette liste.

— Tu crois que la disparition d'Albert a rapport avec un de ces hommes ?

— Je l'ignore, répondit Peter. J'espère que non. Mais je ne peux négliger cette piste.

Roselyn se tut. Elle aurait pu rappeler à Peter qu'Albert était parti seul, de son plein gré. Un départ planifié de longue date, d'ailleurs, comme l'indiquaient ses préparatifs.

Peter poursuivit :

— J'ai demandé à Nancy de prêter attention plus particulièrement à ceux des treize dernières années.

Nancy était l'adjointe de Kenneth Brownstein.

— Pourquoi ceux-là? demanda Roselyn.

— À partir de 1996, les familles des condamnés et des victimes ont obtenu le droit d'assister aux exécutions. Donc, les gens qui ont vu Albert à l'œuvre, si on peut dire. Jusqu'alors, le bourreau n'était qu'un rouage de l'administration pénitentiaire. On ne savait pas qui il était. En 1996, les choses changent. On peut mettre un nom et un visage sur celui qui inflige la mort à leur proche.

Le *tie-down team* travaillait à l'écart des observateurs, mais le responsable de l'équipe accompagnait les familles des condamnés dans la pièce d'observation. Pendant des années, ce responsable c'était Albert Kerensky.

Le policier semblait croire qu'un parent ou un ami d'un exécuté aurait pu vouloir se venger.

Roselyn ferma les yeux. Ce que racontait Peter n'était peut-être que le délire d'un policier un peu trop zélé, mais sa logique tenait la route. Si ce qu'il avançait était vrai, la conclusion serait terrible. Elle imaginait son mari dans une cave sordide où on lui faisait payer l'une de ses exécutions.

— Ça va?

Roselyn ouvrit les yeux.

— Oui. Je suis désolée. Tout ça est tellement…

— Encore une fois, je prends de l'avance sur les événements. D'un instant à l'autre, le téléphone peut sonner,

Albert a été retrouvé sain et sauf et on oublie tout ça. La vie reprend comme avant.

Mais le téléphone ne sonnait pas.

Peter se racla la gorge de nouveau.

— J'ai fait sortir la liste des gens qui ont assisté aux exécutions à partir du moment où Albert a pris la direction de la *tie-down team*, et je l'ai fait parvenir au Texas Department of Criminal Justice. Et au National Name Check Program du FBI, à Washington. Ce matin, la liste m'est revenue avec des résultats troublants. Des criminels ont assisté à quelques-unes des exécutions d'Albert. J'ai pu vérifier les dossiers de la plupart d'entre eux, ceux qui me semblaient particulièrement dangereux ; j'en suis venu à la conclusion que quatre individus méritaient qu'on s'intéresse à eux.

D'abord, les deux frères cadets de Franklin Crispel, exécuté en mars 2002 pour le viol et l'assassinat d'une jeune fille kidnappée à un guichet automatique en banlieue de San Antonio, ont été reconnus coupables de plusieurs vols à main armée, comme si l'exécution de Franklin avait marqué le coup d'envoi de leur carrière criminelle. Il y a six mois, Carl et Kenneth Crispel ont été relâchés d'un pénitencier de Pennsylvanie. Ils habitent maintenant à Austin.

Duane Berkley, lui, est entré par effraction dans une résidence privée de Dallas, ignorant que les propriétaires, un couple dans la soixantaine, s'y trouvaient. Il les a tués tous les deux après les avoir torturés, croyant à tort qu'ils cachaient beaucoup d'argent chez eux. La femme de Berkley était dans la salle au moment de son exécution, en 2004. Un an plus tard, jour pour jour, Colleen a été interceptée par la police de Huntsville pour avoir brûlé un feu rouge. Dans le coffre de sa voiture, la police a trouvé un fusil à pompe Mossberg 500.

Et puis, il y a le cas de Keith Busby, coupable d'avoir assassiné sa petite amie qui venait de le quitter pour un autre – que Busby a tué, lui aussi. Jusqu'à la toute fin, Busby a clamé son innocence. Parmi les proches qui ont assisté à son exécution, son père Cleve, lié aux milieux interlopes de Miami. En sortant de la salle ce matin-là, il a hurlé que les responsables de la mort de son fils allaient le payer cher. Les gardiens ont dû l'escorter à l'extérieur du Walls Unit.

Roselyn n'écoutait plus. L'énumération de ces vies gâchées lui donnait la nausée. Pendant toutes ces années, son mari avait fait le silence sur son travail, et voilà qu'en cinq minutes l'horreur de son métier la frappait en plein visage. Ces hommes exécutés par Albert étaient tous coupables – elle n'en avait aucun doute, quoi qu'ils en disent – mais ils avaient laissé dans leur sillage des gens meurtris qui continuaient de souffrir à cause d'eux, et pas seulement les proches des victimes. Comme si l'acte criminel en soi avait contaminé les vies de tous ceux qui y avaient été associés de près ou de loin, victimes et coupables réunis par le même drame. À présent, elle comprenait Albert d'avoir voulu garder sa famille – et sa femme en particulier – loin de cette réalité. Une façon de se protéger, et de les protéger, Norah et elle. Pour qu'ils puissent mener une vie normale, celle de n'importe quelle famille américaine. Ce que Roselyn avait pris pour de la froideur, de la distance, n'était en fait qu'un mode de défense.

— Encore une fois, il ne faut pas sauter trop vite aux conclusions, reprit Peter. D'un instant à l'autre…

— Je sais.

En sortant du poste de police, Roselyn ressentit un urgent besoin de normalité, de prendre pied, de nouveau, sur la terre ferme. Étourdie, elle avala un cachet dans son auto, puis attendit quelques instants avant de démarrer. En route vers la maison de Peter, qui lui avait offert l'hospitalité, son cellulaire se mit à vibrer. C'était Brian Pallister, le président de la Wildlife Artists Association, qu'elle avait informé de son absence pour les prochains jours, le temps de retrouver Albert.

— Il est revenu? demanda Brian.

— Pas encore. Mais la police est optimiste.

Un mensonge, évidemment.

N'empêche, Roselyn était rassurée: un de ses amis se souciait du sort de son mari. Brian, architecte à la retraite, cherchait visiblement à meubler ses loisirs, d'où son engagement dans son groupe de peintres amateurs. De retour à Houston, elle lui enverrait un petit mot pour le remercier de sa sollicitude.

— Et au Four Seasons?

— Ils ont suivi nos recommandations. Tout est prêt pour l'exposition.

— Je n'y serai pas, Brian.

— Je comprends. Si tu as besoin de quoi que ce soit…

— Merci, c'est très gentil. Je te tiens au courant.

Roselyn mit un terme à la conversation alors que sa voiture s'engageait dans la cour de la maison de Peter, située dans un quartier ombragé de Huntsville.

Adrian était couché devant la télé, comme d'habitude. Depuis qu'il avait eu treize ans, il était plus secret, plus renfermé qu'auparavant. Roselyn lui demanda s'il avait passé une bonne journée.

— Tu as retrouvé grand-papa?

— Pas encore.

Adrian ne semblait pas s'inquiéter. Roselyn l'enviait. Elle lui prépara un verre de lait et des biscuits.

— Votre ami Brian a appelé au poste, lança Peter lorsqu'il revint à la maison en début de soirée.

— Je sais. Je lui ai parlé.

— Et alors?

— Je n'ai pas voulu l'inquiéter.

— Oui, bien sûr.

À son arrivée, l'attitude prévenante, enveloppante, des uns et des autres à son égard lui avait fait chaud au cœur, mais aujourd'hui cette attention lui pesait. Curieusement, Roselyn aurait voulu rester seule avec sa détresse, mais il lui fallait toujours parler, s'expliquer, rendre compte de son état d'esprit. Elle était fatiguée.

Et à bout de nerfs.

Roselyn avait préparé le repas pour Adrian et lui, qu'ils prirent devant la télé, mais elle ne toucha pas à son assiette. Elle s'installa dans la véranda donnant sur le jardin que Norah cultivait autrefois elle-même, mais que Peter confiait maintenant à sa voisine, une secrétaire du Ellis Unit venue habiter tout près avec sa famille. Confortablement assise dans un fauteuil en osier, Roselyn tenta de faire le point. Dans n'importe quel projet de rénovation architecturale, lui avait dit un jour Brian, arrivait toujours un moment où, écartelés entre les exigences des autorités municipales, les contraintes budgétaires et l'agenda caché des entrepreneurs, tous semblaient perdre le contrôle du chantier. Il sentait le besoin alors, comme Roselyn maintenant, d'être seul, sans influence extérieure, se fiant à son jugement en autant qu'il ne soit pas teinté des intérêts des autres parties.

Aujourd'hui, c'était la même chose.

Que savait-elle exactement de la disparition de son mari? D'abord qu'il s'agissait d'un départ volontaire, du moins en apparence. Personne ne s'était pointé à Stanford Hill Residence, fusil tronqué à la main, personne n'avait poussé Albert dans une voiture après lui avoir bandé les yeux. On pouvait l'avoir incité à quitter la résidence, comme Peter le laissait entendre, afin de l'éloigner de Huntsville. Mais alors, se dit Roselyn, ce piège avait été préparé de longue date puisque son mari avait attendu le renouvellement de ses ordonnances avant de prendre la clé des champs.

Comment avait-on communiqué avec Albert ? Par Internet, comme ces adolescentes séduites à distance par des prédateurs éventuels. Albert ne connaissait rien d'Internet, il n'avait jamais possédé d'ordinateur, et Roselyn ne l'avait jamais vu s'installer avec les autres dans le petit local que Mme Callaghan avait fait aménager au sous-sol de la maison de retraite. Il lui faudrait quand même vérifier avec elle. Albert avait peut-être pris le virage informatique sans en informer sa femme. Tout était possible.

Et puis, il y avait cette étonnante visite au cimetière, en compagnie de Glenn Forrester. Sa confidence à Norah, la promesse qu'il lui avait faite. Son silence et son indifférence, ensuite, impossibles à comprendre.

Plus Roselyn y pensait, plus il semblait évident qu'Albert était parti de son propre chef, dans un but qu'elle ignorait. Son mari ne faisait jamais rien pour rien, il était du genre à tout planifier, parfois même longtemps à l'avance. Il était même possible que sa décision de se séparer de sa femme et de s'installer seul à Stanford Hill ait fait partie de son plan, la première étape peut-être. Il ne lui avait rien dit pour la protéger, encore une fois.

De quoi, au juste ?

Roselyn l'ignorait. D'après sa réflexion, au cimetière, sa fugue avait rapport avec Norah. Était-il arrivé quelque chose à sa fille dans le passé qui inciterait aujourd'hui Albert à vouloir mettre les choses au point ? La courte vie de Norah s'était déroulée sans histoires, sans drame majeur, sinon la maladie qui l'avait terrassée.

Il y avait autre chose, forcément. Que Norah elle-même lui avait peut-être caché. Roselyn s'attristait à la pensée que le père et sa fille aient pu partager un secret dont elle aurait été exclue. Jamais Norah n'aurait été capable d'une telle discrétion, c'était sa fille après tout. Tôt ou tard, elle se serait échappée devant sa mère, aurait éclaté en sanglots, lui aurait tout avoué.

Roselyn ferma les yeux. Elle craignait que la disparition d'Albert lui fasse découvrir des choses terribles dissimulées pendant des années, et qui viendraient aujourd'hui ternir ce qu'elle retenait de leur vie à tous les trois, leur bonheur dont elle n'avait jamais soupçonné la très grande fragilité.

P. 142

Cette page est blanche

(S)

Ch·12

Nyamukazi, au sud de Bukoba. Sorte de croisement entre port et marché public, où les commerçants des environs venaient s'approvisionner auprès des pêcheurs. Une conserverie se dressait plus haut sur la côte, et il n'était pas rare de voir les camions réfrigérés de la compagnie attendre, à la fin du jour, l'arrivée des piroguiers et de leur cargaison de perches du Nil. Une fois leurs prises écoulées auprès des grossistes, les pêcheurs scrutaient leurs filets afin de pouvoir les réparer avant la prochaine sortie, tôt le lendemain. Assis sur le quai, ensuite, en demi-cercle ou seuls dans leur coin, ils raccommodaient patiemment les mailles défaites, tout en discutant avec verve.

Cette animation plaisait à Max O'Brien, un mélange de rigolade et de travail sérieux – la pesée et la vente des poissons aux intermédiaires –, les pêcheurs se criant par la tête des blagues ou des insultes, les deux à la fois peut-être, il n'en avait aucune idée.

Mais aujourd'hui tout le monde se comportait avec plus de réserve que d'habitude : trois véhicules de la police étaient garés sur la grève.

L'inspecteur Kilonzo avait fixé rendez-vous à Max près du quai, où quelques policiers entouraient un pêcheur.

Loin de susciter l'intérêt de ses collègues, cet interrogatoire improvisé les avait incités à prendre une distance,
comme s'ils redoutaient, eux aussi, d'être interrogés par
la police et d'avoir à fournir des réponses incriminantes.
Quand il aperçut Max, Kilonzo vint à sa rencontre.

— Nous avons peut-être quelque chose.

Il guida Max vers le petit groupe, écarta ses subalternes. Un type en bleu de travail était assis sur le rebord
d'une barque, dos courbé, regard fuyant. Près de lui, un
filet qu'il était probablement en train de rafistoler à l'arrivée des policiers.

— Dis-lui ce que tu as vu, ordonna Kilonzo, en indiquant Max.

Le pêcheur raconta qu'il avait eu des ennuis méca-
niques ce jour-là. Ce qui l'avait forcé à rentrer au village
plusieurs heures avant les autres. Le moteur l'avait lâché
au large de Bukoba. Après avoir pagayé une bonne heure,
il s'était échoué sur la plage, au sud de la ville.

Son anglais était laborieux, syncopé. Sans doute appris
au contact des rares touristes qui s'aventuraient de ce
côté-ci du lac Victoria.

— Quel jour c'était ? demanda Kilonzo en lui tendant une cigarette, que le type glissa dans la poche de
sa salopette.

— La veille de l'assassinat.

Ce n'était pas la première fois qu'il racontait son histoire, de toute évidence, mais il semblait y avoir pris goût,
comme s'il avait répété son laïus en prévision de l'arrivée
de Max.

— Allez, raconte, insista de nouveau Kilonzo.

Le pêcheur avait hissé sa barque sur la grève et ouvert
le moteur pour le rafistoler. Il s'était rendu compte alors
de la présence d'un tout-terrain, plus haut, près de la
route. À l'extérieur, un homme avec des jumelles à la

main. Le type avait remarqué l'arrivée du pêcheur, mais ne s'était pas alarmé de sa présence sur la plage. Quelques instants plus tard, il avait repris son observation. De la maison de Valéria Michieka, d'après le pêcheur.

— T'en es sûr ? Ce n'était pas un touriste ?

Le pêcheur haussa les épaules.

— Pas lui.

Sur la pointe, disait-il, on pouvait distinguer la résidence de Valéria, en effet. Une piste le long du lac menait jusqu'à la propriété.

Une fois son moteur réparé, le pêcheur avait repris le large sans se soucier de cette histoire. Plus tard, après avoir appris la mort de Valéria et de sa fille, et malgré les avis contraires de ses collègues, il avait décidé d'appeler la police.

D'un geste brusque, le pêcheur ramassa son filet qu'il roula en boule. Cette scène rappela à Max les pêcheurs de Zanzibar qui avaient fixé des doigts d'albinos aux mailles de leurs filets pour s'assurer de bonnes prises.

— Et vous savez d'où venait ce tout-terrain ? demanda Max.

Le pêcheur l'ignorait. Mais il avait remarqué avec surprise que le véhicule était muni d'un Codan, un système de communication satellite. Genre d'équipement peu courant dans la région, sinon dans les parcs nationaux ou les réserves de chasse. Deux ans plus tôt, il avait travaillé au parc Rubondo. Affecté au nettoyage des véhicules qui rentraient de safaris, il avait été mis en contact avec des Land Rover et des Mitsubishi sophistiqués, plutôt rares sur les routes de la Kagera. En apercevant le 4 × 4, plus haut sur la grève, il avait reconnu sans hésitation ce type de véhicule.

— Que s'est-il passé ensuite ? fit Kilonzo.

— Rien. Le gars aux jumelles a réintégré le véhicule, et il a quitté les lieux.

Max regarda Kilonzo, qui semblait ravi de l'information recueillie.

— Les traces près de la maison de Valéria... Je suis prêt à parier qu'il s'agit de ce tout-terrain.

Max jugea Kilonzo un peu trop affirmatif. Comme si, encore une fois, cette enquête n'avait qu'un seul but : l'impressionner. Une mise en scène dont il était le seul spectateur. On avait besoin de le convaincre, lui. La vérité, c'était secondaire si Max croyait ce qu'on lui braquait sous les yeux.

Trois parcs nationaux se trouvaient à quelques heures de Bukoba. Rubondo, où avait travaillé le pêcheur, une île en fait, était difficilement accessible. Un rare ferry et des bateaux privés y faisaient la navette. Pour cette raison, la plupart des visiteurs arrivaient par avion de Mwanza ou d'Arusha, expliqua Kilonzo. Des touristes et des photographes, surtout, à la recherche de safaris moins fréquentés que ceux du Serengeti. Biharamulo et Burigi, les deux autres parcs, s'adressaient à une clientèle différente : les chasseurs. À partir de Bukoba, on pouvait s'y rendre par la route qui rejoignait celle de Dar es-Salaam, plus au sud.

Pendant que l'informateur retournait à son travail, Kilonzo entraîna Max vers son propre véhicule. Sans lui demander la permission, le policier prit place à ses côtés, suivi de Shembazi.

— Je vous guiderai, dit-il.

D'un geste de la main, Kilonzo ordonna à ses hommes de le suivre. La caravane se mit en route. Drôle de façon d'enquêter, se dit Max. Mais ce n'était pas le moment de montrer qu'il n'était pas dupe des élucubrations du policier.

Quelques kilomètres après Nyamukazi, Max remarqua un groupe de Chinois, cravatés, sérieux, guidés par une jeune femme qui leur faisait visiter un chantier de construction. Décidément, l'engouement pour les Chinois s'était répandu à la grandeur de l'Afrique. Les nouveaux sauveurs, ceux qui, enfin, sortiraient le continent de son marasme.

— Le président Komba a pris le bateau sur le tard, expliqua Kilonzo, croyant encore à l'Amérique comme planche de salut.

— Vous oubliez le chemin de fer entre Dar es-Salaam et la Zambie.

Un travail colossal réalisé par les Chinois dans les années 1970, auquel la famille de Valéria avait pris part. Au retour de ce chantier, Evans, son grand frère, avait ressenti la première fois les symptômes de la maladie qui devait l'emporter.

— C'était l'époque de Julius Nyerere, rétorqua Kilonzo. Après avoir rompu avec les Allemands de l'Ouest et les Britanniques pour des raisons idéologiques, Nyerere a accueilli à bras ouverts l'aide du gouvernement chinois.

Socialiste, Nyerere avait préféré se priver de l'aide des Allemands plutôt que de cesser de commercer avec les Allemands de l'Est. Et il mit les Anglais à la porte quand ils refusèrent de boycotter le gouvernement raciste de la Rhodésie.

— C'est de l'histoire ancienne. De vieilles querelles.

— Mais les Chinois sont encore là.

— Nous avons toujours pu compter sur eux.

Il avait raison. Quand Nyerere avait décidé de répliquer aux attaques d'Idi Amin Dada et de libérer par la suite les Ougandais de son régime de terreur, ce n'étaient pas les Allemands ni les Anglais qui l'avaient appuyé, mais les Chinois, encore une fois.

L'appétit pour les ressources naturelles de la part des Chinois avait renouvelé leur intérêt pour la Tanzanie. Le gouvernement Komba leur ouvrit toutes grandes les portes du pays.

— Et Joseph Lugembe a poursuivi le boulot de Komba, une fois devenu président à son tour.

Son ascension fulgurante, il la devait à Komba, expliqua Kilonzo. Après le retrait volontaire de Nyerere, Komba se retrouva à la tête de l'État. Il entreprit de le moderniser, de dépoussiérer son fonctionnement. En 1991, la chute de l'URSS, le modèle d'autrefois, le modèle « essoufflé », concorda avec le début d'une formidable décennie de progrès économique dont profita la Tanzanie.

Komba voulait s'entourer d'hommes modernes, tournés vers l'avenir et pouvant discuter d'égal à égal avec les Occidentaux. Joseph Lugembe était l'un de ceux-là. Pas étonnant, sentant venir l'heure de la retraite et à la recherche d'un dauphin pour continuer son œuvre, que Komba se soit tourné vers Lugembe. Aux yeux de la communauté internationale, Lugembe apparut comme un leader tout à fait crédible, l'un des espoirs de la nouvelle Afrique, très loin des tyrans du style Mobutu, Gbagbo ou Mugabe, qui pillaient les ressources de leurs pays et s'enrichissaient aux dépens de leur population.

— Les âmes sensibles accusent Lugembe d'être un despote déguisé, de jouer à la démocratie. Peut-être. Mais il a su à la fois préserver l'héritage de Nyerere et nous brancher sur l'avenir. Barack Obama a été le premier à le reconnaître.

Obama.

Encore.

Les Africains étaient-ils à ce point découragés de leurs leaders pour mettre autant d'espoir dans le dirigeant d'un pays étranger ?

Après une heure et demie de route, le village de Biha-ramulo apparut. Suivi de Shembazi et de ses hommes, Kilonzo guide Max vers le bâtiment occupé par l'adminis-tration du parc. À l'intérieur, un comptoir où les permis étaient émis et vérifiés, un petit bureau où travaillait un employé du ministère, étonné et impressionné par un tel déploiement. Au mur, les inévitables clichés de bêtes tom-bées au combat, avec chasseurs en grande tenue, arme du crime à la main, un impala ou un léopard à leurs pieds, façon Hemingway.

En 1994, changement de gibier : traqués, des Tutsis avaient envahi la réserve en grand nombre, Biharamulo et Burigi étant situés non loin de la frontière rwandaise.

— Quand le pays s'est embrasé, raconta Kilonzo, le gouvernement Komba a dû déployer des soldats pour assurer l'ordre et prévenir l'incursion de milices hutues.

Au plus fort de la guerre, et peu après, Burigi abritait un des plus importants camps de réfugiés de la région. Au retour d'une tournée dans l'un de ces camps, Richard Stroner, le mari de Valéria, le père de Sophie, avait trouvé la mort dans un accident de la route.

Le gardien en service était originaire de Bukoba. Pen-dant que Kilonzo s'occupait de Max à l'extérieur, ses subalternes passèrent en revue la liste des employés de la réserve, dont on avait épluché le passé avant de les embau-cher, afin de s'assurer qu'aucun d'entre eux n'avait d'anté-cédents judiciaires, pour cause de braconnage, par exemple.

L'examen de cette liste ne donna aucun résultat. Kilonzo interrogea le type personnellement, mais il obtint une réponse identique.

— À mon avis, conclut le gardien, ce sera la même chose aux autres parcs ou réserves. Un poste aussi stra-tégique n'est pas confié à n'importe qui.

Max était perplexe.

— Mais il peut s'agir d'un guide indépendant, suggéra Kilonzo.

De nombreuses compagnies de safaris faisaient appel à des guides pigistes dont il était impossible de vérifier l'honnêteté. Certaines de ces entreprises utilisaient des Land Rover ou des Mitsubishi équipés de matériel Codan.

— Ces véhicules portent normalement le logo de la société sur la portière, lança-t-il à l'intention de Max.

Le type acquiesça. Le pêcheur n'avait rien mentionné de la sorte. Il était possible qu'on ait dissimulé le logo ou alors, plus simplement, qu'il se soit agi d'un véhicule appartenant à un particulier.

— Pour avoir le droit d'utiliser le matériel de communication satellitaire, il faut un permis, répliqua Kilonzo.

Il suffirait d'obtenir la liste des permis pour la Kagera, et d'éliminer les entreprises commerciales du style agences de voyage, de safari et autres.

Le gardien acquiesça.

Shembazi communiqua avec le ministère des Parcs nationaux. Quelques minutes plus tard, Kilonzo avait en main cinq noms, tous liés à des Églises ou à des missions situées dans les environs de Bukoba. Il fallait vérifier ces informations, mais l'approche devait être plus subtile qu'avec le gardien de la réserve, expliqua Kilonzo. Ces missions voyaient toujours d'un mauvais œil l'arrivée de la police, surtout dans le but de vérifier la liste des employés.

Max acquiesça. Kilonzo s'acquittait de son rôle avec une conviction et un professionnalisme qui lui faisaient honneur. Un coupable se manifesterait, tôt ou tard. Mais serait-ce le bon coupable, celui qui avait vraiment tué les deux femmes ? Max en doutait de plus en plus.

Par Internet, Shembazi avait vérifié dans les dossiers archivés pour déterminer si l'un des noms n'avait pas fait l'objet d'une enquête ou même d'une plainte. Quatre des cinq missions avaient un dossier vierge mais la cinquième, All Saints Church, une mission anglicane, avait formellement porté plainte contre les agissements du sorcier Zuberi, le complice présumé de Samuel Musindo. L'Église possédait un tout-terrain équipé d'un système de communication satellitaire du type Codan. La coïncidence était prometteuse, du moins à première vue. Mais, surtout, précisa Kilonzo, All Saints Church se spécialisait dans la réhabilitation d'anciens détenus à qui on donnait une deuxième chance. L'un d'entre eux, émoustillé par la présence d'une riche avocate, tout près, avait peut-être mis en branle l'opération. Un 4 × 4 anonyme, impossible à retracer, qui serait passé tout à fait inaperçu si ce pêcheur n'avait débarqué à l'improviste en raison de ses ennuis de moteur.

Décidément, la mise en scène de Kilonzo était réglée au quart de tour. Il ne laissait rien au hasard. Max ne pouvait s'empêcher d'admirer le jeu du comédien.

La mission était située dans l'arrière-pays, en direction du Rwanda. Autour d'un bâtiment en briques rouges dont le style rappelait vaguement les chaumières du Lancashire, une série de bâtiments plus petits. L'endroit était étonnamment calme, ce qui n'avait pas toujours été le cas. En 1994, d'après Kilonzo, le pasteur Summers avait ouvert les terrains de l'église aux réfugiés rwandais. Pendant plusieurs semaines, l'endroit était devenu une véritable fourmilière, patrouillée par les soldats de l'armée tanzanienne dépêchés sur la frontière par le président Komba.

En s'approchant de la mission, Max chercha un 4 × 4 sur le stationnement, mais ne vit qu'une Toyota défraîchie. Un homme grand, chauve, sortit aussitôt d'un des bâtiments secondaires et vint à la rencontre des policiers. Un Britannique d'une soixantaine d'années, dont les quarante dernières dans le pays, réussissant à survivre d'une tragédie à l'autre, sans perdre espoir dans le genre humain. Plus rien ne l'étonnait, ce brave homme.

Dans son bureau rempli de photos de Douvres – d'où il était originaire –, il apprit à Kilonzo et à Max qu'il n'embauchait plus de repris de justice depuis plusieurs années, à la suite de mauvaises expériences. Il avait eu beau faire confiance aux gens, leur ouvrir les portes de sa mission, il avait souvent été victime de sa générosité. Trop souvent.

— Vous avez un tout-terrain, d'après les registres du ministère, demanda Kilonzo.

— Un Mitsubishi. Qu'on m'a volé il y a une dizaine de jours.

— Peu avant la mort de Valéria, donc, précisa le policier.

Max s'ennuyait déjà. Il avait hâte qu'on en vienne à la conclusion de ce mauvais mélodrame.

— J'en ai d'ailleurs parlé à la police, quand j'ai appris ce qui était arrivé.

Kilonzo hocha la tête et regarda Max en fronçant les sourcils. Bien entendu, personne à Bukoba ne lui avait révélé cette information. Quand tout serait fini, il allait devoir sévir. Retracer le fautif. Lui faire payer sa bévue.

— Et vous soupçonnez quelqu'un ? demanda Kilonzo. Un de vos anciens employés ?

— Je le prêtais à tout le monde, ce 4 × 4. J'ai eu tort.

— Vous avez une liste des gens qui en ont profité ?

Le pasteur remit une feuille à Kilonzo, qui la transmit à Shembazi. Quelques instants plus tard, alors qu'ils prenaient congé du pasteur, Shembazi revint avec la réponse. L'un de ces repris de justice vivait dans les environs.

— Vous voulez nous accompagner, Cheskin ? Assister à une arrestation ?

— Je vous fais confiance. Je suis certain que ce malheureux n'a aucune chance.

Deux heures plus tard, alors que Max rentrait à Bukoba, il entendit à la radio la voix de l'inspecteur Kilonzo annonçant un déblocage majeur dans l'affaire des meurtres de Valéria Michieka et Sophie Stroner. On avait identifié un suspect, un coupable de toute évidence. Un petit voyou de Dar es-Salaam qui n'en était pas à ses premières frasques.

Écœuré, Max éteignit la radio.

Son portable sonna. C'était Jason Chagula, qui lui donnait rendez-vous à son bureau le lendemain midi.

P.154

Cette page est blanche

Ch. 13

De l'aéroport jusqu'au centre de Kigali, la route était
encombrée de camions de marchandises ou bloquée par
des employés de la voirie, détournant la circulation vers
des petites rues, souvent en travaux elles aussi. Depuis
une heure, le chauffeur maugréait, impatient, furieux,
brandissant le poing et klaxonnant avec énergie. Des
matutus tentaient de se frayer un passage entre vélos,
cyclomoteurs et piétons, stoïques, traversant cette cohue
d'un air désinvolte, chargés de produits divers. Les Land
Rover des agences de coopération, essayant également
de contourner le bouchon, s'embourbaient comme les
Mercedes et les Audi des *beautiful peoples* de la nouvelle
économie rwandaise. Rien à faire, peu importe le véhicule, la route restait encombrée, la circulation impossible. Max O'Brien, croyant trouver une capitale plus
ou moins endormie, affrontait plutôt un énorme chantier de construction.

— Celui du Kigali City Tower, lança le chauffeur.

Depuis l'arrivée au pouvoir de Paul Kagame, les
Rwandais avaient pris le virage, eux aussi, du développe-
ment économique. À l'aéroport, le Cessna de Roosevelt
Okambo avait été accueilli par d'immenses panneaux

publicitaires vantant la stabilité économique du pays. Les douaniers s'adressaient aux touristes avec des sourires de vendeurs d'appareils ménagers. L'aéroport était propre et fonctionnel, plus près du hall d'un salon de l'auto que d'une aérogare comme telle. À une heure de là, l'aéroport de Nairobi, poussiéreux, encombré, semblait sorti d'une autre époque. À première vue, le génocide de 1994 était loin, très loin, un souvenir douloureux que tous essayaient d'oublier en plongeant dans le travail.

Max avait mobilisé Okambo pour la journée, comptant rentrer à Bukoba avant la tombée de la nuit. L'avocat Jason Chagula avait répondu à l'invitation du gouvernement Kagame qui cherchait à réduire et à éliminer la corruption, afin de rendre le pays plus séduisant aux yeux des investisseurs éventuels. Chagula cumulait une certaine expérience dans le domaine, ayant travaillé pour le gouvernement tanzanien à la lutte contre la corruption après avoir mis en veilleuse sa carrière au criminel. Preuve supplémentaire de la volonté de Kagame – qui ne parlait pas français puisqu'il était né en exil, en Ouganda – de s'arrimer à l'Afrique anglophone. Quelques mois plus tôt, le président avait fait de l'anglais la langue d'usage de l'administration gouvernementale – y compris dans le domaine de l'éducation.

L'avocat lui fit signe dès que Max apparut à la terrasse qui entourait la piscine de l'Hôtel des Mille Collines. Même s'il travaillait maintenant pour le gouvernement, avoua-t-il à Max, il conservait une clientèle privée, qu'il aimait recevoir ici même, sous un parasol, en sirotant une limonade, tout en consultant ses dossiers, cellulaire à la main. À Dar es-Salaam, durant toute sa carrière, il avait entretenu cette réputation de dandy donnant l'impression de ne jamais travailler, ce que démentait son tableau de chasse. Sans en avoir l'air, avant d'arriver à Kigali, il avait innocenté ou fait réduire les peines de la plupart des détenus qu'il avait représentés au cours des vingt dernières années.

Malgré son échec auprès de Musindo, il avait réussi à faire libérer le guérisseur Zuberi, soupçonné par les autorités d'avoir incité l'infirmier à kidnapper et à tuer la fille du ministre de l'Intérieur.

Chagula avait appris la mort tragique de Valéria. Condisciples à l'Université de Makerere, en Ouganda, ils avaient partagé les mêmes idées sur la répression du trafic des albinos, mais s'étaient éloignés l'un de l'autre quand Valéria avait réclamé la remise en vigueur de la peine de mort.

— Je n'étais pas d'accord. Je le lui ai répété souvent. Mais Valéria ne voulait rien entendre.

— Elle vous en a voulu d'avoir défendu Musindo et Zuberi ?

— Oui. Probablement. Mais au moment du procès, nous n'avions déjà plus aucun contact.

— Parlez-moi de Zuberi.

— Un type pas très loquace. Timide, malgré son air menaçant. Je m'en suis vite rendu compte. Il avait toujours voulu devenir pasteur, mais les presbytériens l'ont rejeté. Il s'est tourné vers la magie avec ses potions, des crèmes et autres colifichets.

— Des membres d'albinos…

— Peut-être. Comme tous les autres.

— Et vous l'avez défendu quand même ?

— Quoi qu'on pense de Zuberi, les preuves contre lui étaient très minces. De vagues menaces contre Lugembe. Indirectes, d'ailleurs. Alors que Zuberi était incarcéré, quelques mois avant la mort de la fille du ministre, on aurait menacé Lugembe de s'en prendre à elle si le guérisseur n'était pas libéré rapidement. Bref, des rumeurs. Rien de concret.

— Mais Musindo et Zuberi se connaissaient ?

— Le dispensaire où travaillait l'infirmier est situé tout près du village natal du sorcier, il y avait un bureau à l'époque. Des patients faisaient l'aller-retour entre science et superstition, ne prenant de risque ni avec les failles de l'une, ni avec celles de l'autre. J'aurais fait de même. Vous aussi, je crois. C'est la nature humaine. Avant le procès, lors d'une de mes premières visites en cellule, j'ai fait prendre conscience à Zuberi que son visage fermé jouait contre lui. Je l'ai planté devant un miroir. Je lui ai dit : regarde, c'est ce type que le jury a devant lui. Te donnerais-tu, toi, le bénéfice du doute ? Ce ne sont pas tes patients, tes clients, tes victimes. Des gens instruits qui ne prendront pas au sérieux tes dons miraculeux et ton regard d'illuminé.

L'avocat éclata de rire. Puis redevint sérieux :

— Vous croyez qu'il pourrait être lié aux meurtres de Valéria Michieka et de sa fille ?

Chagula cherchait à savoir ce qu'il avait découvert, de toute évidence.

— C'est à vous de me le dire, répliqua Max.

— Je ne le vois pas en train d'assassiner qui que ce soit.

— C'est souvent le cas de plusieurs prévenus.

— Vous avez raison. Mais Zuberi n'est pas de ce calibre. Un type étrange, à l'esprit tordu, oui. Mais pas un tueur.

— Il aurait pu engager quelqu'un pour le faire ?

L'avocat soupira, comme si la question l'ennuyait.

— Vous devez comprendre le rôle des guérisseurs dans la société tanzanienne.

Plus près du thaumaturge que du mafieux, expliqua Chagula. Inventeur de potions, élixirs et autres concoctions qu'ils prenaient soin de tester sur des démunis, des désespérés. Considérés avec méfiance par les autorités, mais utiles quand même pour suppléer aux carences du système de santé tanzanien. Valéria s'était attaquée à eux, bien sûr, et à Zuberi plus particulièrement, sans entraîner les représailles du sorcier à l'égard de l'avocate. Parce que, malgré les initiatives de Valéria, le commerce des guérisseurs était demeuré populaire.

— Sauf pour Zuberi. Il a fait de la prison, il a dû quitter la région.

— Il était déjà millionnaire – en dollars, non en shillings. Il a profité de cette affaire pour tirer sa révérence, tout simplement.

— Il vous a contacté depuis sa libération ?

— Non.

— Vous savez où il est ? Où il vit ?

— Aux dernières nouvelles, il tentait de se faire oublier dans le nord du pays. Je n'en sais pas davantage.

— Sa maison est inoccupée. Mais il en est toujours le propriétaire, à ce qu'on m'a dit.

Chagula ne put s'empêcher de sourire.

— J'essaie de ne pas renouer contact avec mes anciens clients, à moins qu'ils sollicitent de nouveau mes services.

L'avocat se pencha vers Max, baissant la voix comme s'il craignait qu'on surprenne ses propos :

— J'ignore qui est à l'origine des meurtres, mais j'irais voir du côté de l'affaire Clara Lugembe. Il y a tellement de zones grises dans cette histoire, qu'il est impossible de distinguer le vrai du faux.

Max attendit la suite.

— Vous saviez que Valéria Michieka avait déjà rencontré Samuel Musindo ? Ils se connaissaient. Des photos ont circulé les montrant tous les deux devant le dispensaire où travaillait le jeune infirmier. Des photos disparues, tout à coup, et qu'il est impossible aujourd'hui de retrouver.

Chagula avait voulu les utiliser au procès, sans succès. Étonnement de Max. Jamais on ne lui avait dit que Valéria connaissait le meurtrier de Clara Lugembe. Elle-même n'en avait jamais fait mention.

Un trio, donc : Zuberi connaissait Musindo, qui lui-même était déjà entré en contact avec Valéria.

L'avocat sourit de nouveau.

— Il y a d'autres faits tout aussi troublants. Le sorcier Zuberi, son souvenir plutôt, fait peur aux autorités, mais il sert aussi à cacher bien des choses et à détourner l'attention au bon moment. La preuve ? Vous êtes venu ici, me voir.

Chagula avait raison, d'une certaine façon.

— Mené à fond de train, ajouta-t-il, le procès de Musindo a été entaché de plusieurs irrégularités. Et pas juste à l'égard de Zuberi.

— Vous insinuez que Musindo était innocent ?

— Sa culpabilité ne faisait aucun doute, d'ailleurs il a avoué son crime. Je voulais juste commuer sa peine en prison à vie. Mais les autorités avaient déjà décidé d'en faire un exemple.

Ce qu'il fallait regarder de plus près, selon Chagula, c'était l'avantage que tirèrent à la fois Valéria Michieka et Joseph Lugembe de ce procès. Michieka obtint la peine capitale pour les meurtriers d'albinos. Et Lugembe devint un martyr, ce qui lui a permis de marquer des points dans la course au remplacement du président Komba, qui allait bientôt suivre.

— Durant la campagne présidentielle de 1992, vous vous souvenez de la décision de Bill Clinton d'assister à l'exécution de Ricky Ray Rector, coupable d'avoir assassiné un agent de police de l'Arkansas ?

— Vaguement, fit Max, j'ai dû lire un article à ce sujet.

— Malgré ses facultés mentales amoindries à la suite d'une tentative de suicide après son arrestation, Rector avait été condamné à mort. La décision de Clinton, non seulement de maintenir la sentence mais d'assister à l'exécution, devait lui donner beaucoup de crédibilité auprès des électeurs conservateurs. Et lui permettre de gagner la présidence au terme de l'élection.

Selon Chagula, le procès très médiatisé de Samuel Musindo permettait à Lugembe de se positionner auprès des membres de son parti et des Tanzaniens en général comme un homme d'État solide, fiable et rigoureux, qui ne reculerait devant rien pour faire appliquer la loi une fois devenu président. La mort tragique de sa fille adoptive faisait de lui un personnage plus grand que nature.

— Iriez-vous jusqu'à dire qu'il est à l'origine du crime? Qu'il aurait lui-même commandité l'assassinat?

— Non, quand même pas. Mais, du point de vue politique, ce fut un procès très bénéfique. S'il est devenu président, il le doit un peu au meurtre de Clara.

De retour à l'aéroport, Roosevelt discutait avec un type au veston froissé. Un médecin, que le pilote ramenait à Bukoba. Il prit place à l'arrière de l'appareil, le nez plongé dans *The New Times*. Un court échange avec lui apprit à Max qu'il faisait souvent la navette entre les deux villes. Kigali manquait de médecins, depuis que les gens de la campagne affluaient dans la capitale en expansion. Les infrastructures héritées de l'ancien régime ne suffisaient plus à la tâche. Un nouvel hôpital était prévu, sans qu'on sache d'où viendrait son personnel. Apprenant que Roosevelt rentrait à Bukoba le jour même, il lui avait demandé la permission de se joindre au voyage.

Observant du haut des airs les collines de ce pays magnifique, Max eut l'impression très nette que sa visite éclair avait été inutile, et que son enquête n'avait pas du tout progressé. Seul élément notable : Valéria et le meurtrier de Clara Lugembe se connaissaient.

Le Cessna amorça sa descente sur l'aéroport de Bukoba. Max, sentant qu'on lui tapotait l'épaule, se retourna. Le médecin lui parlait à l'oreille, mais très fort pour couvrir le bruit des moteurs.

— J'ai bien connu Valéria Michieka, dit-il.

Il possédait quelques maisons à l'extérieur de Bukoba, qu'il louait à des travailleurs de passage. Au cours des années, certains de ces locataires lui avaient causé des histoires, alors il avait fait appel à Valéria. Et pour d'autres affaires aussi, dont il ne précisa pas la nature.

— Je ne partage pas les conclusions de la police.

Surprise de Max.

— Au sujet de la mort de Valéria ?

— On cherche à cacher des choses, c'est évident.

Il ajouta :

— C'est moi qui ai constaté le décès des deux femmes.

Max se retourna vers lui, l'observa longuement. Le médecin soutenait son regard. Max eut l'impression que sa présence dans le Cessna de Roosevelt n'était pas fortuite.

— Quand ça ?

— Quelques heures après leur mort.

L'inspecteur Kilonzo n'en avait rien dit.

— On m'a appelé dès que la police a découvert les victimes.

— Kilonzo ?

— Il n'était pas encore arrivé. Quand il s'est rendu compte que j'avais examiné les dépouilles, il m'a ordonné d'en parler à personne.

— Pour quelle raison ?

— Parce que mes conclusions étaient fort différentes du petit numéro qu'il a concocté pour les médias par la suite.

Bref, Kilonzo, en consultant le rapport du médecin, avait choisi – après en avoir avisé ses supérieurs, sans doute – de ne pas le rendre public. Histoire d'éviter les questions embarrassantes, probablement. Mais lesquelles ?

— Il y avait quoi, dans votre rapport ?

— À part les coups de machette, des blessures aux muscles du thorax causées par un étirement extrême et prolongé des bras des victimes, qu'on avait noués très haut dans leur dos. Ce qui a probablement endommagé leurs fonctions neuromusculaires.

— Elles ont été torturées ?

— Pendant plusieurs heures, de toute évidence.

Selon le médecin, Valéria était morte longtemps après sa fille, comme si on s'était acharné sur celle-ci devant la mère, pour la faire fléchir, la faire parler. La rigidité cadavérique n'était pas identique pour les deux victimes.

Max ferma les yeux. Il imaginait avec douleur les moments atroces subis par Valéria, quand on s'était attaqué non seulement à elle, mais à sa fille aussi. La voir souffrir devant elle, sachant que l'issue serait la mort, choisissant de ne pas abréger la souffrance de Sophie même si c'était la meilleure option dans les circonstances. Valéria avait accepté jusqu'au bout leur martyre, le sien et celui de sa fille. Pourquoi ?

— Elles ont été victimes de la *kandoya* toutes les deux, ajouta le médecin.

— Pardon ?

— Un supplice dont la signature ne fait aucun doute : le corps d'élite de l'armée ougandaise. Après la prise du pouvoir par Idi Amin, en 1971, plusieurs opposants sont venus se réfugier au sud de la frontière. Notamment du côté de Kyaka. Ils ont formé une unité de combattants qui a servi de fer de lance à l'armée tanzanienne, par la suite, au moment de l'invasion de l'Ouganda par Nyerere. Une armée rebelle composée d'anciens militaires dont la ferveur patriotique cachait des ambitions moins honorables. C'était aussi un ramassis de voyous qui se livrèrent au pillage et à la violence dès leur retour au pays. À tel point que les dirigeants de l'armée tanzanienne durent les mettre au pas pour prévenir les dérapages. Ces types s'adonnaient à la torture, avec des méthodes similaires à celles d'Idi Amin. La *kandoya*, notamment.

Pendant la guerre, mobilisé par l'armée tanzanienne, le médecin avait soigné plusieurs de ces blessures, infligées par des rebelles à leurs propres compatriotes soupçonnés de complicité avec le régime.

— Je ne serais pas surpris si celui qui les a tuées était lié à ce groupe rebelle ou en connaissait les méthodes.

— Et les coups de machette ?

— Pour achever les victimes, sans doute.

Max se tut. Ce que le médecin venait de lui apprendre le remuait profondément. Pourquoi cette cruauté ? Une immense colère montait en lui, plus intense encore que la nausée qu'il éprouvait. Le responsable de cette horreur, Max le retrouverait et le ferait payer. Il n'avait jamais tué personne, réussissant à maîtriser les pulsions de violence qui, parfois, venaient le hanter. Mais à présent, il ne pourrait plus résister. Ce salaud, il lui donnerait la mort sans hésitation ni remords.

L'avion atterrit. Alors que les moteurs tournaient encore, le médecin ajouta :

— Valéria et sa fille accomplissaient un travail admirable, mais dérangeaient beaucoup de monde. Ceux qui leur en voulaient n'étaient pas nécessairement les mêmes qu'elles pourchassaient et dénonçaient sur la place publique.

— Que voulez-vous dire ?

— Après l'exécution de Samuel Musindo, certains se sont mis à colporter des rumeurs. Coïncidence pour le moins étrange : la mort de la fille albinos du ministre se produisait au moment où la Colour of Respect Foundation incitait le gouvernement à remettre en vigueur la peine capitale. Commode, n'est-ce pas ?

— Valéria aurait organisé elle-même le rapt et le meurtre de la jeune fille ? C'est insensé !

— Je le crois aussi, mais la rumeur est persistante.

— Lugembe, qu'en pense-t-il ?

Le médecin l'ignorait. Il ajouta :

— Imaginez si quelqu'un parvenait à prouver que le ministre s'est fait manipuler dans cette affaire de peine capitale. Quelle serait sa réaction, selon vous, s'il apprenait que Valéria ou quelqu'un d'autre de la fondation avait sacrifié une albinos pour assurer la sécurité de tous les autres ?

S'il découvrait, comme l'avait insinué l'avocat Chagula, que Valéria et Musindo se connaissaient déjà, et qu'avec la complicité de Zuberi elle avait utilisé l'infirmier pour qu'il kidnappe et tue la fille du ministre de l'Intérieur ?

P. 166

Cette page est blanche

⑤

Ch. 14

Chaque automne, sans exception, Albert Kerensky et son ami Glenn Forrester s'offraient une semaine de chasse à Lake Amistad, sur le Rio Grande, tout près de la frontière mexicaine. Et l'été, de temps à autre, ils allaient traquer le sanglier dans les environs de Bosque River. Un rituel immuable, auquel Roselyn avait dû s'adapter. Mais, à part Glenn, Albert ne fréquentait personne. Ce qu'il préférait : s'asseoir devant la télé, une bière à la main, sous le panache de l'élan qu'il avait abattu en 2003 dans les Glass Mountains. Le bricolage ou le jardinage, très peu pour lui. Il n'aimait pas le baseball non plus, que Roselyn adorait pourtant.

Il y avait bien Frank Cosgrove, un peu plus jeune que son mari, membre de la *tie-down team* d'Albert pendant quelques années. Originaire de Dallas, il avait été muté de Houston au début de sa carrière. Sans être un intime d'Albert, Cosgrove était venu manger à la maison à quelques reprises.

Peu après son arrivée à Huntsville, Roselyn décida de lui rendre visite. Elle se souvenait d'un homme grand, déjà gros, à la voix forte et retentissante. Chaque fois qu'il entrait quelque part, Cosgrove devenait le centre d'attraction, contrairement à Albert, qu'on avait tendance à ignorer.

Des années plus tard, Cosgrove n'avait rien perdu de sa prestance. À quelques mois de la retraite, il s'occupait de tâches administratives au Walls Unit.

— J'ai appris la nouvelle, répondit Cosgrove, quand Roselyn lui expliqua la raison de son passage à Huntsville. J'espère que vous allez le retrouver. Et qu'il n'est rien arrivé de malheureux.

Roselyn lui résuma les efforts de la police. Et des soupçons de Peter au sujet des familles des suppliciés.

Cosgrove haussa les épaules.

Il ne croyait pas cette piste valable. Il n'avait jamais entendu parler de vengeance contre le bourreau et son équipe, dans aucun des États américains qui appliquaient la peine de mort.

Cosgrove précéda Roselyn dans un corridor étroit, dont les fenêtres, très hautes, laissaient filtrer la lumière mais ne permettaient pas de voir à l'extérieur. Curieusement, pendant toutes ces années, Roselyn n'avait jamais pénétré dans ce pénitencier et n'avait donc jamais vu l'endroit où son mari exerçait son métier.

— Il était comment, Albert ? Je veux dire, au travail ?

Cosgrove la regarda, comme s'il ne comprenait pas le sens de sa question.

— Il aimait ce qu'il faisait ?

— C'est pas le genre de boulot où on rentre chez soi, le soir, en disant à sa femme : Chérie, j'ai bien travaillé aujourd'hui…

Elle ne put s'empêcher de sourire.

— Mais il arrive que certaines exécutions soient plus ardues que d'autres.

Plusieurs condamnés étaient des drogués, par exemple, des héroïnomanes les bras couverts de traces de piqûres, les veines rétrécies par l'abus des drogues. Il était parfois compliqué de trouver la veine nécessaire à l'exécution de la sentence. Dans ces cas-là, il fallait insérer l'aiguille dans la jambe. Un bourreau inexpérimenté pouvait rater l'exécution et infliger au supplicié des douleurs intolérables. Cela arrivait à l'occasion, mais jamais à Albert. Du moins, pas à la connaissance de Cosgrove.

De nouveau, Roselyn en eut la confirmation : son mari faisait très bien son travail. Consciencieusement. Un peu trop peut-être.

Ils débouchèrent dans une pièce encombrée de classeurs, éclairée violemment par des fluorescents.

— Le département est en processus d'informatisation, expliqua Cosgrove en s'approchant d'une dame, assise derrière un bureau.

C'était Margaret. La jeune femme, qui n'avait jamais connu Albert – elle avait été embauchée au Walls Unit après sa retraite –, n'hésita pas à leur remettre le dossier de l'ancien bourreau. Ils devaient toutefois le consulter sur place. Margaret les installa dans un bureau inoccupé, à droite.

Chaque bourreau tenait un carnet de bord, en quelque sorte, qui donnait des détails techniques sur le déroulement de l'exécution, et qu'il remettait ensuite au *warden*. Cosgrove feuilleta celui de son ancien collègue.

— Rien d'anormal, dit-il après un moment. Albert était un professionnel dans tous les sens du terme.

Un type consciencieux, qui avait déjà interrompu ses vacances pour revenir à Huntsville s'occuper d'une exécution.

Roselyn s'en souvenait.

Avec Norah, ils s'étaient rendus dans la Baja Peninsula, au Mexique. Ce n'était pas la première fois. Au début de leur mariage, Albert avait pris l'habitude de louer un véhicule récréatif, de traverser la frontière à El Paso, et de rouler vers l'ouest jusqu'à Cabo San Lucas, une station balnéaire fréquentée surtout par les Californiens. Ce qu'Albert avait fait cette année-là, comme les autres années. L'appel était venu du directeur du Walls Unit. Le responsable de la *tie-down team* était tombé malade, c'étaient les vacances, il n'avait personne sous la main. Albert avait accepté d'écourter leur séjour – provoquant ainsi une violente dispute entre Roselyn et lui. Albert, qui n'aurait jamais interrompu une partie de chasse avec Glenn Forrester, n'hésitait pas à sacrifier les vacances de sa famille pour aller exécuter un bon à rien qui moisissait en prison depuis des années. Il avait fallu des semaines avant que le nuage se dissipe, mais la leçon porta fruit. Lorsqu'une situation du même genre se présenta, l'année suivante, Albert envoya promener le *warden*.

Cosgrove continuait de consulter le dossier.

— Tiens ? Étrange… Vous saviez qu'Albert a été soigné pour une brûlure à la main ?

Roselyn l'ignorait.

— Quand ça ?

— Novembre 2006.

Quelques semaines après la mort de Norah, songea Roselyn. Quelques mois avant sa retraite.

— Le rapport indique une blessure causée par une arme à feu. C'est la raison évoquée par Albert lui-même dans sa déclaration aux assurances.

— Sa Winchester ?

— Une arme de poing, d'après le médecin.

Roselyn ne se souvenait pas que son mari ait jamais possédé de revolver, à l'exception de son arme de service quand il était gardien, il y avait une éternité déjà.

— Il a reçu des soins ici, à Huntsville ?

— À Galveston.

L'hôpital de la faculté de médecine de l'Université du Texas, où on envoyait les détenus malades ou blessés des pénitenciers de Huntsville.

Sans même qu'elle ait à le lui demander, Cosgrove saisit le téléphone et composa le numéro qui se trouvait dans le dossier. Après une série de transferts, il joignit le docteur Maxwell, qui avait soigné Albert. Il lui rappela les circonstances de la blessure, puis lui donna le numéro de dossier. Le médecin confirma son intervention auprès de l'ancien bourreau.

La blessure avait été causée par le maniement fautif d'un revolver. Cas plutôt courant chez les néophytes. Sans doute Albert s'était-il procuré l'arme récemment et n'en maîtrisait-il pas encore l'utilisation. Il l'avait donc acquise dans un but bien précis. Se défendre? Oui, il s'était senti menacé, on l'avait attaqué. Il s'était défendu mais, dans son énervement, avait mal utilisé le revolver. D'où cette brûlure à la main. Blessure mineure, mais qui avait quand même nécessité l'intervention d'un médecin. Roselyn se demanda comment elle avait pu ne rien remarquer. D'aussi loin qu'elle se souvienne, Albert n'avait jamais été hospitalisé. Et à Galveston, plus particulièrement. Il aurait pu choisir le Memorial Hospital, ici même à Huntsville. Et pourquoi ne lui avait-il rien dit au sujet de ce revolver et de cette blessure?

— La date précise? demanda Roselyn.

— Dix-sept novembre.

Où se trouvait-elle, ce jour-là? Pourquoi lui avait-il caché cet accident? Où se trouvait cette arme, aujourd'hui? Qu'en avait fait Albert? Et s'il était parti avec ce revolver? Dans quel but? Pour quelle raison?

Les questions se bousculaient dans la tête de Roselyn. Songeuse, perplexe, elle quitta le Walls Unit après avoir remercié Frank Cosgrove de son aide. Au cours des derniers jours, le portrait de son mari, auparavant clair et sans surprise, était devenu de plus en plus flou. Elle découvrait sur lui des détails inconnus. L'achat d'un revolver et cette blessure qu'il avait fait soigner loin de la maison, dans une autre ville, la troublaient. N'eût été la disparition de son mari, jamais elle n'aurait eu vent de ces faits nouveaux le concernant.

Dans son auto, Roselyn communiqua avec Brian Pallister, son ami de la Wildlife Artists Association.

— J'ai un gros service à te demander.

Après la vente de la maison, certains objets encombrants avaient été mis en consigne dans un entrepôt de Houston. Roselyn demanda à Brian d'aller y chercher une boîte en particulier qui se trouvait sur une vieille commode – si son souvenir était exact.

— Qu'est-ce que j'en fais ? demanda Brian.

— Tu la ramènes chez toi et tu m'appelles aussitôt.

De retour chez Peter, Roselyn lui demanda s'il était au courant de ces faits relevés dans le dossier d'Albert.

Peter sembla aussi surpris qu'elle.

— Moi non plus j'ai rien remarqué, reprit la vieille dame. C'est quand même incroyable.

Peter conservait tous ses anciens agendas. Il les ressortit ce soir-là.

— Le 17 novembre, vous n'étiez pas à Huntsville. À Biloxi, plutôt. Avec Adrian et moi.

Des vacances à trois au Mississippi. Roselyn se sentait encore en deuil, tout comme Peter elle ne parvenait pas à reprendre sa vie normale. Elle avait eu besoin d'une coupure, d'une rupture, d'un changement de rythme. Peter s'était porté volontaire pour accompagner le groupe scolaire d'Adrian dans un voyage au Mississippi. Mue par une impulsion soudaine, Roselyn avait offert de les accompagner. Ce que le responsable du voyage n'avait pas refusé, au contraire. C'était tellement difficile de mobiliser les parents pour ce genre d'activités. Avant de partir, par contre, elle avait fait promettre à son gendre de ne pas parler de Norah. Il avait acquiescé. Lui aussi avait envie de passer à autre chose.

Albert était donc resté seul à Huntsville, où il avait trouvé le moyen de se blesser avec une arme à feu. Il s'était ensuite rendu à Galveston pour s'y faire soigner. Pourquoi aller si loin?

Et cette brûlure qu'elle n'avait pas remarquée. Ou plutôt si, finalement. Elle s'en rappelait maintenant. En rentrant de Biloxi, Albert lui avait avoué s'être blessé en réparant son auto. S'il s'agissait de la même blessure, pourquoi lui en avait-il caché l'origine?

Une fois Adrian au lit, et Peter les yeux rivés sur la partie de basket à la télé, Roselyn annonça qu'elle allait faire une marche, histoire de se ventiler. Peter lui répondit d'un grognement. Elle pressa le pas jusqu'à la résidence Stanford Hill. À cette heure tardive, plusieurs pensionnaires dormaient déjà, mais des irréductibles traînaient dans l'un des salons, à l'entrée, absorbés par un poker. Mme Callaghan étant rentrée chez elle, une jeune préposée officiait à la réception.

— J'aimerais avoir accès à la chambre de mon mari, demanda Roselyn, avec sa voix la plus convaincante possible.

La jeune femme était au courant de la disparition d'Albert. Elle ne fit pas d'histoires, même si, logiquement, elle aurait dû lui demander de revenir le lendemain matin et de vérifier avec Mme Callaghan. Chose certaine, au Woodbridge Manor ou au Brighton Lodge, on ne l'aurait pas laissée pénétrer dans la chambre aussi facilement.

La préposée disparut, et Roselyn ferma la porte derrière elle. Appuyée contre la poignée, elle engloba les lieux d'un seul regard. Où se trouvait ce revolver ? Pour une raison qui lui semblait essentielle mais qu'elle aurait été incapable de préciser, encore moins de justifier, il lui fallait absolument mettre la main sur cette arme à feu. Déjà trois ans qu'Albert s'en était servi, il s'en était peut-être débarrassé. Peut-être pas. Roselyn comptait sur le penchant naturel d'Albert de tout conserver, même les choses devenues inutiles.

Elle fouilla avec soin tous les endroits où il était possible de conserver une arme : tiroirs, placard, sous le lavabo, et même dans le réservoir des toilettes – comme elle avait vu faire dans un film à la télé. Derrière les rideaux, aussi, et sous le lit, entre le matelas et le sommier. Et dans l'abat-jour de la lampe sur pied, qui s'ouvrait comme le calice d'une fleur. Sous le porte-manteau, où on aurait pu creuser une cachette. Ou encore derrière le miroir, à gauche de la porte d'entrée. Et derrière la peinture qu'elle lui avait offerte.

Rien.

Dans le placard, elle fouilla encore les vêtements. Sa veste de chasse, notamment, qu'il avait tenu à garder avec lui à la maison de retraite, même si son état de santé ne lui permettait plus de pratiquer son sport favori. Sa chère Winchester 94, il l'avait vendue à Glenn Forrester la mort dans l'âme.

Après une heure, en sueur, elle dut s'avouer vaincue. Si Albert avait conservé ce revolver, il ne l'avait plus depuis longtemps ou l'avait emporté avec lui.

C'est alors qu'elle remarqua le tableau d'affichage, à l'entrée de la chambre. La direction y épinglait les menus de la semaine et d'autres informations pertinentes. Le concierge avait fixé une note au sujet du remplacement de certaines tuiles, à cause d'un dégât d'eau récent. « Si c'est votre cas, précisait la note, veuillez vous identifier auprès d'un préposé. »

Dégât d'eau ? Tuiles ?

D'instinct, Roselyn leva la tête. Le plafond de la chambre était recouvert de tuiles acoustiques, en réalité un faux plafond, dans le but de cacher fils électriques et tuyaux de plomberie. Si Albert avait conservé le revolver, c'était à cet endroit qu'il l'avait dissimulé, Roselyn l'aurait juré.

Debout sur une chaise, elle entreprit de retirer l'une des tuiles. Ce qui lui demanda un effort considérable. Non pas que la tuile fût lourde, au contraire, mais pour l'atteindre, vu que la chaise était trop basse, il lui fallut grimper sur un bottin téléphonique et une poubelle renversée. Se hissant sur cet échafaudage précaire, elle parvint à pousser à l'intérieur du faux plafond la tuile acoustique et à y glisser la tête. Elle pouvait maintenant distinguer un espace rempli de fils et de tuyaux, mais aussi couvert de poussière. Aucun revolver, par contre. Elle regarda dans toutes les directions. Un objet attira son attention, juste au-dessus du bureau. Une valise, du type attaché-case. De sa position, Roselyn ne pouvait l'atteindre. Elle retira sa tête du plafond, remit la tuile en place et se déplaça jusqu'au bureau. Pourquoi n'y avait-elle pas pensé plus tôt ? Pour atteindre le plafond, Albert s'était servi du bureau. Elle y posa la chaise, y remonta de nouveau et souleva la tuile qui se trouvait juste au-dessus de sa tête. Sans problème, elle saisit la poignée de la valise et la tira vers elle.

Une fois redescendue, Roselyn examina la mallette, poussiéreuse, fermée depuis un bon moment, de toute évidence. La serrure était verrouillée. Roselyn chercha une clé dans un des tiroirs du bureau. En vain. C'était une serrure minuscule, de toute façon. Utilisant sa lime à ongles, Roselyn la crocheta. Elle ouvrit ensuite la valise, dans laquelle un album photo avait été déposé. Pas d'arme à feu. Aucun revolver. Juste cet album bon marché, vendu en pharmacie.

Qu'est-ce que ça signifiait?

Roselyn ouvrit l'album, qui faillit lui tomber des mains. Ce n'étaient pas des photos qu'Albert avait conservées, non, des mèches de cheveux, plutôt. Elles étaient disposées bien proprement à raison de six par pages, sur une quarantaine d'entre elles, avec un nom et une date. Roselyn comprit aussitôt de quoi il s'agissait. Ces mèches de cheveux avaient appartenu aux condamnés à mort dont Albert s'était occupé à titre de membre ou responsable de la *tie-down team*. En feuilletant les pages, elle trouva sans problème les noms de Franklin Crispel, Duane Berkley et Keith Busby, avec la date de leur exécution. Et le premier d'entre eux, Lewis Autry.

Pendant toutes ces années, Albert avait donc conservé une trace de ses… clients. Un relevé macabre que son mari lui avait dissimulé depuis le début de son affectation à la salle d'exécution, en 1984.

Le dada d'un obsédé de la mort, sans aucun doute.

De l'album, un sachet de plastique s'échappa, puis tomba aux pieds de Roselyn. Elle le ramassa. À l'intérieur, deux mèches retenues par un élastique, sans identification. Roselyn feuilleta l'album de nouveau, mais fut incapable de trouver les noms de leurs propriétaires.

Roselyn se sentit mal. Secouée. Effrayée, soudain. Comme si elle prenait conscience, des années plus tard, trop tard, d'avoir partagé la vie d'un tueur en série, avec ses petites manies, sa double vie, ses obsessions. Un tueur qui avait pu opérer en toute impunité sous le couvert de la loi, qu'on avait payé pour les crimes qu'il avait commis et qui bénéficiait aujourd'hui d'une confortable pension de retraite.

Deuxième partie

L'ARRESTATION

P. 178

Cette page est blanche

(S)

Ch. 15

À l'entrée de l'hôtel de ville, sous le porche, des types en complet discutaient à voix basse, cigarette au bec. D'autres se dandinaient en parlant au téléphone, gesticulant devant un interlocuteur invisible. Un petit groupe, assis dans les marches, semblait embêté : les hommes chargés de porter les cercueils de Valéria et Sophie jusqu'au cimetière, une fois la cérémonie terminée. Des restes symboliques, en fait, les corps ayant déjà été incinérés. Le coupable sous les verrous, il devenait inutile de conserver les dépouilles plus longtemps. Une mascarade de plus, songea Max O'Brien.

Il avait hésité avant de venir rendre hommage aux défuntes. La cérémonie visait à honorer leur mémoire publique, alors qu'il n'avait connu d'elles que leur vie privée, du moins la partie qu'elles avaient bien voulu partager avec lui. Étalée ainsi au chagrin de tous, la mort de Valéria lui semblait vide de sens. Sa douleur n'en était que plus vive, parce que secrète et intime. Sa tristesse, il ne pouvait la partager avec personne.

Du regard, il chercha l'inspecteur Kilonzo. Le policier se tenait plus loin, en compagnie de Shembazi. Les deux hommes avaient enfilé leur uniforme des grandes occasions, garni de médailles et de rubans aux couleurs de la république.

Max hésitait sur l'attitude à adopter. De toute évidence, Kilonzo lui jouait dans le dos, ce qu'il avait deviné dès son arrivée à Bukoba. Ce qu'il ignorait, par contre, c'était l'objectif visé par le policier. Agissait-il pour lui-même ou pour quelqu'un d'autre qui manœuvrait les ficelles dans la pénombre ? Devait-il confronter le policier ou plutôt tenter d'en savoir plus sans l'effaroucher ?

Les deux options avaient leur mérite.

Il choisit la confrontation.

— Bonjour inspecteur.

Kilonzo se retourna. Sourire de circonstance. Poignée de main vigoureuse.

— La cérémonie commence dans quelques minutes. Mme Michieka et sa fille avaient beaucoup de relations. Deux femmes très appréciées dans leur milieu.

L'officier semblait rayonnant. Max eut l'impression que les funérailles de Valéria et de sa fille marquaient, pour lui, la fin de cette affaire. Malgré les circonstances, Kilonzo affichait un sourire triomphant.

— Je ne vois pas l'ami de Valéria, par contre.

— Son ami ?

— Le président Lugembe.

Kilonzo regarda Max intensément, se demandant s'il se foutait de sa gueule.

— C'est ce que vous m'avez dit, non ? À mon arrivée à Bukoba. Rappelez-vous : le président était très affecté par la mort de Valéria. Son *amie.*

Kilonzo se détendit.

— Je lui ai parlé. Il était soulagé d'apprendre que nous avions attrapé le coupable.

— Au fait, comment va-t-il ? Il a avoué ?

— Pas encore, mais ça viendra. J'ai pleine confiance en mon équipe d'interrogation.

Max ne put s'empêcher de penser à la *kandoya*.

À son hôtel, la veille, de retour de Kigali, il avait fait des recherches sur l'armée rebelle ougandaise à la fin des années 1970. Selon les informations recueillies, la Uganda National Liberation Army de l'époque était formée de groupes disparates, parmi lesquels le Kikosi Maalum – «forces spéciales» en swahili –, le Front for National Salvation et le Save Uganda Movement. Coalition fragile, composée de groupes aux intérêts divergents. Pas surprenant qu'une fois Idi Amin renversé, ses opposants se soient mis à se déchirer dans le nouveau gouvernement. Il avait fallu quelques années avant que l'Ouganda se redresse et tourne le dos au souvenir d'Idi Amin et de ses atrocités.

Bref, il était possible, comme l'avait affirmé le médecin dans le Cessna d'Okambo, qu'un de ces rebelles soit responsable de la torture et des meurtres de Valéria et de sa fille.

Cette hypothèse n'expliquait pas la motivation du tueur. Mais au moins, Max avait enfin quelque chose à se mettre sous la dent. D'autant plus que l'inspecteur Kilonzo avait tenté de dissimuler l'information, ce qui dénotait son importance. Cacher certains éléments les mettait en évidence, paradoxalement.

Après quelques minutes de bavardage, Max entraîna le policier à part. Il alla droit au but:

— Pourquoi m'avoir caché que Valéria et sa fille ont été torturées?

Kilonzo eut un mouvement de recul.

— Qui vous a raconté ça?

— À la morgue, vous ne m'avez rien dit. Vous étiez au courant, j'en suis sûr.

— Qu'est-ce que ça change ?

— Tout. Un cambrioleur n'aurait pas agi ainsi.

— Elles sont tombées sur un sadique.

— Un vétéran de la guerre contre l'Ouganda, par exemple ?

Kilonzo ne répondit rien. Il observait Max en se demandant si son interlocuteur allait à la pêche. Max, lui, était convaincu d'avoir ferré le bon poisson.

— Votre suspect n'était même pas né à l'époque, fit-il.

— Je ne vois toujours pas le rapport avec l'Ouganda.

Max lui parla de la *kandoya*, que Kilonzo devait avoir pratiquée lui-même. À mesure qu'il lui décrivait la technique de torture, il s'attendait à ce que le policier l'interrompe pour le corriger ou préciser un aspect du supplice.

— Ça ne prouve rien, rétorqua le policier.

— Pourquoi refusez-vous de faire votre travail, Kilonzo ? D'abord, vous ignorez le guérisseur Zuberi pour une raison inconnue. Maintenant, vous tentez de refiler un faux coupable à votre président. Si vous alliez jeter un œil du côté des vétérans de l'intervention contre Idi Amin ?

— Une guerre juste. Qui a libéré l'Ouganda d'un despote cruel et arriéré, lança Kilonzo prudemment.

— Une guerre à laquelle vous avez participé ?

Silence éloquent de Kilonzo, qui se demandait, encore une fois, ce que Max savait réellement.

— Vous aviez quoi, en 1979 ? Vingt-quatre, vingt-cinq ans ? Vous avez fait l'armée, d'après ce que j'ai appris. Les dates concordent. Cet hiver-là, on ne vous a sûrement pas cantonné dans une caserne à cirer des chaussures. C'est la troupe au complet qui s'est lancée à la conquête de Kampala.

Cent mille soldats. En plus des effectifs réguliers, Nyerere avait mobilisé policiers, gardiens de prison et diverses milices. Un raz-de-marée couleur kaki s'était abattu sur les troupes d'Idi Amin.

— Qu'est-ce que vous insinuez, Cheskin ?

— Vous avez probablement eu des contacts avec la Uganda National Liberation Army. Leurs effectifs travaillaient de concert avec l'armée tanzanienne.

— Vous m'accusez d'être responsable de la mort des deux avocates ? Vous êtes complètement cinglé.

— Vous avez frayé avec les rebelles en exil. Ils vous ont montré comment venir à bout des prisonniers récalcitrants. Si les conclusions du médecin vous ont effrayé, c'est justement parce qu'il associe ces rebelles au meurtre de Valéria.

— C'est du délire.

— En ne révélant pas le contenu de son rapport, vous protégez quelqu'un. Peut-être vous-même…

— Taisez-vous, Cheskin ! Ou je vous fais arrêter pour outrage à un officier supérieur de la police.

L'inspecteur était furieux.

— Si jamais je découvre que vous êtes impliqué d'une manière ou d'une autre dans la mort de Valéria, vous le regretterez pour toujours. Vos petites menaces et vos petites médailles ne me font pas peur. Vos outrages non plus.

Max pénétra à l'intérieur de l'édifice, abandonnant un Kilonzo visiblement secoué.

La grande salle avait été débarrassée de ses lourdes tables en tek, remplacées par des chaises droites disposées autour de la pièce. Des chaises vides, comme s'il s'agissait d'un mobilier décoratif, un peu trop propre, trop placé, trop ordonné pour satisfaire cette foule bigarrée, à moitié recueillie, bruyante d'un chuchotement perpétuel. Devant un rideau empesé, au pied d'une petite scène où siégeaient normalement les autorités de la municipalité, une table recouverte d'une nappe marine, sur laquelle les deux cercueils étaient placés. Des couronnes mortuaires de tailles diverses avaient été disposées contre la table, certaines immenses comme des roues de tracteur. Quelques bouquets de fleurs déjà plus ou moins fanées avaient été jetés au hasard et à la hâte. Une grande photo de Valéria et de sa fille, dans leur jardin, une photo visiblement prise à leur insu et que Max avait déjà remarquée dans le salon de la maison, complétait l'aménagement des lieux en remplacement de la photo stalinienne du maire, remisée temporairement dans un coin de la salle, derrière la tribune.

L'endroit était rempli d'amis et de connaissances de Valéria et de Sophie. Des clients aussi. Parmi eux, quelques albinos avec leur allure un peu lunaire, qui se tenaient sous les pales d'un ventilateur. Max ignorait l'envergure de la vie sociale de Valéria. Il était sous l'impression que Sophie et sa mère avaient vécu en vase clos, s'appuyant mutuellement l'une sur l'autre. Elles avaient mené leur vie en marge de la société tanzanienne, dont elles se méfiaient. Leur engagement envers les albinos accusait leurs compatriotes, dans un sens. C'était un jugement négatif sur l'attitude passive des habitants de Bukoba, sur leur complicité, en fait.

Sophie avait-elle un amoureux ? Lors du premier séjour de Max à Bukoba, alors que Valéria recevait un client dans son bureau, il était entré dans la chambre d'amis, où il avait laissé sa valise, pour y découvrir Sophie en train d'embrasser un garçon de son âge. Elle arrivait à peine de Montréal, avait déjà décidé de ne pas y retourner, mais n'avait pas encore annoncé la mauvaise nouvelle à sa mère. Sophie avait cru rentrer à la maison et avoir Valéria pour elle toute seule, et voilà que cet étranger traînait dans les parages.

Au départ, leurs relations étaient tendues. Valéria fit des efforts pour intégrer sa fille à leurs activités mais, après trois jours, elle laissa tomber. Ils mangeaient à tour de rôle, comme dans une cafétéria, Sophie s'efforçant d'éviter Max.

Un matin, il trouva la jeune femme dans la véranda. Il lui fallait briser sa froideur, qui indisposait Valéria. Et rendait Max malheureux.

— J'aime ta mère, Sophie. Et c'est réciproque, je crois.

— Vous vous connaissez à peine.

— Ça n'a pas d'importance.

— Elle ne quittera jamais Bukoba. Vous perdez votre temps.

C'était ce qui la tracassait. Non pas qu'elle doive se séparer de Valéria, mais que sa mère abandonne ses obligations à Bukoba. Sophie, c'était la gardienne de l'engagement social de Valéria.

Max se détendit :

— Tu t'inquiètes pour rien.

— Vous ne voulez pas l'emmener en Europe ?

— Qui t'a raconté cette histoire ?

Peu à peu, les choses s'étaient améliorées, Sophie avait fini par accepter la présence de Max auprès de sa mère, peut-être justement parce qu'il ne l'accaparait pas à temps plein et n'avait pas l'intention de la détourner de son travail et de sa fille chérie. Leurs contacts étaient furtifs, rapides, imprévisibles, volés, en quelque sorte, à leur vie respective. Quand elle avait besoin de stabilité, de souffler un peu, de se recharger, comme elle disait, Valéria pouvait compter sur Bukoba et Sophie, qui l'attendait comme une femme attend son mari au retour d'un voyage d'affaires. De toute façon, la jeune fille était déjà passée à autre chose : ses études en droit à Dar es-Salaam. Une manière différente de se rapprocher de Valéria. Max soupçonnait Sophie de s'être intéressée à la carrière d'avocat en grande partie pour rester tout près de sa mère, pour justifier, en tout cas, qu'elle demeure dans l'entourage de Valéria au lieu de partir de son côté et de fonder une famille, comme le font tôt ou tard tous les enfants.

Il faisait chaud, tout à coup. Dans la salle bondée, l'atmosphère était lourde. Max se fraya un chemin pour trouver un peu de fraîcheur. L'appui de Valéria à la peine de mort pour les trafiquants d'albinos et ses conflits permanents avec Amnistie internationale avaient attiré quelques journalistes qui semblaient s'ennuyer au milieu des invités. Appareils photo en bandoulière, ils regrettaient peut-être de s'être déplacés. À quoi s'attendaient-ils ? À des manifestations bruyantes pour ou contre la décision de Valéria de réclamer la peine capitale pour les trafiquants d'albinos ? Mais ce débat relevait déjà de l'histoire ancienne. Même la mort tragique des deux femmes suscitait peu d'intérêt parmi les médias.

Max s'approcha des deux cercueils. D'autres photos de Valéria et de sa fille, placées sur la table, semblaient être à la disposition des invités. Il saisit l'une d'entre elles. Valéria portait les cheveux plus court, défrisés cette fois. La photo remontait à quelques années avant leur rencontre, peut-être même à la naissance de Sophie. Ou encore à l'époque de ses études universitaires, quand elle avait quitté son village pour de bon.

Valéria lui avait raconté les circonstances de ce départ. Le pasteur anglican qui lui donnait des leçons d'anglais, le directeur de la chorale, avait encouragé Valéria à faire une demande de bourse, ce qui lui permit de déménager à

Dar es-Salaam, dans une école commerciale. C'était une élève exceptionnelle, studieuse, concentrée, avec une discipline de fer – du moins c'était ce qu'elle avait raconté à Max. Issue du fin fond de la savane, elle avait vraiment l'intention de ne jamais y revenir. Elle étudiait avec l'énergie du désespoir, effrayée à l'idée de rater son passage dans la modernité. Ses parents étant analphabètes, ses frères et sœurs n'ayant jamais mis les pieds dans une école, elle était la première, l'une des seules de son village, celle qui ouvrirait le passage aux autres. Une pionnière qui, surprise, était allée vivre à Bukoba une fois son diplôme obtenu à l'Université de Makerere. On lui avait plutôt prédit une carrière dans la capitale, ou ailleurs en Afrique de l'Est, et même en Europe. Mais c'était dans ce bled perdu qu'elle était venue s'enterrer, pour arbitrer des querelles de clôtures et confondre des voleurs de bétail. Mais, surtout, pour donner sa vie aux albinos.

Le pasteur Randy Cousins présidait la cérémonie. Ce personnage jovial à la Desmond Tutu avait déjà eu recours aux services de Valéria. D'une voix chaude et enveloppante, il décrivit l'avocate avec émotion, soulignant ses qualités exceptionnelles d'écoute et de compassion. Elle se mettait dans la peau de ses clients, disait Cousins, elle faisait corps avec leur douleur, elle faisait siennes les peurs et angoisses qui avaient incité ces pauvres gens à prendre leurs maigres économies et à venir lui demander son aide.

Comme s'il attendait ce signal, un albinos vint au micro, en remplacement du pasteur Cousins, pour parler, lui aussi, de sa rencontre avec Valéria. Et avec Sophie également. Et de ce que toutes les deux avaient fait pour lui.

D'autres déclarations suivirent, plus émotives les unes que les autres. Accompagnée de collègues du Women's

Legal Aid Centre, Désirée Lubadsa souligna le travail remarquable de Valéria auprès des femmes de la Kagera.

Une prière commune ensuite, une mélopée traînante et infiniment triste, entonnée par une foule émue et bouleversée.

La chaleur déjà étouffante devenait insupportable, malgré les ventilateurs. Max n'écoutait plus, il essayait de se concentrer sur ce qu'il avait appris jusqu'ici, sur les nouveaux éléments de l'affaire, qui la compliquaient davantage. Il se demandait ce qui pouvait bien relier l'engagement de Valéria envers les albinos et cette guerre oubliée contre Idi Amin.

Quelle avait été l'attitude du dictateur à l'égard des albinos pendant son terrible passage au pouvoir ? Max n'en avait aucune idée.

La surprise de Kilonzo, quand Max l'avait accusé à mots couverts d'avoir trempé dans le meurtre des deux avocates, semblait sincère. Un coup d'épée dans l'eau, un autre.

La cérémonie s'éternisait. Il s'apprêtait à quitter les lieux lorsque la voix du pasteur Cousins se fit entendre :

— Et maintenant, Teresa Mwandenga.

Max s'arrêta aussitôt. Regarda autour de lui.

Teresa Mwandenga.

La comptable de la Colour of Respect Foundation, qui avait fui avec la caisse.

Le pasteur Cousins reprit :

— Teresa a bien connu Valéria et sa fille, elle a travaillé à leurs côtés pendant plusieurs années…

Max aperçut une quadragénaire, cheveux ramenés en arrière, fixés solidement par une barrette. Elle marcha à pas rapides vers le micro que lui tendait l'ecclésiastique.

Perplexe, Max s'approcha de la tribune.

Ch. 16

Écartant la foule, Max O'Brien suivit Teresa Mwandenga à l'extérieur de l'établissement, à l'arrière, un espace en friche qui faisait office à la fois de parking, d'aire de jeu et de terrain vague. La comptable rejoignit, près d'une Mercedes, un type élégant qui fumait une cigarette. Max le reconnut. Il venait de voir sa photo sur la carte de visite fixée à une couronne, près des deux cercueils. Une couronne offerte par la Kagera Farmers Cooperative Bank.

Ce banquier très grand, avec des lunettes, l'air sérieux, Max ne put s'empêcher de penser qu'il représentait la nouvelle Afrique dont avait parlé Jonathan Harris, sur son yacht. Une Afrique moderne, entreprenante, instruite et motivée à sortir le continent de sa torpeur. Depuis quelques années, des types comme lui, rares à Bukoba quand Max y était venu pour la première fois, avaient surgi de nulle part, prêts à entrer en action et à bousculer les habitudes séculaires mais poussives des commerçants et des entrepreneurs locaux.

Avait-il aidé la comptable à perpétrer son méfait ? Avait-il été son complice, lui permettant de maquiller efficacement les livres de la fondation ?

Le retour de Mwandenga à Bukoba pour rendre hommage à Valéria et sa fille pouvait surprendre, mais son absence aurait étonné davantage et incité peut-être la police à s'intéresser à la comptable. Mwandenga savait probablement que les deux avocates n'avaient rien raconté à personne, de peur de nuire au financement de la fondation.

— Madame Mwandenga?

Ils se tournèrent vers Max dans un même mouvement, le banquier le jaugeant de son regard aérien, au-dessus de la mêlée. Pour lui parler, Max devait se tordre le cou. Mais c'est à la comptable qu'il s'adressa:

— Robert Cheskin. J'étais un ami de Valéria et de sa fille.

— Deux femmes extraordinaires, lança le banquier. Tout le monde les adorait à Bukoba. Je ne comprends pas ce qui a pu se passer.

— Un repris de justice, d'après la police. Il a cru que Valéria avait beaucoup d'argent chez elle.

— De Dar es-Salaam, ajouta-t-il avec mépris. Personne de la région n'aurait fait de mal à Valéria.

Sauf les trafiquants d'albinos, songea Max avec amertume.

Il se tourna vers la comptable.

— Je peux vous parler quelques instants?

Comme pour lui demander la permission, Mwandenga leva son regard vers le banquier, qui jetait déjà sa cigarette au loin. Il s'éloigna vers l'entrée de la salle, courbant le dos pour y pénétrer.

— Que puis-je faire pour vous? demanda Mwandenga.

— Je vous croyais dans les Émirats, en train de dépenser l'argent de la fondation.

Mwandenga eut un mouvement de recul.

— Qui êtes-vous? Qu'est-ce que vous voulez au juste?

— Vous étiez certaine, avec raison, que Valéria préférerait ne rien dire au sujet du détournement de fonds. C'est pourquoi vous êtes revenue. Mais c'était un mauvais calcul.

— Qu'est-ce que vous racontez? Quel détournement de fonds?

— Vous êtes partie avec la caisse. Peut-être même avec la complicité de votre ami le banquier.

— Je n'ai aucune idée de ce dont vous parlez.

En quelques mots, Max l'informa de la visite de Sophie à Lamu, peu de temps avant sa mort, sans lui raconter, bien sûr, l'arnaque contre Jonathan Harris par la suite. Mwandenga écoutait avec une attention renouvelée, interloquée d'abord, puis plus triste que furieuse, ne comprenant pas comment et pourquoi Sophie avait pu inventer pareille histoire.

— Je n'ai rien détourné du tout. Si j'ai quitté Bukoba, c'est pour rendre visite à ma mère malade, à Arusha. Demandez à n'importe qui.

— Et les fournisseurs qui n'ont pas été payés? Les dettes qui se sont accumulées?

— La fondation ne roule pas sur l'or, mais nous ne devons rien à personne, à part les engagements courants.

Max ne comprenait plus rien. Ou plutôt, il comprenait trop bien ce qui s'était passé: il s'était fait arnaquer par Sophie. L'impression douloureuse et humiliante, surtout, de s'être fait avoir comme le dernier des amateurs. Il revoyait Sophie à Lamu, avec son sourire résigné, jouant la messagère auprès de cẹ benêt qui ne voyait rien, n'entendait rien, sinon le ronronnement de sa propre suffisance. Il imaginait Sophie communiquer avec Valéria, le soir de son arrivée, lui apprenant que, oui, cet imbécile était tombé dans le panneau, la tête la première, sans même remarquer le sol qui se dérobait sous ses pieds. Un être naïf et inoffensif, si facile à manipuler. Dommage qu'on n'y ait pas pensé plus tôt...

Si Valéria avait été mise au courant, bien entendu. Mais Max imaginait mal Sophie se lancer dans une pareille opération à l'insu de sa mère. Il aurait été simple pour Max d'appeler Valéria et de vérifier les prétentions de sa fille. Précaution inutile, puisqu'il n'avait même pas eu la présence d'esprit de sonder le terrain auprès de Valéria.

Un amateur, un vrai.

Et un gâchis intégral. Qui s'était peut-être retourné contre les deux femmes en provoquant leur mort.

La révélation de la comptable secoua Max et l'affligea. Jusqu'à présent, il s'était illusionné à l'idée que la visite de Sophie, sa demande d'aide, aurait pu préparer le retour en grâce de Max auprès de Valéria. C'était le contraire, plutôt. Les deux femmes avaient monté cette opération avec une froideur et une détermination qui le laissaient sans voix, désorienté, désemparé.

Une vengeance de Valéria à son égard, se dit-il. Elle ne lui avait jamais pardonné de ne pas lui avoir révélé, dès le départ, la nature de son « travail », son « métier » d'escroc, sa « vocation » d'arnaqueur professionnel. La fin abrupte de leur relation lui revint en mémoire, il se souvenait de ce jour-là, à Paris, dans cet hôtel modeste près des Champs-Élysées où Valéria lui avait donné rendez-vous. Elle l'attendait dans le hall, au milieu d'un groupe d'étudiants et de retraités, sac au dos, décalage horaire au visage, en attente d'une chambre bruyante et sans doute enfumée. Dans l'ascenseur minuscule, tous deux collés l'un sur l'autre, elle avait évité son regard comme s'il était un étranger qu'on côtoie par obligation.

Une fois dans la chambre, Valéria se détendit un peu, défit ses cheveux, lui offrit à boire. Déjà, Max avait perçu chez elle une attitude différente, sans en connaître la raison. Elle lui demanda comment il allait, sans trop se soucier de la réponse. Son sourire forcé n'avait rien de la chaleur de leurs rencontres précédentes. Max comprit que quelque chose s'était brisé, mais il n'était pas pressé de savoir quoi. Valéria était incapable de le regarder en face, cette démarche lui demandait beaucoup d'efforts, visiblement. Max n'avait pas l'intention de lui faciliter la tâche.

Valéria ouvrit la fenêtre. Un long moment, elle resta ainsi, dos tourné, hésitante à faire le premier pas.

— Que se passe-t-il, Valéria ? demanda-t-il enfin.

— Tu ne t'appelles pas Robert Cheskin.

À Bukoba, chez elle, Max avait peut-être laissé traîner un chéquier, un passeport, une lettre, ça n'avait pas d'importance. Valéria le regardait cruellement, horrifiée mais remplie d'une curiosité malsaine qu'elle était incapable de réfréner.

— Qui es-tu ?

Alors, Max lui révéla son identité, la vraie, celle qu'il n'utilisait jamais. Il lui raconta sa vie d'escroc, lui décrit les magouilles qu'il échafaudait seul ou en équipe, çà et là, suivant à la trace le fric des nantis, comme ces petits poissons qui se collent à la coque des navires en haute mer, se nourrissant des détritus jetés par l'équipage.

Silence. Tension.

Furieuse, Valéria lui parla de sa fondation, de l'utilité de son travail, de sa mission. De l'obligation pour elle de maintenir en tout temps une attitude exemplaire. Si elle faisait un faux pas, ce n'était pas elle qui en pâtirait, mais tous ces albinos qui dépendaient de ses initiatives. Comment avait-il été cruel au point de lui faire courir un tel risque ? Qu'est-ce qui lui était passé par la tête ?

Max s'approcha.

— Je t'aime, Valéria. Si tu me demandes de mettre fin à mes activités, si tu…

Elle se retourna vivement et le gifla de toutes ses forces. Il fit un pas en arrière, étonné par le geste, qui surprenait même Valéria, maintenant. Comme si sa main avait été dotée d'une vie propre, qu'elle n'avait pu contrôler.

Avant qu'il puisse répliquer quoi que ce fût, elle ouvrit la porte d'un geste brusque, presque théâtral, et dévala l'escalier jusqu'au rez-de-chaussée, écartant sur son passage têtes grises et *backpackers*.

Max se lança à ses trousses.

Sur le trottoir, il la chercha du regard, tout en respirant à pleins poumons comme s'il sortait de l'eau après avoir failli se noyer. D'un pas rapide, il gagna en haletant les Champs-Élysées. Il aperçut Valéria parmi la foule des piétons, au coin de l'avenue George-V.

Quand Max s'approcha, elle se tourna vers lui :

— Si tu m'aimais vraiment, tu ne m'aurais pas menti depuis des mois.

Elle n'avait rien compris. Son amour pour elle, c'était ce qu'il avait de plus précieux au monde, lança-t-il de toutes forces, les mots se bousculant dans sa bouche, trop pressés d'en sortir et de rétablir les faits. Il avait menti pour la protéger. Mais en le lui révélant ainsi, maintenant, il réalisait que ses arguments ne valaient rien. Pouvait-on donner foi aux serments d'un escroc et d'un menteur ? Son amour pour elle ne pouvait être autre chose qu'un amour frauduleux, un leurre, un mirage.

— Va-t'en. Disparais. Je ne veux plus jamais te voir.

Et Valéria, en pleurant, avait disparu elle-même, pour donner l'exemple, se faufilant au milieu des badauds. En montant dans l'avion pour New York, plus tard ce jour-là, Max était ivre.

À l'aéroport JFK, après des heures d'une somno-lence nauséeuse, titubant dans l'aéroport noyé de soleil, il tomba sur un numéro spécial du *Wall Street Journal*, où on s'épanchait à coups de statistiques sur cette fameuse nouvelle Afrique dont tout le monde se gargarisait. Au lieu du sida, des famines et des dictateurs, il y avait une autre Afrique ignorée par les médias, une Afrique entre-prenante, audacieuse, le secret le mieux gardé du vingt-et-unième siècle.

Bref, les conneries habituelles.

Max s'échoua dans un taxi et se laissa dériver jusqu'à son appartement de la 6ᵉ Avenue. Il en occupait trois en permanence dans Manhattan, sous trois identités diffé-rentes, histoire de brouiller les pistes au cas où le filet de la police se resserrerait un peu trop autour de lui et de ses activités.

Pendant des jours, Max resta cloîtré dans son appar-tement. Les rideaux tirés, seul dans la pénombre, une bouteille de Johnny Walker à la main, il ne pouvait s'en-lever Valéria de la tête. Elle se glissait au milieu de ses pensées, surgissait au détour de ses rêves, transformant le jour et la nuit en une sorte de cauchemar perpétuel duquel il était convaincu de ne jamais pouvoir s'extirper. Valéria, qu'il aimait encore, victime de ses goujateries, de ses demi-vérités, de ses inventions mirobolantes. L'es-croc extraordinaire dont elle avait percé le secret avec une facilité déconcertante, et qui se dégonflait, mainte-nant, seul, dans un lieu anonyme, sans passé, sans avenir.

La Jeep de Max s'immobilisa devant une maison modeste de Bukoba Bay, à l'extérieur de la ville. Les vagues, houleuses ce jour-là, venaient mourir au pied de la propriété. À la porte d'entrée se tenait Teresa Mwandenga. Max lui avait fixé rendez-vous après la cérémonie. Elle le fit pénétrer dans sa demeure. Chose certaine, si Mwandenga était coupable de détournement de fonds, elle n'avait pas encore trouvé le moyen d'en faire usage. La maisonnette était propre et bien tenue, paraissait neuve, mais c'était loin d'être un château. Dans la cuisine, où Max se trouvait maintenant, des appareils modestes, rien du luxe auquel on se serait attendu de la part d'une ambitieuse malhonnête. Par rapport à la moyenne des habitants de Bukoba, Teresa s'en tirait très bien, mais on ne pouvait parler d'opulence, loin de là.

Une silhouette apparut dans la porte d'arche qui menait au living-room.

— Je vous présente Matthew, mon mari, dit la dame.

Max le rassura. Il voulait poursuivre leur conversation de tout à l'heure. Éclaircir certains points. Comprendre la raison pour laquelle Sophie avait créé ce mensonge étonnant. Dans quel but ? Valéria était-elle au courant de la manœuvre de sa fille ?

— Ils ont arrêté le coupable, intervint Matthew.

— Oui, bien sûr.

Il était trop tôt pour remettre en cause, devant eux, la compétence de l'inspecteur Kilonzo.

Matthew soupira longuement, puis s'écarta du chemin comme pour donner la permission à Max de s'entretenir avec sa femme et de lui poser ses questions. Qu'on en finisse au plus vite, semblait dire son attitude.

Envahie par le travail durant la journée, Valéria devait attendre le soir, bien souvent, pour s'occuper des tâches administratives de la fondation. Il y avait toujours un formulaire à remplir, un document officiel à compléter, une demande pressante d'un ministère quelconque, ou encore de la part d'Harold Scofield, à Londres, à laquelle répondre.

L'engagement de Valéria s'était accru au cours des dernières années, expliqua Teresa, le volet administratif de son travail était devenu plus lourd encore, l'obligeant à passer de longues heures loin de ses clients réguliers. Par bonheur, elle pouvait compter sur Sophie, qui débroussaillait le boulot durant la journée. Avant son départ du bureau, le soir, Teresa venait faire avancer ou conclure des dossiers avec Valéria.

— Ce jour-là, lui demanda Max, quand Valéria a été tuée, vous aviez travaillé avec elle comme d'habitude ?

— Oui.

— Elle était comment ?

Teresa se tut, jeta un regard à Matthew, qui faisait semblant de s'intéresser à un journal, près de la fenêtre. Puis elle revint à Max.

— Anxieuse, comme si elle pressentait ce qui allait se produire.

Surprise de Max.

— Je l'ai dit à l'inspecteur Kilonzo.

Donc, le policier l'avait interrogée, ce qu'il avait négligé de révéler à Max. Il avait rejoint la comptable chez sa mère, à Arusha.

— Qu'a-t-il répondu ?

— Rien.

— Valéria avait été menacée, récemment ?

— Je ne sais pas. Mais elle était inquiète. Depuis son retour d'Ukerewe, elle écoutait à demi ce qu'on lui disait, elle rêvassait de longs moments au lieu de se concentrer sur son travail. Dès qu'elle entendait un bruit à l'extérieur, elle sursautait. Je ne l'avais jamais vue si agitée.

— Ukerewe ? Albino Island ? Pour y faire quoi ?

Discuter de l'agrandissement de l'école. Celle qui venait d'être construite, dont avait parlé Harold Scofield.

De ce voyage, décidé à la dernière minute, Valéria était revenue trois jours plus tard.

Max demanda à Teresa si elle se souvenait de la date exacte. Au début du mois, répondit la comptable.

— Et elle s'y est rendue comment ? En avion ?

— Non.

— Avec un chauffeur ? Avec Sophie ?

— Toute seule, au volant du Land Cruiser.

Étrange. Valéria n'aimait pas trop la conduite automobile, et en Tanzanie, jamais elle ne s'aventurait seule au volant. Max l'imaginait mal insister pour faire un aussi long trajet sans chauffeur. Teresa aussi, et c'est pourquoi ça l'avait étonnée.

— Et Sophie, que disait-elle de tout ça ?

— Je ne lui en ai pas parlé.

— Vous avez surpris des conversations entre les deux femmes ? Des moments de tension entre elles ?

— Non.

Max ignorait pourquoi Valéria était allée à Ukerewe, mais elle s'y était rendue seule et en était revenue bouleversée. Pourquoi une telle improvisation, Teresa n'en avait aucune idée.

Un voyage sans doute pénible, songea Max. Près de six cents kilomètres sur des routes plus ou moins pavées jusqu'à Mwanza, et le ferry ensuite pour Ukerewe. Valéria aurait très bien pu prendre l'avion – ce qu'elle faisait d'habitude quand elle devait voyager aussi loin, dans la capitale ou à Dar es-Salaam, par exemple, défendre un dossier devant un fonctionnaire quelconque.

Valéria avait pourtant choisi le Land Cruiser, malgré la très grande distance à parcourir et un réseau routier déficient. Il fallait vraiment une raison majeure pour accomplir un tel périple.

— Et Sophie n'était pas surprise de la décision de sa mère de partir seule ?

— Si Sophie était inquiète, elle ne m'en a jamais parlé. Sophie était au courant, forcément. Sinon, elle aurait fait part de ses craintes à Mwandenga ou à d'autres. Plus préoccupant : le voyage éclair de Valéria avait eu lieu au moment où Sophie arrivait à Lamu dans le but de solliciter Max.

Avant de quitter la comptable, il lui demanda :

— Elle vous parlait de Daniel, parfois ?

— Daniel ?

— Un petit garçon. Elle mentionnait peut-être son nom en discutant avec Sophie.

— Ça ne me dit rien.

P. 200

Cette page est blanche

Assis derrière son bureau, Peter Sawyer tenait dans ses mains le petit sac de plastique contenant les deux mèches de cheveux, une brune, une blonde, trouvées par Roselyn dans l'album de son mari. Il les examinait en tous sens comme si, à force de triturer le sachet, il parviendrait à en découvrir la signification. Quelques instants plus tôt, Roselyn lui avait fait part des circonstances de sa découverte et de l'inquiétude qu'elle lui avait causée.

La mèche brune était composée de cheveux frisés, enroulés sur eux-mêmes. Des cheveux crépus, ceux d'un Noir, peut-être. Des cheveux courts, des cheveux d'homme probablement. L'autre mèche réunissait des cheveux filasse, longs et fins. Ceux d'une femme?

— Tu étais au courant de l'existence de cet album? lui demanda Roselyn.

— Non. Norah non plus, je crois. Elle ne m'en a jamais parlé.

— C'était le jardin secret d'Albert.

— Drôle de manie, non?

— C'est ce qui m'a effrayée, répliqua Roselyn. Le côté obsessif de la chose. Étonnant de la part d'Albert.

Il avait choisi de terminer sa vie dans une chambre dont la fenêtre donnait sur le pénitencier où il avait exercé son métier de bourreau. Ce qui était déjà un signe de son obsession. Mais Roselyn n'avait rien vu, préoccupée par la séparation qu'il lui avait imposée. Tournée vers elle-même, elle n'avait pas remarqué la détérioration de l'état mental d'Albert.

— Du côté des parents des suppliciés, du nouveau? lui demanda-t-elle.

Peter haussa les épaules. Sa théorie battait de l'aile. Après avoir transmis ces informations aux services de police concernés, il n'avait obtenu que des réponses négatives. Ou bien les suspects avaient des alibis en béton, ou alors ils étaient devenus des citoyens rangés, exemplaires. Peter semblait déçu de l'absence de résultats. Roselyn était plutôt soulagée. Ça voulait dire que son mari n'était pas tombé aux mains d'un taré assoiffé de vengeance.

— Il ne faut pas se réjouir trop vite. Il est encore possible – même si je ne le souhaite pas – que le responsable de sa disparition soit lié d'une certaine façon à l'une ou l'autre de ces exécutions.

Peter continuait de jouer avec le sachet.

— Je peux en effet demander une analyse d'ADN de ces cheveux. Au point où on en est…

Roselyn sourit. Elle avait requis cette analyse, quelques instants plus tôt, et il avait répondu par un non catégorique. C'était une procédure inhabituelle. Et puis, ces « nouveaux » éléments, il fallait les remettre à Kenneth Brownstein, responsable du dossier. Roselyn ne devait pas entreprendre des recherches à sa place, ni le priver d'informations pertinentes.

Elle lui avait répondu que son collègue accordait peu d'attention à la disparition d'Albert, probablement. Pour lui, c'était un vieil homme diminué, confus. Fallait-il s'efforcer de le retrouver, alors que les dossiers d'affaires plus urgentes s'empilaient sur son bureau ?

Pour Roselyn, par contre, le sort de son mari restait la priorité des priorités. Peter ne pouvait la laisser tomber. Pas maintenant, alors que de nouvelles pistes s'ouvraient.

Le résultat des tests ne serait pas disponible avant quelques jours, lui expliqua Peter. Il les enverrait au Harris County Institute of Forensic Sciences, à Houston. Les données pourraient être recoupées avec celles du FBI, à Washington.

— Autre chose, lança Roselyn : Albert possède une arme à feu.

La veille, Brian Pallister l'avait rappelée. La boîte qu'il était allé chercher à l'entrepôt était devant lui. Roselyn lui avait demandé de l'ouvrir. À l'intérieur, des cibles, des cache-oreilles, des lunettes de protection. Rien d'autre ? avait demandé Roselyn. Rien du tout.

Donc, le revolver qui devait normalement s'y trouver avait disparu. Emporté par Albert, probablement, à l'insu de Roselyn.

Un Beretta qu'elle avait acheté en 1976, quand on avait offert aux femmes des employés des pénitenciers de Huntsville de suivre des cours de tir.

Peter soupira.

— Vous avez le numéro de série de ce Beretta ?

Ce soir-là, Roselyn décida d'aller manger en ville, malgré l'invitation de Peter de partager son repas avec Adrian. Elle avait envie de se changer les idées, mais seule. Elle enfila une robe, arrangea ses cheveux, se maquilla et sortit arpenter la rue principale, comme à l'époque de ses seize ans. Une sensation délicieuse, ça aussi. La nostalgie lui tenait compagnie depuis son retour à Huntsville. Pour la première fois, elle avait envie de ne pas la repousser, de se laisser porter par elle, de ne pas renier son plaisir d'arpenter ainsi cette ville où, après tout, elle avait été heureuse. Maintenant, avec l'âge, l'insouciance de sa jeunesse lui manquait, cette période bénie, bien plus agréable que l'enfance, où les contours encore flous de sa vie d'adulte lui apparaissaient, pleins de promesses.

Les avaient-elles remplies ? Peut-être pas. La mort de Norah avait été un choc épouvantable. Mais Roselyn n'avait pas l'impression que sa disparition avait modifié sa perception de sa propre vie et l'évaluation qu'elle en faisait.

Son seul échec : Albert. Elle n'avait pas su le changer comme elle l'avait souhaité au début de leur mariage. C'était elle, plutôt, qui s'était ajustée à la personnalité de son mari.

Et pourtant, elle l'avait aimé. Et continuait de l'aimer, malgré tout ce qu'elle savait, ou croyait savoir de lui, aujourd'hui. Une autre femme aurait sûrement jugé son comportement inacceptable. Mais elle n'était pas une autre femme, elle était Roselyn Kerensky, qui donnerait n'importe quoi pour voir apparaître Albert, soudain, au détour d'une rue, et le questionner au sujet de ces fameuses mèches de cheveux.

Un trophée, se dit-elle.

Donc, il avait pris plaisir à tuer, et c'était la vraie raison pour laquelle il avait refusé toute promotion. Pour pouvoir continuer d'exécuter en toute impunité et d'ajouter des bouts de cheveux à sa petite collection.

Roselyn était certaine de tomber sur des gardiens de prison, des anciens collègues de son mari, peut-être, peu importe le restaurant qu'elle choisirait, mais ça lui était égal. Elle choisit le Fenian's Pub, qui n'existait pas à l'époque où elle habitait la ville. Une sorte de café-bar irlandais qui se donnait des airs, avec son décor branché – celui d'il y avait cinq ans, à Houston ! – et ses serveuses en collants noirs. Les clients : que des jeunes, des très jeunes mêmes, qui auraient pu être ses petits-enfants. Un jour, bientôt, Adrian viendrait ici avec sa copine.

Elle s'installa au comptoir et fit bientôt connaissance avec le barman – il avait l'âge de Norah – et puis avec d'autres clients, qui se plaisaient à l'aborder. Je me sentirai coupable demain, se dit-elle en dansant avec l'un d'entre eux, qui la fit virevolter comme une adolescente. Roselyn n'avait pas dansé depuis des siècles. Au premier party de Noël de son groupe d'artistes. Un technicien en informatique à la retraite – et en état d'ébriété – l'avait talonnée toute la soirée. Elle s'était juré de ne plus jamais participer à de telles activités.

Mais ici, c'était différent. Après quelques verres de vin, elle se sentit légère, libérée, n'hésitant pas à discuter avec les autres clients, s'intéressant à chacun d'entre eux comme s'il s'agissait de rencontres déterminantes, sachant très bien qu'ils disparaîtraient de sa mémoire dès la soirée terminée. Son insouciance l'étonnait et la ravissait à la fois.

Elle sortit à deux heures du matin, à la fermeture. Le barman verrouilla la porte derrière elle. Lui offrit de la reconduire chez Peter. Mais Roselyn déclina l'invitation. Elle se voyait entrer chez son gendre avec le barman du Fenian's Pub… Une vieille dame avec un jeune homme. Elle se faisait des idées, évidemment. Les intentions du barman étaient sincères et probablement sans arrière-pensée. À son âge – celui de Roselyn –, il ne fallait pas s'attendre à autre chose des hommes.

Roselyn se retrouva seule, tout à coup, en pleine nuit, entourée de plusieurs milliers de prisonniers. Cette situation incongrue la fit sourire. C'était pareil quand elle était jeune, mais elle ne s'en rendait pas compte. Aujourd'hui, elle ne pouvait s'empêcher d'y prêter attention. L'ironie, se dit-elle, ne vient qu'avec l'âge, quand on prend conscience de l'absurdité du monde qui nous entoure.

Tout naturellement, ses pas la guidèrent vers son ancienne maison. Combien de fois Roselyn avait-elle fait semblant de dormir quand Norah rentrait avec un copain, tard dans la nuit? Ou avec Peter, son meilleur ami, celui qui deviendrait son amoureux et lui demanderait sa main. Pourquoi ne s'était-il jamais remarié, celui-là? Trop gentil, peut-être. Et un peu terne, il fallait bien l'admettre. Roselyn imaginait de longues et ennuyeuses soirées avec un policier qui parlait de son métier sans arrêt. Au moins, Albert lui avait toujours épargné la description de ses journées de travail.

La maison avait peu changé. Les arbres croissaient, tout autour et le long de la rue. Les nouveaux propriétaires – un couple de professeurs de la Sam Houston University – avaient repeint la porte d'entrée et changé celle du garage, mais le reste semblait identique. Ça lui faisait tout drôle d'être là, cette nuit, sans pouvoir entrer dans la maison sur la pointe des pieds, se glisser dans sa chambre, se cacher sous les draps. D'y retrouver Albert, encore imprégné de l'odeur de la prison. Mais elle n'était plus cette Roselyn, qu'il avait chassée de sa vie sans ménagement.

Une nuit d'août, quelques années après leur mariage, alors que Norah se trouvait à Camp Connally pour l'été, Roselyn s'était réveillée dans un lit vide et froid. Inquiète, elle avait surpris Albert assis sur la galerie, immobile, perdu dans ses pensées. Elle s'était approchée sans faire de bruit, le croyant assoupi, mais il avait levé le visage vers elle. De son regard émanait une immense tristesse, révélatrice de ce qui le préoccupait. Il y avait eu une exécution, la journée même, voilà sûrement ce qui le tracassait.

Elle s'était accroupie près de son mari sans rien dire et avait senti bientôt son bras qui l'enserrait tendrement. Comme quand elle était toute petite et qu'elle venait se lover contre son père, après le repas du soir. Avec Albert à ses côtés, Roselyn avait la même impression de bien-être, rien ni personne ne pouvant détruire ou même mettre en péril son bonheur de vivre. L'exécuteur en chef de l'État du Texas ne l'aurait jamais permis.

— C'est la mort de cet homme qui t'empêche de dormir ?

— Non. L'absence de Norah.

Roselyn avait été étonnée par la réponse. Chaque été, Norah partait à Big Thicket avec d'autres jeunes de son âge. À Camp Connally, là où, justement, elle ferait bientôt la connaissance de Peter. Adrian allait fréquenter le camp lui aussi, même si son père n'était pas employé d'un établissement pénitentiaire.

— Elle revient dans trois semaines.

— J'ai peur qu'elle se blesse, ou pire encore…

— Tu exagères. Il n'est jamais rien arrivé. L'endroit est sécuritaire.

— J'ai peur quand même.

Cette année-là, quand Norah était rentrée de Camp Connally, il l'avait serrée très fort, plus fort que d'habitude, dès qu'elle était descendue de l'autocar avec les autres enfants.

Norah.

Pauvre Norah.

Elle semblait toujours épuisée, elle dormait tard, le week-end, et la semaine c'était la croix et la bannière pour la sortir du lit et la mettre sur le chemin de l'usine d'aéronautique McCarthy, où elle était agente du personnel. Inquiet, Peter avait incité Norah à parler au médecin de son manque d'entrain, de sa fatigue perpétuelle. Des tests révélèrent qu'elle souffrait d'insuffisance rénale chronique. Ce fut bientôt le va-et-vient permanent entre l'hôpital et la maison, puis les voyages répétés à Houston, où se trouvait le Texas Kidney Institute. Dialyses et autres traitements se multiplièrent.

Un soir, Peter, en rentrant à la maison avec Adrian, l'avait surprise couchée dans son lit, le visage exsangue. Une ambulance la transporta d'urgence à Houston. On lui fit subir une dialyse, une autre. Elle n'avait que quelques semaines à vivre, selon le médecin qui suivait son dossier depuis le début. Pas question de rentrer à la maison.

Albert était complètement dévasté. Il passait ses journées à l'hôpital, au chevet de sa fille, avec Peter. Il était là jour et nuit. Il refusait toute nourriture. À première vue, on aurait dit que c'était lui, le malade en phase terminale. Tout au long de l'agonie de Norah, Albert dépérit lui aussi, peu à peu, comme s'il voulait être solidaire de sa fille. Aux derniers jours, Norah n'était plus consciente, mais Albert restait là, sur une chaise droite, tenant ferme la main de cette enfant tant aimée. Roselyn ne s'était jamais doutée à quel point.

Quand Norah rendit l'âme, Albert se trouvait à ses côtés. Roselyn aussi, bien sûr. Et Peter. Adrian, lui, bouleversé, que ces visites à l'hôpital démoralisaient, n'avait pas eu la force d'accompagner sa famille. Peter l'avait confié à une voisine.

Les dernières semaines, Roselyn s'était occupée des choses concrètes – à la place d'Albert et Peter, complètement atterrés –, donnant l'impression qu'elle cherchait ainsi à se distraire de sa tristesse insupportable. Ce n'est qu'une fois Norah décédée qu'elle se laissa aller à son chagrin, comme si elle n'avait pas voulu, devant son mari et son gendre dévastés, avouer elle aussi sa faiblesse et son impuissance.

Peter avait donné rendez-vous à Roselyn dans un restaurant de la banlieue nord, sur la route de Dallas, à la fin de son quart de travail. Il ouvrit un dossier devant lui, pendant qu'elle sortait un cachet :

— Vous voulez de l'eau, Roselyn ?

— Merci.

Une fois qu'elle eut pris son médicament, il lança :

— La première mèche, celle des cheveux blonds : rien du tout. Avec la deuxième, par contre, les cheveux noirs, ils ont eu plus de succès.

À partir de 1997, les autorités américaines avaient décidé de recueillir systématiquement de tous les prévenus des données d'ADN, qui furent ensuite stockées dans les archives du FBI. Cette procédure « administrative » avait facilité énormément le travail des policiers.

Dès 1993, quatre ans plus tôt, la jurisprudence américaine avait considéré comme irréfutables les preuves liées à l'ADN, ce qui avait fait débloquer un grand nombre de dossiers jusque-là paralysés par l'absence de preuves traditionnelles.

Donc, pour tout criminel ayant été arrêté par la justice américaine depuis 1997, un échantillon d'ADN avait été prélevé, et les données conservées précieusement.

— Les cheveux crépus sont ceux d'Angel Clements. Originaire de la Géorgie, arrêté en 1998 pour vol de voitures. Recel de matériel électronique, aussi. Proxénétisme. Bref, le parcours classique d'un voyou issu des ghettos noirs, comme celui de Savannah.

Enfant abandonné, foyers d'accueil, fugues et fréquentations douteuses. Quelques méfaits avant sa majorité, et puis, à partir de dix-huit ans, les petits crimes s'étaient accumulés, pour aboutir à une condamnation. Trois ans de prison…

— Ici, à Huntsville ?

— Non, en Géorgie.

Roselyn ne voyait pas le lien avec son mari.

— Un membre de sa famille a été exécuté par Albert ? suggéra-t-elle pour relancer Peter au sujet de sa fameuse théorie de la vengeance.

— Il n'a jamais eu de contact avec Albert, ni avec le système pénitentiaire du Texas, du moins officiellement.

— Mais alors…

— Angel Clements a été tué d'une balle dans la tête, le 16 novembre 2006.

Roselyn eut un mouvement de recul. C'était la veille du jour où Albert s'était rendu à l'hôpital, à Galveston, pour soigner sa brûlure à la main.

Peter en était venu aux mêmes conclusions, lui aussi.

— La police de Savannah n'a jamais trouvé l'assassin. On n'a pas non plus retracé l'arme du crime. Mais on sait qu'il s'agissait d'un Beretta.

L'enquête avait conclu à une bagarre entre voyous dans un terrain vague. Vu le passé criminel de Clements, la police n'avait pas fait de zèle. D'autant plus qu'aucune famille ne soufflait dans le cou des agents pour les inciter à trouver le coupable. Le dossier avait été classé rapidement, et oublié encore plus vite.

Trois ans plus tard, quelques cheveux de ce récidiviste se retrouvaient dans l'album « souvenir » de l'ancien bourreau.

Il était tout à fait possible qu'Albert ait été son assassin. C'était même probable.

Mais pourquoi ?

Albert avait récupéré le Beretta de Roselyn, en avait appris le fonctionnement de façon sommaire. S'était-il exercé à tirer sur des cibles de carton ou des boîtes de conserve quelque part à la campagne? Roselyn n'en avait pas la moindre idée. Mais il semblait évident qu'une fois rompu au maniement de l'arme – croyait-il –, Albert s'était rendu à Savannah, avait localisé Angel Clements, l'avait attiré dans un endroit isolé pour l'abattre froidement d'une balle dans la tête.

Mais il s'était blessé en maniant le Beretta. De retour au Texas, l'ancien bourreau s'était arrêté à l'hôpital de la faculté de médecine de l'Université du Texas. Voilà pourquoi il ne s'était pas fait soigner à Huntsville.

— Pourtant, ça ne ressemble pas du tout à Albert, ce comportement, dit-elle.

— C'est aussi ce que je crois.

— Il avait donc fallu des circonstances exceptionnelles pour qu'il ait recours à la violence.

Le mari de Roselyn était un fonctionnaire qui n'aurait jamais levé la main sur personne. N'aurait surtout pas tiré sur quelqu'un avec une arme à feu.

Pour lui, la mort qu'il infligeait aux condamnés n'était pas le résultat d'un acte de violence, mais la décision froide et longuement réfléchie d'un jury, d'un juge, de la Cour d'appel, du gouverneur de l'État, bref de tout l'appareil judiciaire.

Mais dans le cas de Clements, si les soupçons de Roselyn étaient fondés, Albert avait pris la décision exceptionnelle d'agir en dehors de la loi, sans la protection qu'elle lui offrait normalement.

— Pour le punir d'un crime, peut-être.

— Pardon?

— Angel Clements aurait commis un meurtre demeuré impuni, suggéra Roselyn. Albert se serait chargé lui-même d'appliquer la peine de mort.

Peter hocha la tête.

— Peut-être. Mais Clements n'était pas un tueur, il n'avait jamais été interpellé pour ce genre de délit. J'ai plutôt l'impression qu'il a été responsable d'une action contre Albert lui-même. Le fait qu'il ait récupéré le Beretta sans vous en informer, sa maladresse ensuite donnent à croire qu'il s'est rendu à Savannah pour se faire justice.

Selon Peter, Albert avait un compte à régler avec cet inconnu. Et il ne connaissait pas d'autre moyen de le régler qu'ainsi, dans le plus grand secret, sachant très bien qu'on ne remuerait pas ciel et terre pour retrouver le ou les coupables.

— Que suggères-tu ? demanda Roselyn.

— Il faut remettre cette information à Kenneth Brownstein.

chap 18

Le Cessna de Roosevelt Okambo décolla de Bukoba tôt le matin. La veille, après sa rencontre avec Teresa Mwandenga, Max O'Brien avait réservé les services du pilote pour le conduire à l'île d'Ukerewe. La comptable lui ayant remis les données financières de la fondation, Max avait appelé le responsable du compte à la succursale locale de la National Bank of Commerce, qui lui confirma la solvabilité de l'organisme. Max communiqua également avec quelques clients et fournisseurs. Mwandenga ne lui avait pas menti : The Colour of Respect Foundation était en bonne santé financière.

De plus, le magot que Max avait soutiré de Jonathan Harris ne se trouvait nulle part dans les livres de la fondation ni dans les comptes personnels des deux avocates. Max l'avait pressenti : l'argent avait disparu, encaissé par un inconnu – le meurtrier des deux femmes, peut-être.

Dans l'avion, Max consulta la brochure obtenue de la réceptionniste de l'hôtel Lakeview. Couverte de collines, Ukerewe, la plus grande île du lac Victoria, était le paradis des *birdwatchers*. Au programme : aigles et grues couronnées. « La pêche est possible partout autour d'Ukerewe », clamait le document. On y faisait aussi la promotion du cyclotourisme. Des vélos étaient disponibles pour location, un réseau de pistes cyclables sillonnait l'île.

Rien par contre sur les albinos qui s'étaient réfugiés à Ukerewe pour éviter de devenir la proie des trafiquants. On ignorait à quelle époque cet exode avait commencé. Mais les anciens se souvenaient d'enfants albinos abandonnés sur la grève par leurs parents venus des villages riverains du lac Victoria. Des pêcheurs les recueillaient et les confiaient à des familles locales, qui les adoptaient et leur permettaient de mener une vie normale. Enfin, presque.

La plupart d'entre eux, sans éducation, ne savaient ni lire ni écrire. D'où l'importance de l'école Sandy Hill fondée avec l'argent fourni, entre autres, par des bienfaiteurs européens recrutés par le docteur Scofield, à Londres.

Max savait Valéria engagée à fond dans cette initiative, avec une énergie plus intense que jamais. L'école Sandy Hill, c'était son projet fétiche, comme le lui avait confirmé Teresa Mwandenga.

Qu'était venue y faire l'avocate quelques jours avant sa mort ? Max aurait pu appeler Naomi Mulunga et l'interroger au téléphone, mais il jugeait préférable de la surprendre. Non pas qu'il la soupçonnât de quoi que ce soit mais, depuis son arrivée à Bukoba, il avait l'impression de naviguer au grand jour, observé par tous, Kilonzo le premier. L'inspecteur de la police tanzanienne n'était pas au courant de son voyage, en autant que Roosevelt Okambo ne l'en ait pas informé, ce dont Max ne pouvait être certain.

L'île apparut, tout à coup, puis l'aéroport de Nansio, encore plus rudimentaire que celui de Bukoba. Le pilote avait communiqué avec une agence de taxi. Une camionnette attendait Max au bout de la piste de terre rouge.

— École Sandy Hill, s'il vous plaît, demanda-t-il au chauffeur, un adolescent.

Max s'attendait à une balade mouvementée, il ne fut pas déçu. Le jeune homme négociait les virages à la dernière minute, dans un nuage de poussière, poussant à fond son véhicule déglingué comme s'il auditionnait pour un rôle de cascadeur. Lui demander de se calmer eût été inutile. Max fut heureux de descendre du véhicule, devant les installations de l'école. Dans la cour ombragée s'agitaient une cinquantaine d'élèves en séance d'éducation physique, parmi lesquels plusieurs petits albinos. Leur professeur s'approcha de la clôture qui marquait la limite de la propriété.

— Je peux vous aider ?

Max demanda à voir Naomi Mulunga, sans préciser la raison de sa visite, mais en spécifiant qu'il venait à la suggestion du docteur Scofield. Mensonge sans conséquence qui, crut-il, lui permettrait de rassurer la directrice de l'établissement et de l'inciter à le rencontrer rapidement. Tactique erronée : une demi-heure plus tard, Max faisait encore le pied de grue dans la cour centrale, en espérant que Mulunga ne soit pas en train de vérifier ses dires auprès de l'ophtalmologiste.

Des rires d'enfants en provenance d'un local, plus loin. Curieux, Max s'approcha. Dans l'espace dégagé par une grande table reléguée au fond de la pièce, des petits albinos s'amusaient avec des jouets semblables au camion trouvé dans le bureau de Valéria. Max demanda à un enfant de lui montrer son jouet, fabriqué lui aussi avec des résidus de la Mwanza Brewery. Plus loin, dans une sorte de filet, d'autres jouets identiques. Aucun doute : c'était ici que Valéria s'était procuré le petit camion lors de son passage éclair, pour en faire cadeau éventuellement au jeune Daniel. Qui était-il ? Et quel rôle avait-il joué dans la mort de Valéria ?

— Monsieur Cheskin ?

Max se retourna. Le professeur était de retour. Il l'invita à le suivre dans le corridor qui prenait naissance à l'autre extrémité de la cour. Quelques instants plus tard, il lui ouvrit la porte d'une pièce plongée dans la pénombre à cause des volets rabattus sur les fenêtres. Assise derrière son bureau, Naomi Mulunga leva les yeux en voyant entrer Max.

Une albinos d'une quarantaine d'années, ce que ne lui avait pas précisé l'ophtalmologiste.

Max s'excusa d'arriver ainsi à l'improviste. Il enquêtait sur la mort de Valéria et de sa fille. Il lui resservit la même rengaine qu'à Scofield.

Elle l'invita à s'asseoir, en s'excusant de la pénombre.

— Je suis très sensible au soleil.

La pièce était plus fraîche, forcément. Max n'avait pas l'intention de se plaindre.

— Que voulez-vous savoir exactement, monsieur Cheskin ?

— Valéria est venue vous voir quelques jours avant sa mort. Elle a rapporté de son voyage un camion jouet qu'elle destinait à un enfant, Daniel.

— Daniel ?

La dame semblait surprise. Dans la pénombre, Max ne parvenait pas à voir si elle jouait la comédie ou si elle était sincère. En tout cas, le son de sa voix donnait l'impression d'un réel étonnement.

— Je n'ai pas vu Valéria depuis des mois. L'an dernier, en fait.

— Elle n'est pas venue ici se rendre compte des travaux d'agrandissement de l'école ?

— Non.

— À votre insu, peut-être.

— Pour quelle raison ?

— Sans vouloir douter de votre honnêteté, la fondation a consacré beaucoup d'argent à votre établissement. Valéria aurait pu vouloir s'assurer discrètement de la bonne disposition de ces capitaux.

La directrice se taisait. Max regretta d'avoir parlé aussi crûment. Il s'attendait à ce qu'elle le chasse sans plus de cérémonie pour cause d'impertinence, mais elle dit :

— Que connaissez-vous de Valéria Michieka, monsieur Cheskin ?

Max ne savait comment interpréter cette question.

— Vous n'êtes pas policier, bien sûr ? ajouta-t-elle.

Il n'avait pas l'intention de lui révéler la vérité, mais son mensonge ne tenait plus la route. Il lui raconta qu'il enquêtait sur l'assassinat de Valéria et de sa fille à titre privé, convaincu de l'incompétence ou de la mauvaise volonté de la police. Il voulait retrouver les coupables et les remettre à la justice.

Max crut percevoir un sourire dans le visage de la directrice.

— La justice ? Drôle d'idée.

— Celui ou ceux qui ont fait ça doivent être punis.

— Alors, ce n'est pas l'affaire de la justice. Pas dans ce pays, en tout cas.

— Pour quelle raison ?

— Je n'y ai jamais cru.

— À la justice ?

— Oui.

— Valéria, pourtant, y croyait. C'est grâce à elle que la peine de mort a été rétablie en Tanzanie.

— Mais le trafic d'albinos n'a pas cessé.

— C'était aussi l'opinion de Valéria.

Mulunga détourna le regard.

— Et vous, qu'en pensez-vous ? demanda Max.

La directrice éluda la question en parlant de Valéria et de ses causes désespérées, l'avocate ne carburant qu'aux entreprises vouées à l'échec, comme si elle redoutait d'être accusée de paresse ou de laisser-aller si elle s'attaquait à un dossier plus facile que les autres.

— Elle était bien servie avec les albinos, lança Max.

La directrice acquiesça, puis ajouta :

— Vous savez ce qui la motivait, au plus profond d'elle-même ?

— Je crois, oui.

La dame semblait surprise.

— Donc, vous la connaissiez très bien ?

— Suffisamment pour qu'elle me raconte son histoire.

— Alors, elle vous a parlé de moi.

Max hocha la tête.

— Non, désolé.

— Si, si, je vous assure.

D'un mouvement brusque, la directrice se dégagea de son bureau. Max s'aperçut alors que sa jambe droite avait été coupée juste sous le genou.

Il eut un mouvement de surprise.

Regarda la dame de nouveau.

— Venez avec moi, dit-elle.

La tête couverte d'un chapeau à large bord, Naomi Mulunga marchait en s'appuyant sur ses béquilles, mais sans être ralentie par son handicap. Elle confia à Max qu'elle n'avait jamais pu s'habituer à ces membres artificiels que la fondation fournissait aux jeunes éclopés. Quand Valéria l'avait retrouvée, des années après sa mutilation, Mulunga avait déjà pris l'habitude de se déplacer avec des béquilles artisanales. Après ce qu'elle avait subi, chaque pas, aussi difficile fût-il, lui rappelait qu'elle était encore en vie.

Valéria et son père l'avaient abandonnée dans la forêt, la laissant se vider de son sang. Des gens du village, inquiets de son absence, l'avaient vite retrouvée, puis transportée dans un dispensaire tout près. Grâce à l'intervention rapide du médecin, Mulunga avait pu être sauvée.

— Comment avez-vous repris contact avec Valéria ?

— C'est elle, plutôt, qui s'est pointée au village des années plus tard. Je ne l'ai pas reconnue. C'était maintenant une femme de la ville, une avocate, d'après ce qu'elle m'a dit. Elle-même était surprise de me voir vivante, elle venait de l'apprendre. Elle est venue dès qu'elle a su.

— Vous ressentiez de la colère, vous vouliez…

— Non. Mais j'ai compris qu'elle se sentait coupable. Elle voulait réparer, se soulager du poids de sa faute.

Valéria lui avait offert de l'argent, une maison, n'importe quoi. Elle était prête à se ruiner pour faciliter son existence, mais surtout pour libérer sa conscience.

— Je ne savais que répondre, son arrivée était tellement soudaine, sa présence ramenait des souvenirs très douloureux.

Comme elle insistait, Mulunga lui avait répondu : «Je veux apprendre à lire et à écrire.»

Afin de combattre l'analphabétisme, le gouvernement de Nyerere avait imposé à chacune des familles tanzaniennes l'obligation de faire instruire un enfant, n'importe lequel. C'était toujours un garçon, bien sûr. Mulunga n'avait donc pas eu la chance d'aller à l'école.

Valéria s'occupa de lui trouver un professeur, un jeune homme de la région qui vint plusieurs fois par semaine lui enseigner les rudiments de l'orthographe. Plus tard, Mulunga put entrer dans un pensionnat pour jeunes filles à Dar es-Salaam, aux frais de Valéria. L'albinos était beaucoup plus âgée que les autres élèves, mais sa détermination ne faisait aucun doute. Au bout de quelques années, toujours appuyée par Valéria, elle put ainsi réaliser son rêve.

— Mon amputation m'a ouvert les portes de la connaissance, s'exclama Mulunga en riant.

À la fin de ses études, il était naturel qu'elle choisisse de travailler avec Valéria. Ce qui expliquait son rôle de directrice d'école à Ukerewe. Mais auparavant, en collaboration avec Valéria, elle avait œuvré à différentes initiatives dans le cadre de la Colour of Respect Foundation.

Max était surpris que Valéria ne lui ait jamais mentionné le nom de Mulunga, même après lui avoir raconté son crime commis à l'égard de la jeune albinos. Et pourquoi avait-elle inventé ce mensonge, cette fausse visite à Ukerewe ?

— Je l'ignore. Nous n'étions pas très proches l'une de l'autre, malgré le lien qui nous unissait. J'appartenais à un petit tiroir de sa vie, je n'avais pas accès aux autres.

— Elle est donc venue visiter l'école l'an dernier…

— Ou avant. Je peux vérifier, si vous voulez.

— Et elle avait acheté ce cadeau.

— C'est possible.

— Qui pouvait lui en vouloir au point de la torturer avec sa fille et les tuer toutes les deux ? Vous avez une idée ?

— Valéria ne manquait pas d'ennemis mais elle n'a jamais été menacée directement, à ma connaissance. Même quand nous avons commencé à recruter dans les dispensaires.

— Recruter ?

— J'ignore pourquoi, mais les trafiquants sont surtout avides de bébés qu'ils enlèvent à leurs parents pour les remettre aux guérisseurs. Au fil des ans, Valéria avait

remarqué que les maternités étaient des endroits straté-
giques. Plusieurs albinos disparaissaient dès la naissance.
Valéria avait mis sur pied un réseau d'informateurs, en
quelque sorte, qui permettrait à sa fondation de pouvoir
identifier les naissances d'albinos, de localiser les familles
et de leur offrir de déménager à Ukerewe, ou d'y confier
leur enfant en adoption.

— Ces informateurs, elle les choisissait comment?

— Des préposées ou des infirmières, par exemple, qui
avaient à cœur de mettre fin au trafic des albinos.

Cette information intriguait confusément Max. Soudain, la lumière se fit : Samuel Musindo, le meurtrier de
Clara Lugembe, était infirmier dans un village près de
Dodoma. L'avocat Chagula avait parlé de photos disparues, montrant Valéria et Musindo devant le dispensaire
où travaillait le jeune homme.

— Samuel Musindo, c'était un de ces contacts?
demanda Max.

La directrice eut un bref moment d'hésitation, confirmant l'intuition qu'il venait d'avoir.

— Au départ, oui.

— Et c'est la raison pour laquelle Valéria avait tenté
d'effacer toute preuve de ses contacts avec lui. Afin de
ne pas compromettre son procès et sa condamnation
éventuelle.

Max lui expliqua, au sujet des photos.

— Musindo s'est servi de la fondation, reprit Naomi
Mulunga. Il nous faisait croire qu'il souscrivait à notre
projet en nous signalant les nouveau-nés et en nous mettant en contact avec leurs familles. En réalité, une fois sur
deux, il livrait ces poupons au sorcier Zuberi. Valéria l'a
découvert quand il a été arrêté pour le meurtre de Clara
Lugembe. Pendant tout ce temps, elle ne s'était doutée
de rien.

— C'est curieux qu'au procès il n'ait pas évoqué ses contacts avec Valéria.

— Ça n'aurait eu aucun impact sur la suite des choses. Forcément, plusieurs personnes étaient au courant de l'initiative de la fondation dans les maternités du pays. Valéria aurait voulu que Musindo incrimine Zuberi. Ce qui l'aurait peut-être aidé lors du procès. Mais l'infirmier avait refusé, pour une raison inconnue de la directrice. Et même une fois condamné à mort, en attente de son exécution, il avait maintenu sa position.

— Mais qui a photographié Valéria en compagnie de Musindo ?

— Je l'ignore. Le ministre Lugembe connaissait et tolérait l'action de la fondation dans les dispensaires. C'est peut-être lui qui a fait disparaître ces photos, histoire de ne pas compromettre la cause contre le meurtrier de sa fille.

C'était possible. Max comprenait un peu mieux la colère de Valéria et son sentiment de vengeance à l'égard de Musindo. Elle avait fait confiance à l'infirmier, qui s'était montré déloyal. Pour elle, les trafiquants se trouvaient au cœur du trafic, mais le rôle de Musindo prouvait que les racines du mal étaient encore plus profondes, et se déployaient dans toutes les sphères de la société, y compris dans les hôpitaux et les dispensaires où, normalement, les albinos auraient dû trouver sécurité et protection. Pire encore, Musindo avait emporté dans la mort son témoignage, qui aurait neutralisé le guérisseur Zuberi, que Valéria pourchassait depuis toujours, sans succès.

Soudain, au son d'une cloche, des dizaines d'élèves s'échappèrent des salles de classe disposées autour de la cour centrale. Max et la directrice furent bientôt entourés d'une foule d'enfants surexcités, criards et débordant d'énergie. Les albinos y étaient facilement repérables, à leur tête couverte, à leurs verres fumés, aux manches longues de leur chemise. Certains d'entre eux, hélas, montraient déjà un visage marqué du cancer de la peau. À d'autres, il manquait parfois un bras, une main. C'était ici qu'avaient été prises les photos de la publicité de la Colour of Respect Foundation que Max avait vues au Sheraton Centre, à Toronto, quand il avait fait la connaissance de Valéria.

De toute évidence, Naomi Mulunga l'avait entraîné à cet endroit pour le faire assister à cette sortie de classe, à cette cohue d'enfants qui, quelques secondes plus tôt, écoutaient leur maître avec un respect mêlé de crainte.

Chaque fois que Max avait été en contact avec des écoliers africains ou d'ailleurs dans les pays en développement, leur sérieux et leur concentration l'étonnaient. Comme si l'école, même modeste, et le privilège d'y être admis et de s'instruire créaient en eux un formidable sentiment de reconnaissance. Aucun doute : à la loterie du savoir, ces enfants avaient gagné le gros lot.

La directrice se tourna vers le visiteur :

— Valéria s'est efforcée toute sa vie de réparer le mal qu'elle avait fait, et dont elle n'était pas vraiment responsable, même si on ne peut nier la nature de ses gestes. Comme moi, elle venait d'un monde qui refuse de mourir, qui s'accroche faute de solutions de rechange, victime de l'ignorance et de la superstition. Les initiatives de Valéria n'ont pas toujours été bien comprises ; elle a parfois erré, mais a toujours agi dans le but d'aider des gens démunis, isolés, qui n'avaient personne d'autre vers qui se tourner.

Max, songeur, continuait d'observer les enfants, qui s'agitaient dans tous les sens.

Elle ajouta :

— Monsieur Cheskin, rien ni personne ne ramènera Valéria et Sophie parmi nous. Laissez leur mémoire en paix, je vous en prie.

— Vous ne voulez pas que le coupable soit retrouvé ? Qu'il soit arrêté et puni ?

— Je vous l'ai dit : la justice n'est pas le bon outil pour y parvenir. Vos efforts seront inutiles.

— Vous avez une meilleure solution ?

— Cette affaire a déjà causé trop de morts. Trop de douleur. Ça suffit comme ça, non ?

Elle indiqua les enfants. D'une voix solennelle, elle ajouta :

— Nous avons besoin de vivre, dorénavant, et de profiter de la lumière. Pas celle qui brûle la peau, bien sûr, mais l'autre. Celle qui nous éclaire et illumine notre chemin.

chap 19

De retour à Bukoba, Max O'Brien ne cessa de penser aux réflexions de Naomi Mulunga. L'avocat Chagula lui avait conseillé d'aller fouiller du côté du meurtre de Clara Lugembe, et voilà que la directrice de l'école Sandy Hill lui donnait le même conseil, à mots couverts. Son laïus au sujet des recherches qu'il fallait abandonner pour préserver le souvenir des deux femmes ne l'avait pas convaincu. Il ignorait d'ailleurs ce qui motivait sa pensée. Selon lui, on ne pouvait s'affranchir du passé qu'en le confrontant, et non en le balayant sous le tapis, en le niant ou en minimisant ses conséquences.

Max avait cru que la piste de ce camion jouet et le nom de Daniel sauraient lui ouvrir les portes du jardin secret de Valéria, mais ses recherches n'avaient rien donné. Au contraire, le mystère s'épaississait. Il se sentait moins avancé qu'à son arrivée à Bukoba, même si le nom de Samuel Musindo était réapparu.

Le lendemain, sans avoir pris son petit-déjeuner, Max retourna chez Valéria. Il surprit Teresa Mwandenga en train de mettre de l'ordre dans les papiers de la fondation. Devant elle, sur la grande table du bureau, des piles de documents, lettres et dossiers divers. Tous liés à son travail d'avocate.

— Vous vous démêlez dans tout ça ? demanda Max.

— Oui, oui.

— Je peux jeter un coup d'œil ?

— Bien sûr.

La comptable le lui avait déjà confirmé : c'était le soir, une fois son boulot terminé, que Valéria trouvait le temps de s'occuper de la cause des albinos, écrire un article dans une revue spécialisée, répondre à un blogue, ou tout simplement correspondre avec des bailleurs de fonds, à Londres ou ailleurs. D'où les nombreux échanges avec le docteur Scofield.

La chasse aux albinos, véritable économie de l'horreur, s'alimentait à même le côté sombre des croyances africaines, une sorte d'animisme dénaturé qu'on croyait disparu, mais qui n'était jamais très loin sous la surface polie et sans rayure de l'homme neuf que Nyerere, Komba, Lugembe et les autres leaders tanzaniens avaient mis de l'avant.

En examinant les papiers de Valéria, Max mesura encore une fois l'ampleur de son engagement. Elle ne vivait que pour cette cause, y subordonnant tous ses désirs, comme si de vouloir une vie heureuse, sans histoire, pouvait trahir la mission qu'elle s'était imposée, des années plus tôt, après le crime que son père et elle avaient perpétré. Max s'était illusionné sur l'importance de sa présence près d'elle, croyant à tort qu'elle ressentait à son égard ce qu'il éprouvait pour elle, le sentiment d'avoir enfin trouvé la personne avec qui il pouvait vivre une passion exceptionnelle, qui donnerait enfin un sens à son existence. Leur rupture avait été douloureuse, mais davantage pour Max que pour Valéria, croyait-il.

Quelques semaines après leur dernière rencontre à Paris, Max, déprimé, encore sous le choc, était revenu en secret à Bukoba pour l'observer de loin, sans oser l'aborder. Peu à peu, il avait pris l'habitude de ces apparitions impromptues, dans une sorte de masochisme qu'il semblait entretenir avec un certain plaisir. Toujours le même rituel, plus douloureux d'une fois à l'autre. Une indispensable douleur qu'il chérissait.

Au volant de sa Jeep de location, Max dépassait la propriété, cernée de bougainvilliers qui la cachaient de la rue, et se garait plusieurs centaines de mètres plus loin, à une bifurcation de la route. L'endroit était désert. Au loin, des paysans au retour du marché ignoraient cet étranger, amateur de panoramas. Un long moment, Max restait ainsi, accroché au volant, dans l'attente d'une excuse valable pour rebrousser chemin, rentrer en ville et commander au bar de l'hôtel Walkgard, au milieu de la cacophonie des voix des ingénieurs chinois, ce scotch sur glace dont il avait une brûlante envie depuis quelques heures.

Puis Max descendait de la Jeep et marchait vers la plage. La première fois, il avait attendu près de trois heures sous un palmier. Mais ensuite, il avait mieux prévu. Avait choisi un endroit, plus discret d'ailleurs, à l'ombre d'un rocher. Sans s'exposer, Max pouvait balayer du regard toute la plage, déserte, comme d'habitude, uniquement fréquentée par les familles des rares propriétés éparpillées le long de la route, dans l'étroite bande boisée qui la séparait des rives du lac.

La silhouette de Valéria, au loin, marchait dos au soleil, s'approchant des rochers, qu'elle croiserait bientôt sans remarquer Max. Elle paraissait avancer vers lui, mais sans le voir, image assez fidèle de ce qu'ils avaient vécu, tous deux.

Chaque jour, immanquablement, Valéria déambulait ainsi sur la grève, lançant parfois des cailloux dans l'eau, comme une fillette en vacances qui s'ennuie et cherche à passer le temps. Cette fois, pareil aux autres jours, Max sentit en lui, de nouveau, très fort, le sentiment amoureux qu'il éprouvait pour Valéria. Ce sentiment l'avait envahi plusieurs années plus tôt, quand il l'avait rencontrée pour la première fois. Un sentiment qui ne l'avait plus quitté depuis, et ne le quitterait probablement jamais.

Ce jour-là, comme d'habitude, Max avait eu envie de se précipiter sur la plage et de crier son nom, de serrer Valéria bien fort dans ses bras, pour effacer les erreurs et les drames, pour l'obliger à le regarder, lui, plutôt que de regarder à travers lui, ce qu'elle avait toujours fait.

Une fois qu'elle était rendue au bout de la grève, avant qu'elle se retourne et rebrousse chemin, Max regagna la Jeep. Sur la route qui le ramenait au Walkgard, il se sentit envahi d'une grande tristesse. Sa vie n'était-elle vraiment qu'un leurre, non pas à l'égard des autres, mais envers lui-même ? Il était la première victime de ses faux-semblants, le premier pigeon de ses magouilles, celui qui, l'exercice terminé, ne réalisait pas qu'il s'était fait avoir. Au contraire. Un dupe qui continuait à avancer dans la nuit, dans la vie, bandeau sur les yeux, agitant les bras à la manière d'une poupée désarticulée, pourfendant des obstacles qu'il avait créés de toutes pièces.

Pendant que la comptable leur préparait du café, Max s'approcha d'un classeur métallique dont il vérifia les tiroirs un à un. Sans rien trouver de pertinent. Puis il se dirigea vers la chambre de Sophie, négligée lors de sa visite précédente. Loin du désordre relatif des pièces sous la responsabilité de Valéria, la chambre de Sophie était impeccable. Des deux femmes, c'était elle l'organisatrice, les pieds sur terre. Cette chambre le prouvait.

Un autre bureau, coincé entre la commode et le lit. Des dossiers divers, une fois de plus. Dont l'un composé de vieilles coupures de presse – tirées des journaux tanzaniens – concernant le procès de Samuel Musindo. Sophie avait gardé tout ce qui s'était dit et écrit sur cette affaire. Valéria n'avait jamais pu justifier clairement sa position ; ce dossier permettrait peut-être de le faire. En annexe, des statistiques indiquant une nette diminution du trafic des albinos depuis la remise en vigueur de la peine capitale, mais pas au point d'en justifier la pertinence, songea Max. C'était ce que Valéria lui avait révélé, d'ailleurs, le soir où elle l'avait emmené voir la maison du guérisseur Zuberi.

— Parlez-moi des relations entre Valéria et le ministre Lugembe, demanda Max à Teresa Mwandenga quand elle lui servit son café.

Elle releva la tête.

— On les dit très proches, tous les deux, ajouta Max.

— Il la protégeait discrètement, surtout pendant le procès de Musindo. Et même avant.

Une fois entreprise la croisade de Valéria auprès du ministre Lugembe, la situation de la fondation s'était compliquée, expliqua Mwandenga. Valéria avait vite reçu des mises en garde des ONG, mal à l'aise avec sa promotion trop affichée de la peine de mort. Dans la bataille pour sauver la vie des albinos, il fallait être vertueux partout, ce que Valéria refusait d'entériner. Les organismes qui soutenaient sa mission voulaient bien exiger des sanctions plus sévères à l'égard des trafiquants, mais pas au point de réclamer la peine capitale.

Pendant le procès de Samuel Musindo, se rappelait Mwandenga, le conflit s'accentua entre Valéria et ses alliés traditionnels. Amnistie internationale et les autres l'accusèrent de manger dans la main du ministre Lugembe, d'utiliser la mort tragique de sa fille pour parvenir à ses fins. Valéria ne fit rien pour calmer le jeu, ni justifier sa prise de position, estimant qu'elle avait énoncé clairement ses points de vue, et à maintes reprises au cours des derniers mois. Que la fille de Lugembe soit victime, cette fois, ne changeait rien à la chose. Mais le drame avait permis au ministre de s'ouvrir les yeux, enfin.

Tous les jours, sous le regard des caméras, Valéria s'était rendue au palais de justice de Dodoma pour assister au procès de l'infirmier. Samuel Musindo était un jeune homme troublé, d'après les témoins, dépendant de l'éphédra, une drogue inoffensive qu'il prenait à fortes doses, aussi appelée *herbal ecstasy*. Un produit dopant interdit par le ministère de la Santé de la Tanzanie. Sa motivation ? L'appât du gain. Chaque enfant albinos volé de la pouponnière lui rapportait gros. Mais pas assez. Selon sa déclaration à la police – qu'il avait faite spontanément avant l'arrivée de maître Chagula –, il avait accueilli la victime au dispensaire dont il avait la responsabilité. Elle voulait quitter la région, craignant pour sa vie, malgré les gardes du corps et la milice qui la protégeaient. Mais Musindo avait d'autres projets : la refiler au guérisseur Zuberi, qui lui avait promis un bon prix – ce qui fut impossible à prouver, par contre. Voilà qui expliquait la courte détention du guérisseur, que Musindo n'avait pas voulu incriminer.

Quand la jeune fille avait saisi les véritables intentions de l'infirmier, elle avait tenté de fuir. Musindo l'aurait alors giflée pour lui faire entendre raison. Un peu fort. Elle était tombée, s'était fracassé la tête. J'ai perdu l'esprit, dira l'accusé au procès. Le corps ayant été refusé par le sorcier Zuberi, qui avait appris l'identité de la victime, Musindo l'avait fait disparaître dans la décharge industrielle de Dodoma. On l'y avait découvert à la suite d'un téléphone anonyme – sans doute Zuberi lui-même, dans le but évident de ne pas être accusé de complicité.

Au cours du procès qui s'échelonna sur plusieurs semaines, l'avocat Chagula construisit son argumentation sur le fait que le meurtre de Clara Lugembe n'avait pas été commis dans le but de faire le trafic d'albinos, au contraire. Une approche particulièrement malhabile, visiblement improvisée, qui dénotait la panique de l'avocat. Voyant que le jury semblait insensible à cette argumentation, Chagula changea de discours. Il évoqua les problèmes de santé de Musindo, ses allergies chroniques qui nécessitaient une médication soutenue. Parmi les effets secondaires possibles de l'éphédra, des réactions parfois psychotiques. Bref, l'infirmier avait été victime d'une substance illicite qu'il prenait en grandes quantités. L'abus de cette drogue avait entraîné une perte de contrôle, un sentiment d'invulnérabilité. En d'autres termes, l'accusé requérait des soins, un encadrement médical, pas une peine de prison.

Une approche de défense pas très convaincante non plus.

En désespoir de cause, Chagula essaya de brosser un portrait plus positif de Musindo, faisant témoigner des paysans des environs qui décrivirent les soins exceptionnels et la grande disponibilité de l'infirmier. Parmi les employés du dispensaire, il était le plus dévoué, en particulier auprès des démunis.

Mais c'était trop peu, trop tard.

Bien entendu, les spéculations des médias, en Tanzanie et à l'étranger, ne venaient que compliquer le dossier. Rumeurs, ouï-dire, confidences d'informateurs anonymes, la presse de Dar es-Salaam ne reculait devant aucune exagération. Affaire juteuse, il faut bien le dire. Un infirmier drogué avait causé la mort de la fille du ministre de l'Intérieur et risquait maintenant le châtiment suprême. À la suite des pressions de Valéria, notamment.

Au fur et à mesure que la partie adverse déballait son sac de preuves, Valéria jugeait la cause de Musindo indéfendable. Mais aussi qu'il s'agissait d'un cas en or pour le rétablissement de la peine capitale.

Le procès suivit son cours sans interférence politique – du moins en apparence – mais, en coulisse, on se prépara à la mise à mort de l'accusé. Si le jeune homme était déclaré coupable, comme on s'y attendait, il fallait appliquer la sentence dans les plus brefs délais. On ne pouvait le garder au frais pendant des années. La punition qu'on réservait à Musindo devait être exemplaire, parce que le meurtre qu'il avait commis avait valeur de symbole.

L'exécution fut fixée en décembre 2002, soit un mois après l'annonce du verdict, ce qui était conforme à la nouvelle loi tanzanienne que l'Assemblée nationale adopta en vitesse. Maître Chagula interjeta appel, ce qui lui fut accordé, permettant à la défense de reculer l'échéance de quelques mois. Mais l'avocat n'ayant rien de nouveau à soumettre à la cour, le verdict de la première instance fut donc maintenu.

La famille de Musindo tenta le tout pour le tout afin de sauver la vie de l'infirmier, en vain. On s'adressa personnellement à Joseph Lugembe pour lui demander d'accorder la clémence au jeune homme. Bien entendu, c'était au président Komba de décider, en fin de compte.

Mais Komba n'avait pas cédé.

Le 23 juillet 2003, à l'aube, dans une salle spécialement aménagée du pénitencier d'Ukonga, Samuel Musindo apparut, sanglé sur un chariot à roulettes, du genre qu'on utilise dans les hôpitaux. Au lieu de la pendaison, on avait décidé de le faire mourir par injection létale. Les parents du condamné étaient venus rendre une dernière visite à leur fils, la veille, puis étaient retournés se barricader dans un hôtel pour attendre la mauvaise nouvelle.

Musindo, lui, semblait résigné. N'exprimait aucune révolte. Son regard était éteint comme si, déjà, une partie de lui avait déjà fait le grand saut vers la mort.

À six heures précises, une fois les premières injections administrées, le visage du condamné se convulsa, comme s'il était victime d'un mauvais rêve. Puis, après une dernière injection, le visage de Musindo se figea.

L'assassin de Clara Lugembe était mort.

Valéria sortit de la salle sans exprimer d'émotion, mitraillée par une armée de reporters, comme au procès. Elle n'était pas heureuse, non. Triste, plutôt, se rappelait Mwandenga. Elle espérait que le châtiment, largement publicisé, mettrait fin à l'horrible commerce des trafiquants et de ceux qui en profitaient, les guérisseurs en premier lieu, mais aussi leurs clients, partout en Tanzanie et ailleurs en Afrique.

Le voyage de Max à Ukerewe ne lui avait pas permis d'avancer sur d'autres aspects de l'enquête. Victime de l'arnaque de Valéria à son égard, il se demandait toujours pour quelle raison elle avait eu besoin de cet argent, et où celui-ci se trouvait à présent. Et puis, ce voyage discret, juste avant sa mort. Valéria avait fait croire à la comptable qu'elle se rendait à Ukerewe mais, selon la directrice de l'école, l'avocate n'y avait pas mis les pieds.

Où s'était rendue Valéria ? Dans quel but ?

De toute évidence, il importait pour elle de cacher sa destination à tout le monde, y compris sa comptable et la directrice de l'école d'Ukerewe. La volonté de garder le secret expliquait son choix de prendre la route. En avion, Valéria aurait laissé des traces. Elle aurait pu demander à Roosevelt Okambo mais, semble-t-il, elle ne voulait s'encombrer d'aucun témoin. Le Land Cruiser lui permettait d'aller et venir sans se faire remarquer. Et de ne laisser aucune trace de ses déplacements. Elle avait évoqué Ukerewe, destination prévisible, pour éviter les questions embarrassantes, mais s'était rendue ailleurs.

Dans la cour arrière se trouvait le Land Cruiser de Valéria. Personne ne l'avait déplacé.

— Vous avez les clés du 4 × 4 ?

Mwandenga ouvrit un tiroir et sortit quelques clés d'une petite boîte métallique. Elle en tendit une à Max.

D'après la comptable, un mécanicien du village venait parfois vérifier le bon fonctionnement du véhicule. Max se promit de lui rendre visite, au cas où Valéria lui aurait demandé de faire l'entretien du Land Cruiser avant un long voyage. Mais il doutait qu'elle lui eût révélé quoi que ce soit.

Il déverrouilla la portière et s'installa à la place du chauffeur. Rapidement, il fouilla le coffre à gants, poursuivit ses recherches sous les banquettes, puis à l'arrière. L'intérieur était propre, contrairement aux habitudes de Valéria. Sophie, oui, mais pas Valéria. Elle avait pris soin de tout nettoyer une fois le véhicule remis à sa place. Valéria s'était peut-être doutée qu'on pourrait y jeter un œil, comme maintenant.

Donc, elle se méfiait.

Max examina de nouveau l'intérieur du véhicule, en vain. Il descendit pour inspecter la carrosserie : celle d'un véhicule usé, avec les blessures habituelles, mais sans

·dommages récents. Il s'accroupit au niveau du pare-chocs, boueux par endroits ; une terre rouge, crayeuse – la latérite –, qui ne donnait aucun indice sur la destination de Valéria. De vastes régions de la Tanzanie étaient couvertes de cette terre argileuse. Même à Dar es-Salaam, plusieurs rues présentaient une surface semblable.

Des particules de latérite, il y en avait également sur les pneus. En les examinant de près, Max remarqua la présence d'un objet minuscule prisonnier de la boue séchée. Il le dégagea et le nettoya de la terre qui le recouvrait. C'était en bois, de couleur jaune. Perplexe, Max s'interrogea sur cette petite particule qui s'était fichée là par hasard.

Soudain, il comprit. C'était un morceau de tee cassé sur sa longueur et de travers. En le nettoyant davantage, Max distingua la lettre B à moitié effacée, tracée sur la tête du tee. S'il ignorait encore où Valéria s'était rendue avant sa mort, il savait à présent qu'elle avait roulé sur un terrain de golf, ou à proximité.

B pour le Bahari Beach Golf Course, peut-être.

Dont le propriétaire était Thomas Musindo, le père de l'assassin de Clara Lugembe.

P. 236

Cette page est blanche

(S)

Chap- 20

Après le départ de son gendre, Roselyn n'avait pas quitté le restaurant avant un long moment. Seule à la table, elle tenta de comprendre ce qui s'était passé et, surtout, ce qui avait déclenché la furie meurtrière de son mari. Selon Peter, Albert s'était fait justice lui-même. Elle en vint à la conclusion qu'il avait été motivé par une injustice ou une violence qu'on lui aurait faite, à lui ou à un membre de sa famille. Norah ou Adrian, par exemple, ou Roselyn elle-même. Comme elle ne se souvenait pas d'avoir été plongée dans une telle situation, et qu'elle ne croyait pas qu'Albert ait été victime de Clements, elle ne voyait que Norah ou Adrian, ou les deux.

Norah, plus probablement.

Roselyn se rappela ce que Glenn Forrester avait entendu Albert murmurer, au cimetière. «Je le ferai pour toi, Norah. Rien que pour toi.»

Angel Clements s'en serait pris à leur fille, lui aurait causé un tort quelconque, et Albert aurait décidé par la suite de régler les choses à sa manière : une balle dans la tête du coupable. Et on pouvait penser également que l'inconnu aux cheveux blonds avait subi le même sort. Si Roselyn pouvait déterminer le mal fait à sa fille, elle comprendrait mieux la vie secrète de son mari. Et peut-être, si ces événements avaient rapport avec sa disparition actuelle, parviendrait-elle à trouver des indices qui permettraient de le retracer.

Ce soir-là, Roselyn provoqua une longue conversation avec Peter au sujet de Norah. D'ordinaire, Peter évitait d'en parler ; la maladie et la mort de sa femme lui rappelaient de très mauvais souvenirs. Roselyn avait fait son deuil et poursuivi sa route tant bien que mal, mais Peter, non. Chaque fois que le nom de Norah était prononcé, Roselyn voyait les yeux de son gendre s'embuer. Elle préférait alors changer de sujet, de peur de se mettre à pleurer, elle aussi.

Mais que s'était-il passé exactement ? Quel crime Angel Clements aurait-il pu commettre à l'égard de Norah ?

Peter fronça les sourcils.

— Et si vous laissiez travailler la police ?

Roselyn savait qu'il avait remis à Kenneth Brownstein tout ce qu'ils avaient découvert, y compris la collection de mèches de cheveux d'Albert. Elle s'était attendue à ce que le collègue de Peter soit emballé et trouve un nouvel intérêt dans l'affaire, mais sa réaction l'avait désarçonnée. Elle eut l'impression qu'il la prenait pour une vieille folle qui s'amusait à déranger la police pour un oui ou pour un non.

— Tu crois que ton collègue arpente les centres commerciaux et les gares routières à la recherche d'un vieillard égaré ? Il a ouvert un dossier, rempli une fiche, rien de plus.

— C'est un policier très consciencieux.

— J'en doute pas. Tout ce que je dis, c'est : faut s'en occuper nous-mêmes, ne pas attendre après Kenneth ou n'importe qui d'autre.

— Et vous pensez que sa disparition pourrait être liée à Norah?

— Je l'ignore. Je cherche. J'explore.

Peter soupira:

— Norah était une fille très bien. Jamais elle ne se serait liée à un type comme Clements.

— D'accord. Mais Clements aurait pu approcher Norah.

— Elle m'en aurait parlé.

— Peut-être pas. Si elle avait eu honte...

— Honte?

— Imagine la situation suivante: ce Clements lui fait croire qu'il peut lui procurer un médicament miracle, elle perd beaucoup d'argent, elle est furieuse mais se sent idiote d'être tombée dans le piège. Elle en parle à Albert, qui décide d'agir.

— Clements a été tué plusieurs mois après la mort de Norah.

— C'est vrai.

— Elle était très méfiante, elle n'aurait jamais marché dans une combine pareille.

— Ce n'est qu'un exemple, Peter.

Bientôt, Roselyn comprit qu'elle ne pourrait rien tirer de son gendre, sinon un portrait lisse et embelli de son mari et de sa fille. Elle avait beau aborder le sujet sous tous les angles, Peter se défilait sans cesse, comme si cette insistance lui était douloureuse.

— Essaye de te rappeler. Il s'est passé un événement. Lequel, je l'ignore. Mais Norah s'est trouvée en contact avec Angel Clements.

— À ma connaissance, elle n'est jamais allée en Géorgie. Avant qu'on se rencontre, peut-être. Mais nous n'avons jamais fait de voyage ensemble en Géorgie ni ailleurs.

Même pas de voyage de noces, Roselyn s'en souvenait. Peter était de service dès le lendemain matin. Et les autres voyages qu'ils avaient planifiés étaient restés à l'état de projets. Leurs seuls déplacements, finalement : les allers-retours au Texas Kidney Institute de Houston.

Peter hocha la tête. Comment Norah aurait-elle pu rencontrer ce repris de justice ?

— À Houston, peut-être ? À l'hôpital.

— Un patient ?

— Par exemple. Ou un membre du personnel.

Il hocha la tête de nouveau. C'était possible. Il faudrait passer au crible la liste des employés et des patients de l'institut. Une tâche colossale.

— Et Adrian ? Clements s'en est peut-être pris à lui.

Peter regarda Roselyn un long moment, préoccupé, tout à coup. Il semblait interdit.

— Ça va, Peter ? fit Roselyn.

Il détourna les yeux. Se leva. S'appuya contre la fenêtre.

— Qu'est-ce qui se passe ?

— Adrian a peut-être rencontré Clements.

Roselyn se leva d'un bond. Peter se tourna vers elle.

— À Camp Connally.

— Quoi ?

Peter se massa les tempes. La conversation prenait une tournure douloureuse. En quelques mots, Peter raconta ce qui était arrivé à Adrian à l'été 2003, quand il avait participé au camp. Il avait sept ans, il quittait sa famille pour la première fois. Norah et Peter étaient allés le conduire, le samedi matin. Au début, tout s'était bien déroulé, mais un jour Peter avait reçu un appel du directeur : Adrian s'était égaré en forêt pendant une course au trésor. Aussitôt, Peter et Norah s'étaient rendus sur place. On l'avait cherché, en vain. Les autres campeurs et le personnel étaient sous le choc. Des Rangers de Big Thicket patrouillaient les environs, on craignait le pire.

— Mais pourquoi vous ne m'avez rien dit? lança Roselyn. Albert était au courant?

— Norah et moi, on n'a pas voulu vous inquiéter. Ça aurait donné quoi de vous alarmer, tous les deux?

— Où se trouvait Albert, à ce moment-là?

— À la chasse aux sangliers avec Glenn Forrester, répondit Peter. Dans les environs de Bosque River.

Roselyn soupira:

— Les Rangers l'ont retrouvé?

— Après deux nuits d'insomnie, alors qu'on s'apprêtait à faire venir un hélicoptère de Houston, un fermier a appelé la police pour signaler la présence d'un enfant perdu, errant dans son champ.

Adrian ne se souvenait plus de rien, sinon d'avoir perdu connaissance en faisant une chute. Un trou noir, ensuite, avant d'être recueilli par le fermier.

Médusée, Roselyn écoutait son gendre, furieuse d'avoir été tenue dans l'ignorance de ce drame.

— Un pédophile? souffla-t-elle. Clements aurait enlevé Adrian, puis abusé de lui pendant qu'il était inconscient?

— Un médecin l'a examiné. Aucune trace de viol ou d'agression. Aucune marque ou blessure.

Situation étrange, incompréhensible… mais Adrian était revenu sain et sauf, en bonne santé, sans avoir été maltraité, visiblement. Au dire du médecin, il avait pu être victime d'une commotion qui l'avait laissé inconscient pendant plusieurs heures.

— La police a ouvert une enquête, sans résultats.

Bref, l'heureux dénouement incita Norah et Peter à taire la chose. Bientôt, la mésaventure d'Adrian sombra dans l'oubli. L'été se termina sans heurts, mais l'année suivante, Adrian ne retourna pas à Camp Connally.

Un long moment, Roselyn et Peter restèrent devant la fenêtre, sans parler.

— Je suis curieuse de savoir où Clements se trouvait cet été-là, lança Roselyn.

Peter se précipita à son bureau pour consulter le dossier de l'ancien détenu.

— À sa sortie de prison, il est passé par une maison de transition. On devrait avoir des indications sur ses allées et venues.

Peter se racla la gorge, puis :

— Toujours à Savannah. Il n'a jamais quitté la Géorgie, selon ce qu'on dit ici.

— Tu es certain ?

— C'était une exigence de sa libération conditionnelle. Il était encadré de près, on savait à qui on avait affaire.

Une autre piste qui ne menait à rien. Roselyn sentit le découragement l'envahir de nouveau.

— Attendez... fit Peter. On dit aussi qu'il avait demandé à son agent de libération conditionnelle la permission de quitter Savannah pour aller passer une entrevue pour un emploi...

— À quel endroit ?

— Un garage de La Nouvelle-Orléans. Au pénitencier, il avait suivi des cours de mécanique.

Roselyn sursauta.

— Quelles dates ?

Aucune date précise, mais c'était durant l'été 2003.

— La Nouvelle-Orléans, c'est quand même loin, dit Peter.

— Camp Connally est situé juste au nord de Beaumont, à cinquante kilomètres de la frontière de la Louisiane.

— Clements aurait utilisé le prétexte de cette entrevue pour s'y rendre, s'emparer d'Adrian, le droguer d'une manière ou d'une autre, et ensuite lui redonner la liberté et disparaître dans la nature, comme si de rien n'était.

Peter n'avait pas tort. Mais tout cela semblait incroyable.

Pour une raison qu'ils ignoraient encore, et sans comprendre comment, Albert aurait été informé du geste de Clements. En novembre 2006, plusieurs mois après le décès de Norah, qu'était-il arrivé pour inciter Albert à récupérer le vieux Beretta de Roselyn, s'exercer au tir quelque part, discrètement, puis rouler jusqu'à Savannah et mettre une balle dans la tête d'Angel Clements ?

Le lendemain matin, Roselyn prit la route de la Louisiane, avec le nom et l'adresse du garage où Angel Clements avait passé son entrevue pour un emploi de mécanicien, sans succès, puisqu'il était rentré en Géorgie. Piste peu convaincante, très mince, mais la seule dont disposait Roselyn. La seule digne d'une attention particulière. En se rendant à La Nouvelle-Orléans, elle espérait pouvoir faire la lumière sur les liens étranges qui unissaient Albert et cet Angel Clements, par l'entremise d'Adrian.

Avant qu'il parte pour l'école, Roselyn avait interrogé son petit-fils sur les événements de cet été-là, mais il avait été incapable de lui en dire plus qu'à l'époque.

Roselyn roulait vers l'est depuis un bon moment lorsque son portable sonna. C'était Peter. Il lui demanda si tout se passait bien. Il n'était pas très enthousiaste au sujet de ce voyage, mais Roselyn savait pourquoi. Il aurait aimé qu'elle lui demande de l'accompagner. Pas une bonne idée, selon elle. Et puis, il devait rester à Huntsville pour s'occuper d'Adrian. Depuis quelques jours, d'ailleurs, Peter s'était montré plus insistant. Comme si, tout à coup, il s'était investi d'une mission protectrice à son égard.

— Vous me promettez de ne prendre aucun risque ?

De quels risques parlait-il ? Angel Clements était mort depuis longtemps. C'était une vieille histoire, que tout le monde avait oubliée.

— Soyez prudente, c'est tout ce que je vous demande.

Roselyn acquiesça.

Deux heures plus tard, la silhouette des immeubles de La Nouvelle-Orléans lui apparut.

Le Whitney Hotel était exactement le type d'établissement qu'adorait Roselyn. Propre, anonyme, bien tenu, mais sans fla-fla et avec un certain cachet. Elle se mêla avec aisance aux autres clients dans le hall, puis prit l'ascenseur jusqu'à sa chambre, vaste et lumineuse. Le va-et-vient des touristes, dans la rue, rendait le site bruyant, mais les fenêtres semblaient bien insonorisées. Roselyn se doucha, puis découvrit une robe de chambre en ratine derrière la porte de la salle de bain. Elle l'enfila et s'étendit sur le lit. La fatigue du voyage et des derniers jours la rendit somnolente. Elle voyait très bien Albert dans cette pièce, dans cet hôtel, dans cette ville. Pourquoi n'y étaient-ils jamais venus ? Pourquoi avait-il préféré s'emmurer dans ses souvenirs du pénitencier ? Elle l'imaginait se réveillant, la nuit, pour aller feuilleter son album de cheveux, à l'insu de sa femme. Alors qu'ils auraient pu, comme d'autres couples de leur âge, voyager, voir du pays, se payer du bon temps. Retourner au Mexique, par exemple, ou même passer un week-end romantique dans cette ville adorable. Roselyn dut l'admettre : son mari n'était plus amoureux depuis longtemps, depuis la mort de Norah, peut-être. Comme si leur fille avait emporté avec elle tout l'amour dont Albert était capable.

En fin d'après-midi, Roselyn laissa sa voiture au parking de l'hôtel et prit un taxi qui remonta Esplanade Avenue et la déposa dans North Broad Street. Plusieurs maisons et immeubles aux fenêtres placardées donnaient à ce quartier pauvre, entièrement noir, un air lugubre. Elle se sentait un peu inquiète en marchant vers le Pontchartrain Auto Repair, un atelier de réparation flanqué d'une cour protégée par une haute clôture métallique. D'un pas hésitant, elle s'engagea dans l'entrée. Autour, des voitures en morceaux, d'autres rutilantes qu'on venait de repeindre.

Elle était sur le point de rebrousser chemin quand un homme corpulent, en bleu de travail, sortit du bureau pour lui demander ce qu'elle voulait.

— Je cherche mon mari, dit-elle.

La première chose qui lui passa par la tête. Pourquoi une telle réponse ? C'était sorti comme ça, elle n'y avait pas pensé.

Le mécanicien la toisa.

— Il est venu ici ?

— Peut-être. Je peux vous parler ? Vous avez cinq minutes ?

Au fond de l'atelier, qu'elle traversa à la suite du mécanicien, en s'efforçant de ne pas salir ses chaussures, un petit bureau tapissé de photos de femmes nues. Sous le regard indifférent des autres mécaniciens, elle se demanda combien d'entre eux, comme Angel Clements, étaient des repris de justice. Des types qui essayaient de refaire leur vie. De laisser derrière eux, une fois pour toutes, les erreurs de leur passé.

— Je m'appelle Gene Saltzman, dit-il en lui tendant une main étonnamment propre et sans tache de cambouis. Ce garage est à moi. Qu'est-ce que je peux faire pour vous ?

— Mon mari a disparu depuis quelques jours, répondit-elle, sans lui donner de détails. Sans mentionner, surtout, qu'il habitait Huntsville. Elle aurait été obligée d'expliquer, à tout le moins, qu'il avait travaillé pour le service pénitentiaire. L'endroit et le moment étaient peu appropriés pour révéler ce type d'information.

Elle ajouta:

— Il n'est jamais venu ici, j'en suis certaine, mais un ami à lui, que je cherche à retracer, a fait une demande d'emploi dans votre garage. Il y est même venu pour une entrevue, mais n'a pas été retenu pour le travail.

— Son nom?

— Angel Clements. Ça remonte à l'été 2003.

Rien dans le visage de Saltzman ne semblait indiquer qu'il connaissait Clements.

— C'était avant mon arrivée. J'ai repris le garage en 2005.

Il se tourna vers l'atelier:

— Hurley!

Quelques instants plus tard, un vieil homme noir, un silencieux à la main, apparut dans le cadre de la porte.

— Angel Clements, ça te dit quelque chose? En 2003, il aurait voulu travailler ici. Comme mécanicien.

Saltzman se tourna vers Roselyn.

— Il venait de La Nouvelle-Orléans?

— Savannah, en Géorgie.

L'autre se gratta la tête comme s'il s'agissait d'une énigme à résoudre, mais dut déclarer forfait. Une fois que le mécanicien eut regagné l'atelier, Roselyn dit:

— Il a fait de la prison, Angel Clements. Il était en libération conditionnelle quand il a obtenu la permission de venir à La Nouvelle-Orléans. Il répondait peut-être à une annonce dans le journal.

— Ce n'est pas de cette façon qu'on recrute des mécaniciens. Pas ici, en tout cas.

— Clements a fait un sacré bout de chemin.

— Vous êtes allée voir ailleurs ? Dans les autres garages, autour ? Il a peut-être donné une mauvaise adresse.

— Possible.

— Je ne sais pas quoi vous dire. Mes employés viennent directement de Delgado College, l'école de mécanique. Autrefois, bien sûr, le recrutement était plus simple. Suffisait de prendre un jeune avec de la bonne volonté, et de le faire travailler avec un plus vieux. Aujourd'hui, avec l'électronique…

Il sourit.

Roselyn acquiesça.

L'autre dit :

— Mais donnez-moi votre numéro. Si je trouve quelque chose…

Roselyn lui refila celui de son portable.

— Vous êtes de Géorgie, vous aussi ?

— Du Texas, dit-elle, sans donner plus de détails.

En sortant du bureau, Roselyn sentit cette fois le regard des mécaniciens sur elle. Elle était convaincue que quelqu'un, ici, connaissait Angel Clements, qu'on feignait l'indifférence pour éviter les questions indiscrètes.

De retour à l'hôtel, enfilant en vitesse un sandwich sans saveur tiré d'une des distributrices de la réception, Roselyn dut admettre l'évidence : elle devait changer de méthode, sinon elle n'arriverait à rien.

En début de soirée, sans trop savoir où elle allait – le plan fourni par l'hôtel s'avéra inutile –, elle déambula dans le French Quarter, ignorant les airs de jazz surgissant des bars, un peu partout. Des touristes – des jeunes, surtout – buvaient accroupis sur les trottoirs, leurs bouteilles dissimulées dans des sacs en papier. Des ivrognes traversaient la rue en hurlant après les voitures. Un homme pissait contre un lampadaire, un autre s'était évanoui à l'entrée d'un magasin. Ce décor, attrayant le jour, prenait la nuit un aspect repoussant. Cette ville sale sentait à la fois la pizza dégueulasse et le vomi séché. Roselyn se surprit à s'ennuyer de la propreté et du calme de Huntsville. Tout compte fait, se dit-elle, Albert aurait détesté l'endroit.

Chap·21

Une habitude héritée de certains clubs britanniques, selon le président de Tanzania Golf Association que Max O'Brien avait joint au téléphone. De la publicité gratuite, en quelque sorte. Une petite lettre tracée ou gravée sur le tee, qu'on remettait aux joueurs au moment de leur inscription au club. Comme au Kenya ou en Ouganda, les golfeurs tanzaniens formaient une association qui faisait la promotion de leur sport favori et distribuait prix et trophées dans le cadre d'une cérémonie annuelle. Propriétaire d'un magasin de plein air, Haki Suleiman avait joint l'organisation – qu'il présidait maintenant – dans le but de promouvoir le golf auprès de la nouvelle génération d'hommes d'affaires tanzaniens.

— Le sport le mieux adapté à une carrière professionnelle, c'est ce que je répète sans cesse. Sur un parcours, on peut rencontrer des clients potentiels, négocier des contrats ou développer de nouveaux partenariats.

— Fascinant.

Il ajouta :

— Vous saviez que Barack Obama joue au golf régulièrement ?

Max soupira.

— Alors ce B, c'est pour le Bahari Beach Golf Course, oui ou non ?

— Vous avez raison.

— Toujours propriété de Thomas Musindo ?

— D'après mes informations, oui.

Bref, quelques jours avant qu'on pénètre chez elle pour la torturer et l'assassiner avec sa fille, Valéria avait rendu visite au père du meurtrier de Clara Lugembe, la fille du ministre de l'Intérieur, aujourd'hui président de la Tanzanie. Une rencontre étrange, dont Max n'arrivait pas à comprendre le sens. Chose certaine, ce voyage semblait avoir été entrepris sous le signe de la panique. Un événement s'était produit qui avait obligé Valéria à prendre la route de façon urgente, dans le plus grand secret. À son retour, un inconnu s'était pointé chez elle pour la tuer – et ce n'était sûrement pas cette petite frappe que Kilonzo avait exhibée devant les médias.

Le Bahari Beach Golf Course s'étendait à une quarantaine de kilomètres au nord de Dar es-Salaam, sur la route menant à Bagamoyo. Après avoir parlé à Haki Suleiman, Max tenta de joindre Thomas Musindo au terrain de golf, mais il n'obtint aucune réponse.

Par Internet, Max essaya d'en savoir plus à son sujet. Après l'arrestation de son fils, quelques articles rapportèrent l'état de détresse et de désespoir des parents de l'infirmier. D'après les photos disponibles sur le site du *Citizen*, Musindo était un costaud aux bras puissants. Un cliché le montrait devant le *club house*, piégé par les journalistes, obligé de répondre à leurs questions. Sur une autre photo, prise à la sauvette elle aussi, il s'esquivait dans une voiture aux premiers jours du procès. On distinguait une femme, à l'arrière-plan, le visage à moitié caché par l'avant-bras d'un policier qui les guidait vers la voiture. C'était sa femme, déjà malade, qui allait mourir l'année suivante des suites d'une attaque cardiaque, selon une autre coupure de journal.

Dans le *Daily News* et *The Express*, les mêmes clichés, à peu de chose près.

Rien d'autre.

De sa valise, Max extirpa une bouteille de scotch et s'installa sur le canapé, un verre à la main. Il aurait dû dormir, reprendre des forces. Mais il continuait de se creuser la tête, s'efforçant sans succès de trouver le point de rencontre de toutes ces pistes qui semblaient, pour l'instant, courir dans des directions opposées.

Il s'était assoupi quand son portable sonna. Une voix d'homme se fit entendre :

— Vous vous intéressez à moi, il paraît.

Max se redressa. Complètement réveillé, tout à coup.

— Qui êtes-vous ?

— Awadhi Zuberi.

L'avocat Chagula lui avait menti. Non seulement il gardait contact avec ses anciens clients, mais il s'était empressé d'appeler Zuberi après leur rencontre.

— J'aimerais vous parler, répliqua Max.

— Je n'ai rien à voir avec la mort de Valéria Michieka, rétorqua Zuberi.

— Vous savez sûrement des choses qui me permettront de trouver le coupable.

— Je ne sais rien. Je n'ai pas eu de contact avec elle depuis des années.

— Mais vous pouvez peut-être me parler de Samuel Musindo.

Un long silence.

— Je ne suis pas de la police, reprit Max. Et je n'ai pas l'intention de leur répéter ce que je vais apprendre de vous. Je travaille pour mon compte avec un seul objectif : trouver le meurtrier de Valéria et de sa fille. Rien d'autre.

De nouveau, le silence.

La voix de Zuberi était faible, brouillée de parasites, comme s'il téléphonait d'un endroit reculé, difficile d'accès.

— Vous savez où j'habite ?

— Oui. Mais la maison est vide.

— J'y serai. À minuit.

Une heure plus tard, Max filait le long du lac Victoria. L'idée de ce rendez-vous nocturne avec un guérisseur, repris de justice en plus, qui avait peut-être trempé dans le meurtre de Valéria, ne lui plaisait guère, mais c'était sa seule piste. Il ne pouvait la négliger.

À l'extérieur de Bukoba, la noirceur était totale. Opaque. Comme une énorme tache de cambouis répandue sur le paysage. Max roulait à basse vitesse, de peur de frapper un animal ou, pire encore, un de ces paysans qui déambulaient le long de la route.

Mais celle-ci était déserte.

L'avocat Chagula avait décrit Zuberi comme un personnage relativement inoffensif, ce qui ne l'innocentait pas, au contraire. D'où la nervosité de Max.

Mais sa rencontre avec le guérisseur était la première ouverture depuis le début de son enquête.

Au détour du chemin, juste avant Kemondo Bay, un barrage. Quel intérêt la police pouvait bien avoir à se livrer à des vérifications d'identité en pleine nuit ?

Max immobilisa sa Jeep.

D'une camionnette, plus haut sur la route, surgit Henry Kilonzo, frais comme une rose. Max eut la désagréable impression qu'on avait dressé ce barrage uniquement pour l'intercepter, lui.

— Monsieur Cheskin…

Le policier lui souriait.

— Qu'est-ce que vous faites, Kilonzo? La chasse aux voleurs de poules, maintenant que votre meurtrier est sous les verrous?

— Descendez du véhicule, s'il vous plaît. Laissez les clés sur le contact.

Max soupira et ouvrit la portière.

Kilonzo l'entraîna à l'écart pendant que deux policiers dirigés par Bruno Shembazi se jetaient sur la Jeep, vérifiant l'intérieur, le compartiment arrière, examinant même sous le véhicule.

Une autre voiture apparut, qu'on laissa passer sans contrôle d'identité.

Pas de doute, se dit Max. C'est à moi que s'adresse ce petit numéro.

— Je croyais avoir été clair, lança Kilonzo. Cette enquête relève de la police, qui vous a informé de chacun des développements.

— Vous êtes l'officier le plus rigolo de la région des Grands Lacs.

Mais Kilonzo n'avait pas envie de rire.

— Vous êtes allé à Kigali.

— Et alors?

— Qu'est-ce que vous cherchez au juste?

— La vérité.

— Elle est devant vous, la vérité. Nous avons déjà un coupable, qui se mettra bientôt à table.

— Pour avouer quoi? Votre suspect, je n'y crois pas un seul instant. Et vous non plus, d'ailleurs.

— Qu'êtes-vous allé faire au Rwanda?

— Voir un ami.

— Et vous êtes rentré le même jour?

— On s'est disputé.

Un long silence. L'animosité de Kilonzo était palpable, Max aurait dû être prudent et se méfier de l'inspecteur.

Mais il avait hâte d'en finir. Il allait lui dire de cesser de le harceler et de le laisser repartir lorsque Kilonzo lança :

— Depuis votre arrivée dans la région, je me méfie de vous, Cheskin.

— Confidence pour confidence, je ressens exactement la même chose à votre égard.

— Je répète ma question, soupira Kilonzo : vous cherchez quoi, au juste ?

— Le meurtrier de Valéria et de Sophie.

— Je sais. Mais encore ?

— Je ne veux pas vous nuire, si c'est ce que vous craignez. Je me fous de votre supérieur hiérarchique, de votre carrière, de vos états de service. Je n'irai pas clamer sur tous les toits que vous êtes un policier incompétent, sans doute malhonnête, qui a tout fait pour saboter cette enquête.

Kilonzo se taisait, camouflant mal à sa colère.

— Quand j'aurai trouvé qui a tué Valéria et sa fille, reprit Max, je vous promets de quitter ce pays sans faire d'histoires. Maintenant, laissez-moi partir.

Kilonzo s'apprêtait à répondre, lorsque Shembazi, derrière eux, s'écria :

— Inspecteur ! Nous l'avons trouvé.

Les deux hommes se retournèrent. Dans les mains du policier, un sac de plastique dans lequel on pouvait distinguer un revolver.

Max était assis à l'arrière de la camionnette, entre deux costauds, pendant que Shembazi conduisait. Kilonzo, installé à côté de son subalterne, jetait de temps à autre des regards vers le prisonnier. Par la fenêtre, Max chercha à distinguer, au milieu de la nuit, l'endroit où on l'emmenait. Il avait perdu ses repères, on s'était peut-être éloigné du lac. De la noirceur surgissaient tout à coup des gens le long de la route, fantômes anonymes qui s'écartaient docilement au passage du véhicule.

À bord, personne ne disait rien.

Le téléphone de Zuberi venu de nulle part, Kilonzo au courant du voyage à Kigali, le barrage installé précisément sur la route menant chez le guérisseur et destiné à n'intercepter qu'un seul véhicule, le sien. Et maintenant, cette équipée nocturne avec Kilonzo et son équipe de choc.

Max soupira. Tout cela n'augurait rien de bon.

Bientôt la camionnette s'engagea sur un mauvais chemin de gravier.

Max ne put se retenir davantage. Il demanda :

— Où on va ?

Kilonzo lui répondit d'un regard inexpressif.

Que signifiait cette mascarade ?

— Le revolver, c'est pas très original. Ça ne m'intimide pas, Kilonzo. Il vient d'où, au fait ?

L'autre se taisait.

Max risqua une nouvelle tentative :

— Vous savez des choses que j'ignore, sûrement. Je peux peut-être vous apprendre des faits nouveaux. On pourrait collaborer, vous et moi.

— Quels faits nouveaux ? De quoi vous parlez ?

Max ne put s'empêcher d'éclater de rire.

— Pas ici, pas de cette manière. Reprenez votre revolver, ramenez-moi à la Jeep, et laissez-moi filer à mon rendez-vous.

— Quel rendez-vous ?

— Libérez-moi et je vous dirai tout.

La camionnette s'immobilisa enfin devant un entrepôt, une sorte de hangar, plutôt, où se trouvaient d'autres véhicules de la police. Un va-et-vient d'uniformes cessa dès que Shembazi descendit avec son prisonnier. Max reconnut certains des hommes qui avaient enquêté sur la mort de Valéria, autour de sa résidence de Bukoba. Shembazi entraîna Max vers la porte de l'entrepôt, à gauche. Kilonzo les précédait, ouvrant le passage. Sa démarche était rapide, déterminée, autoritaire. Dans cette atmosphère étrange, solennelle, théâtrale, presque, Max avait l'impression de jouer le rôle du protagoniste principal, le héros tragique qu'on attend depuis trop longtemps, et qui fait enfin son apparition sur scène, au grand soulagement des spectateurs.

— Si vous cherchez à m'apeurer, Kilonzo, c'est gagné.

Le policier ne se retourna même pas.

— Taisez-vous.

— Si vous m'écoutiez cinq minutes…

Sans répliquer, Kilonzo lui ouvrit la porte, Max le précéda à l'intérieur. L'endroit servait d'entreposage pour de l'équipement de ferme. Au loin, des spots, d'autres policiers penchés sur le sol, absorbés par leur travail. Des types en sarrau, l'air sérieux.

Une scène de crime, songea Max, nerveux, tout à coup.

Les hommes s'écartèrent en silence.

Kilonzo poussa son prisonnier devant lui. Par terre, un corps gisait, sous une couverture plastifiée ornée du logo de la Kagera Regional Police. D'un geste de la tête, Kilonzo ordonna à un agent de découvrir la dépouille.

Max regarda l'inconnu. Du sang séché couvrait sa poitrine, camouflant ainsi la blessure fatale causée par une arme à feu.

Kilonzo s'approcha du cadavre. Le poussa du bout de son pied.

— Awadhi Zuberi. Pionnier des traitements contre le sida. Bienfaiteur des laissés-pour-compte de l'humanité. Mais tu le connais déjà : c'est toi qui l'as tué. Avec le revolver qu'on a trouvé dans ta Jeep.

Kilonzo revint vers Max. Il l'envisagea un long moment, se sachant observé par son équipe. De toute évidence, le policier savourait chaque seconde de ce moment parfait.

— Ce que tu es allé faire à Kigali, c'est rencontrer Chagula pour qu'il te serve d'introduction. J'ignore ce que tu lui as offert, de l'argent, probablement. Ou alors tu l'as menacé. De quoi au juste ? Ça n'a pas d'importance. L'avocat t'a livré le guérisseur comme tu le voulais.

— Tu délires, Kilonzo.

— C'est aussi ce que croyait Zuberi quand je l'ai mis en garde. Un ancien amant de Valéria Michieka était convaincu de sa culpabilité dans la mort de l'avocate et de sa fille, il chercherait certainement à prendre contact avec lui. Je lui ai recommandé de rester caché, de quitter le pays, même. Mais non, il a fait à sa tête. La curiosité l'a emporté sur la raison. Il t'a appelé à ton hôtel pour te donner rendez-vous.

— Ça suffit, c'est ridicule.

— Lui aussi voulait de l'argent. Tu as refusé de lui en donner. Ou alors vous vous êtes disputés à propos d'autre chose. Ça n'a pas d'importance non plus. Tu t'es senti menacé, tu l'as tué.

— C'est fini ?

— Au contraire. Tout ne fait que commencer.

Il ajouta :

— Depuis quelques jours, on parle d'un escroc qui aurait arnaqué Jonathan Harris, le président de Stellar. Tu connais sûrement. Les téléphones mobiles. C'est un très bon ami de Joseph Lugembe. Le président est furieux de voir qu'on s'est attaqué à une de ses relations, sur le territoire tanzanien en plus. Il a promis à Harris qu'il ferait tout en son pouvoir pour mettre la main au collet de ce salaud.

Un flash éblouit Max.

Près de Kilonzo, un policier tenait un appareil photo à la main.

— Je suis certain que le milliardaire n'aura aucun problème à t'identifier.

Kilonzo sourit.

— Quand j'ai découvert que tu correspondais à la description de ce Robert Flanagan, j'ai compris que mon avenir était assuré. Cet insolent qui traitait la police tanzanienne de haut, qui donnait des leçons à tout le monde, n'était en réalité qu'un petit voyou sans envergure.

Il s'approcha de Max et lui chuchota à l'oreille :

— Tu es mon ticket pour les plus hautes promotions, Cheskin. Déjà, le président m'appelle pour me féliciter de ma perspicacité. Il affirme que je fais honneur à la police tanzanienne, il me prédit un avenir radieux. Au buffet des médailles et des décorations, je n'ai qu'à choisir, la table est à moi.

Il sourit.

— Ne reste plus qu'à retrouver le fric de Harris et les deux enquêtes seront bouclées en même temps. Efficace, non ?

Shembazi tendit à Kilonzo le sac de plastique contenant le revolver.

— Ah oui, j'oubliais. On n'a pas encore vérifié, mais je suis certain que l'enquête prouvera que la balle qui a tué Zuberi provient de l'arme que tu dissimulais dans ta Jeep.

L'inspecteur affichait un sourire triomphant.

— Tout est bien qui finit bien, Cheskin.

Max se sentit envahi d'une grande fatigue. Ce que Kilonzo lui racontait était complètement farfelu, mais son histoire se tenait. Max faisait un coupable idéal, taillé sur mesure pour le crime dont on l'accusait. Et pour d'autres aussi, réels et imaginaires, qu'on s'empresserait de lui mettre sur le dos.

Le piège parfait.

Kilonzo se pencha vers Max, l'obligea à le regarder.

— Tu es tout seul. Le haut-commissariat n'interviendra pas. D'ailleurs, ils ignorent que tu existes, ils sont déboussolés par tes nombreuses identités. Bref, tu es à ma merci, Cheskin ou Flanagan ou peu importe le nom que tu te donnes pour brouiller les cartes. Je peux faire de toi ce que je veux, ce qui me plaît, personne n'en saura jamais rien.

Il ajouta :

— Bienvenue en enfer, Cheskin.

P. 260

Cette page est blanche
(s)

chap 22

Le quartier général de la Kagera Regional Police était installé dans une école désaffectée, qu'on avait recyclée sans en changer complètement l'apparence. Des pupitres traînaient çà et là, vestiges de l'ancienne vocation de l'endroit. Dans les bureaux, des tableaux noirs abandonnés, maintenant barbouillés d'obscénités. À l'arrière de l'immeuble, une nouvelle section où quelques cellules avaient été construites. Odeurs de plâtre frais et de peinture à peine séchée. Quelques instants plus tôt, l'inspecteur Kilonzo avait fait parader Max O'Brien devant un comptoir, menottes aux poings, puis on l'avait assis dans une salle enfumée et vieillotte dont les murs suintaient d'humidité. Là, il avait dû vider ses poches devant un agent au regard étonné. Ensuite, Max avait accompagné sans résistance les policiers jusqu'aux cellules neuves, désertes, curieusement. Comme si on lui donnait l'exclusivité des lieux.

— Un traitement de faveur, lança Kilonzo.

Il le poussa dans la pièce et referma la porte derrière lui. Le bruit de ses pas dans le corridor, ensuite. Puis plus rien du tout, le silence intolérable des endroits sans vie, créés pour donner la mort.

Son cachot était minuscule, mal éclairé le jour – un rai de lumière se frayait avec peine un chemin jusqu'à la couchette – mais inondé de lumière la nuit. Des fluorescents dissimulés derrière une grille étroite comme une plinthe faisaient le tour du plafond et s'allumaient dès le coucher du soleil.

Sa première nuit, Max la passa dans cette ambiance irréelle, à deux pas du cauchemar, errant sans cesse entre veille et sommeil. Le rêve et la réalité se mêlaient en une sorte de bouillie indigeste lui donnant la nausée.

Au petit matin, il sentit qu'on lui tirait violemment les cheveux. Il tomba à la renverse sur le ciment. Debout, à l'écart, Kilonzo l'observait. Le colosse qui l'avait réveillé posa sa botte sur la tête de Max. Il crut que la brute pourrait l'écraser sans effort, comme on écrabouille un fruit trop mûr.

— Walter faisait partie de la Uganda National Liberation Army, que tu sembles affectionner particulièrement, lança Kilonzo. C'est là qu'on s'est connus, lui et moi. Depuis, je le tiens en réserve. Quand j'ai besoin d'impressionner un détenu, je le sors de sa retraite. Ça l'amuse au possible.

De toute évidence, Walter se payait du bon temps.

— Tu avais raison de te questionner à propos de mes états de service durant la guerre contre l'Ouganda. Elle n'aurait pu être gagnée contre Idi Amin si notre armée n'avait pas bénéficié de types comme Walter. Ils nous ont littéralement guidés jusqu'à Kampala.

Max tenta de se dégager, mais le colosse appuya son pied encore plus fort, lui écrasant la tête contre le plancher bétonné de la cellule.

Walter éclata de rire.

— Une guerre qui a permis au monde de se débarrasser d'un tyran sanguinaire, poursuivit Kilonzo. Et pour remercier la Tanzanie, qu'est-ce qu'on a fait ? Rien. Il a fallu payer la note au complet, la communauté internationale nous a laissés tomber. Résultat : notre pays a mis vingt ans pour se remettre sur pied. Vingt ans à éponger les dettes de cette guerre que nous n'avions pas déclarée.

Kilonzo mit la main sur l'épaule de Walter.

— Il peut te tuer facilement, mais ce serait dommage de se débarrasser de toi aussi vite.

— Comme avec Valéria et sa fille.

— Qu'est-ce que tu dis ?

Kilonzo s'était approché.

— Me prends pas pour un imbécile, lança Max. La porte qu'on a défoncée, les traces de torture. La *kandoya*. Cette fois-là, votre bouledogue a perdu le contrôle de ses émotions.

— Tu oses encore m'accuser de leur mort ?

Max se tut. Il s'attendait à un coup de pied de Walter, mais il ne vint pas. Kilonzo s'accroupit près du prisonnier.

— Tu peux contester mes méthodes, Cheskin. Mais je te défends de me traiter de meurtrier.

— Prouve-moi le contraire.

Kilonzo sourit de nouveau. Puis se tourna vers Walter :

— Il veut la preuve de mon innocence. Tu entends ? Depuis le début, ce voyou me traite comme si j'étais un sale nègre sans une once d'intelligence. Ses insultes rejaillissent sur toi, Walter.

D'un grognement, Walter acquiesça.

— Pense à ta mère, reprit Kilonzo. Ta mère violée par un mercenaire blanc d'Idi Amin, payé par Kadhafi. Tu n'as jamais eu l'occasion de te venger, eh bien la voici. Fais-lui mal, Walter. Fais-lui très mal.

Walter agrippa de nouveau Max par les cheveux et l'obligea à se redresser. Les coups se mirent à pleuvoir, régulièrement, comme si le molosse voulait faire durer le plaisir. Dès que Max était sur le point de perdre connaissance, il cessait son manège, puis le reprenait ensuite, avec la même régularité. Lassé du spectacle, Kilonzo avait déjà quitté la cellule. De nouveau, des coups au visage. Max plongea dans le brouillard, pour de bon, cette fois.

Il se réveilla la tête lourde, remplie de sons étranges, de pensées bizarres. Dans le coin de la pièce, une eau fétide, qu'on n'avait pas changée depuis son arrivée, lui servait de lavabo. Il était sale, mais fatigué aussi, son cerveau ne faisait plus le lien entre sa fatigue, sa saleté, une couchette et un bac d'eau savonneuse. Combien de temps avait-il été inconscient ?

Walter revint dans la pièce et reprit son travail, projetant Max dans la nuit, de nouveau.

Et ainsi de suite pendant ce qui lui sembla une éternité. Max essaya de conserver une certaine notion du temps, rythmant tant bien que mal sa réclusion au gré des divers éclairages, artificiels ou non, auxquels on le soumettait. Mais bientôt, de ça aussi il perdit le contrôle.

Sa vie s'était transformée en une sorte de substance sans forme, dans laquelle son esprit errait, oscillant sans cesse entre conscience et inconscience, incapable de s'accrocher à quoi que ce soit.

Un jour, la porte de la cellule s'ouvrit.

Max se cacha la tête dans ses bras, croyant revoir Walter. Des bruits de pas s'approchèrent. Max gardait la tête penchée sur sa poitrine, incapable de bouger, se protégeant tant bien que mal, attendant que les coups pleuvent.

Une main saisit une poignée de cheveux sur sa tête, obligeant Max à regarder l'intrus : l'inspecteur Kilonzo, de nouveau. Il portait son uniforme des grands jours, celui qu'il avait endossé lors des funérailles de Valéria et de Sophie.

Le policier relâcha la tête de Max qui retomba, lourde et pouilleuse, sur sa poitrine.

— Tu diras ensuite que je ne travaille pas pour toi. J'ai réussi à t'éviter un procès, qui serait long et coûteux pour la Tanzanie. En fin de compte, on réussirait à prouver ce que je sais déjà, que tu as tué Awadhi Zuberi, ce qui est formidable, finalement. Un charlatan. Un profiteur. Un exploiteur des pauvres et des malades. Pourquoi gaspiller les fonds publics pour punir celui qui a rendu service à toute la nation ?

Kilonzo regarda Max longuement, puis il ordonna :

— Allez, lève-toi.

Kilonzo et ses hommes l'entraînèrent vers la camionnette, derrière le pénitencier. Max vit un groupe de badauds rassemblés.

— Tout à l'heure, j'ai annoncé à la radio que le meurtrier du guérisseur Zuberi serait transféré au tribunal de Mwanza, où tu seras entendu par un juge. Il déterminera si oui ou non, tu auras droit à un procès.

Max resta muet.

— Mais ce procès n'aura jamais lieu parce que, en route, tu tenteras de t'évader et qu'il faudra te tirer dessus pour éviter qu'un assassin prenne la clé des champs et terrorise la population. De cette façon, tu seras, puni pour ton crime, mais les contribuables économiseront les frais d'un procès fastidieux et inutile...

Avant de le faire monter dans le véhicule, Kilonzo le retint par le col de sa chemise, et l'obligea à se retourner vers la petite foule. Des jeunes surtout, mais des plus âgés aussi. Des pauvres, oui, mais des gens visiblement plus fortunés.

— Pour qu'ils voient bien la tête de l'assassin de leur sorcier préféré, chuchota Kilonzo à son oreille.

Les curieux regardaient Max avec une fascination mêlée de dégoût, remplis de défiance, mais de peur aussi, comme si le monstre pouvait se libérer des policiers et se jeter sur eux pour leur faire subir le même sort qu'à Zuberi.

Kilonzo poussa Max dans la camionnette, qui se mit en branle. D'autres curieux s'étaient postés le long de la route. Les agents avaient de plus en plus de difficulté à contrôler cette horde triste et en colère, à la recherche d'un coupable. Kilonzo leur offrait Max sur un plateau d'argent.

— Prends à droite, ordonna-t-il au chauffeur.

Mais le chemin à droite était bloqué, lui aussi. Le chauffeur dut faire demi-tour et rejoindre la route par une piste à peine carrossable de l'autre côté. Une voiture de police était garée sur l'accotement. Kilonzo lança au chauffeur :

— Allez devant, ouvrez la voie.

— Il y a des gens partout.

— Ouvrez le chemin, répéta Kilonzo.

De sa position, à l'arrière, Max ne pouvait voir l'animation, mais il la devinait par les cris et les klaxons, une Afrique plus bruyante que d'habitude, plus réchauffée aussi, en quête d'un bouc émissaire.

La fourgonnette roulait lentement, malgré l'escorte policière. Le chauffeur jurait sans cesse. La nervosité de Kilonzo déteignait sur Max. Le véhicule prit de la vitesse, tous se mirent à souffler, Max le premier. Mais à la sortie d'un village, un scooter à la renverse empêchait d'aller plus loin. Le chauffeur tenta de contourner l'obstacle comme l'avait fait la voiture de patrouille devant, mais une foule, venue de la route plus haut, probablement, cerna la fourgonnette. Des hommes se pressèrent contre la carrosserie, la poussant de toutes leurs forces, dans le but évident de renverser le véhicule. À l'intérieur, Max et ses gardiens, ballottés, durent se parler à voix haute à cause des coups de poing des assaillants sur la carrosserie.

Kilonzo hurlait des ordres au chauffeur, mais celui-ci fut soudain arraché de son siège quand des dizaines de mains tendues s'agrippèrent à lui. Quelques instants plus tard, la camionnette bascula sur le côté. Max se protégea la tête du mieux qu'il put, tirant de toutes ses forces sur les menottes, déséquilibrant ainsi son gardien, qui se fracassa la tête contre la paroi. Un fouillis indescriptible s'ensuivit, les assaillants tentant de se glisser dans la fourgonnette par la portière du passager. Max, lui, que tout le monde ignorait, fouilla dans la poche du policier inconscient jusqu'à ce qu'il trouve la clé de ses menottes et la glisse dans la serrure.

Dégagé, enfin, il se jeta sur Kilonzo. Il assomma le policier contre la paroi du véhicule, comme son collègue, saisit son revolver au moment où un groupe défonçait la porte arrière. Les menaçant de son arme, il leur ordonna de s'écarter. La vendetta devenait plus périlleuse, tout à coup. C'est plus facile de crier au lynchage quand la victime est sans défense.

Max ne leur laissa pas le temps de se ressaisir. Pendant que les badauds s'éloignaient en pagaille, il sortit du véhicule, revolver à la main, le brandissant bien haut. La foule continua de se disperser. Le tueur était en liberté, armé en plus, un être sanguinaire qui menaçait de mettre un terme à la fête.

Par où aller ?

Max devait trouver un moyen de fuir au plus vite avant que la foule se ressaisisse. Il grimpa sur le talus sous les cris de panique des assaillants, repéra un homme qui tentait de faire démarrer sa moto, le rattrapa, le bouscula, enfourcha la moto qu'il poussa à pleine vitesse. Les badauds s'écartaient sur son passage. Max vit la voiture de patrouille, celle qui les avait précédés jusqu'au village, et qui, maintenant, rebroussait chemin à la rescousse des occupants de la fourgonnette.

Max accéléra. Il se retrouva bientôt sur une route déserte, bordée de cases dont les habitants semblaient ignorer ce qui venait de se passer.

Il roulait droit devant, essayant de sauver sa peau. Il roulait sans s'arrêter, espérant que le propriétaire de la moto ait fait le plein d'essence. Au bout d'un moment, il fut perdu. Des pistes partaient dans toutes les directions. Il devait prendre l'une d'entre elles, pas question de rester sur la route. Mais où menaient-elles ? Il ne connaissait pas le pays, il était une proie facile, trop facile, il lui fallait absolument se planquer quelque part.

Tout à coup, au détour d'une colline, le lac Victoria apparut, grand comme une mer. Un mauvais chemin longeait la grève. Max poussa son engin en direction de la rive, contourna un autre talus, puis se mit à rouler sur la piste, direction nord.

Il reprit de la vitesse.

Avec un peu de chance, se dit-il, il pouvait s'en sortir, atteindre la frontière ougandaise, et trouver un moyen de quitter la Tanzanie. C'était audacieux, mais il n'avait pas le choix. En Ouganda, il tenterait de filer jusqu'à Kampala. Avec un peu de chance, il reprendrait contact avec Jayesh Srinivasan, à Mumbai. Que faire, ensuite ? Rentrer en Tanzanie ? C'était suicidaire, mais il n'y avait pas d'autre possibilité. Il verrait en temps et lieu. L'important, pour l'instant, était d'échapper à Kilonzo et ses hommes.

Max roulait depuis une dizaine de minutes lorsqu'il traversa le village de Rubafu, d'où on pouvait voir Mizinda, en Ouganda. Le long de la route, des résidences cachées par des hautes clôtures ou des murets de pierre garnis de tessons. Mais elles ne l'intéressaient pas. Il poussa la machine à fond pour les derniers kilomètres.

Des yeux, il chercha la frontière. Il fit disparaître la moto dans des broussailles, puis revint à pied vers la grève, sûr de pouvoir monnayer son passage auprès d'un pêcheur. Mais comment? Et avec quel argent? Il n'en avait aucune idée.

Il entendit alors un bruit de moteur familier. Il leva les yeux. Le Cessna de Roosevelt Okambo faisait des boucles au-dessus de la rive.

Le fugitif lui envoya la main. Okambo lui répondit d'un mouvement de l'aile. L'avion s'apprêtait à atterrir, plus loin dans la savane.

Max se mit à courir.

P-270

Cette page est blanche

(5)

23

Roselyn approuvait la peine de mort même si, comme l'indiquaient les statistiques, ce châtiment extrême ne décourageait pas les criminels de tuer et de semer la désolation autour d'eux. Les États ayant aboli la peine capitale n'étaient pas plus violents que les autres, comme le Texas, qui exécutaient à un rythme soutenu. Les criminels ne choisissaient pas le lieu de leurs crimes en fonction de la sévérité de la sentence. Mais elle croyait la peine de mort nécessaire d'un point de vue moral. Une punition, un châtiment, qui n'avait rien à voir avec la vengeance, par contre. La chose insensée et inacceptable, c'était de mettre à mort des innocents. Et il était inutilement cruel de faire attendre les condamnés dans ce qu'on appelait le couloir de la mort. Dans certains cas, une quinzaine d'années et même plus. Et pourquoi créer de faux espoirs en leur faisant croire qu'un ultime téléphone du gouverneur ou d'un quelconque comité des grâces pourrait leur éviter le châtiment suprême ?

Au Texas, en tout cas, la clémence n'était jamais accordée. Au cours de son mandat à titre de gouverneur, George W. Bush n'avait renversé aucune des décisions des jurys pour les cent cinquante-deux exécutions qu'on lui

271

avait présentées – y compris celle de Terry Washington, un handicapé mental dont le quotient intellectuel était équivalent à celui d'un enfant de sept ans. De tels cas soulevaient l'indignation de Roselyn, tout comme les erreurs judiciaires, mais pas au point de réclamer l'abolition de la peine capitale comme l'exigeaient les manifestants qui se rassemblaient devant le Walls Unit le jour des exécutions.

À leurs yeux, Albert Kerensky et son *tie-down team* ne valaient pas mieux que les assassins qu'on leur confiait. Pour Roselyn, par contre, son mari n'était que l'exécutant d'une politique mise en place par des représentants élus démocratiquement. Albert ignorait tout de la vie antérieure des condamnés, de leurs crimes, de leur attitude en prison. Pour se protéger lui-même, peut-être. Il avait dirigé l'exécution de Terry Washington en 1997. Savait-il que l'homme à qui il avait injecté le sérum mortel était un déficient? Les journaux en avaient fait état, impossible qu'Albert ait pu l'ignorer. Et Karla Tucker, l'année suivante? La première femme à avoir été exécutée au Texas depuis 1863. Puis Frances Newton en 2005, coupable d'avoir assassiné son mari et ses enfants. Comment avait-il réagi, ensuite? S'était-il rendu discrètement à l'église, comme il le faisait toujours?

Roselyn l'ignorait. Elle ignorait également s'il avait eu, un jour, envie de tout abandonner. De confier la seringue à un autre, de céder la direction de l'équipe à un subalterne. Il ne l'avait jamais fait, poursuivant mois après mois le même rythme infernal, donnant la mort avec une régularité de métronome. Roselyn se souvint des semaines houleuses précédant sa mise à la retraite. À la maison, Albert s'était montré impatient, irascible. Comme si la perspective de quitter son emploi pour de bon le rendait anxieux et inquiet.

Sa vraie vie, c'était au Walls Unit qu'elle se déroulait, dans cette salle d'exécution lugubre, décorée comme une chambre d'hôpital, et non chez lui, avec sa femme et sa fille. Ne plus travailler, c'était se condamner, lui aussi, à une fin abrupte. Sa maison, c'était son couloir de la mort. Chose certaine, Albert avait gardé un souvenir de chacune de ses exécutions, une sorte de trophée morbide de toutes ses victimes. Au plus profond d'elle-même, Roselyn savait maintenant qu'Albert avait pris du plaisir à tuer ou, du moins, en avait tiré une grande satisfaction. Peut-être même était-ce un besoin viscéral, sa vie n'ayant aucun sens autrement. Elle l'avait toujours considéré comme un exécutant froid et détaché, alors qu'en réalité chacune de ces mises à mort déclenchait chez lui des réactions contradictoires. Il aimait tuer, mais regrettait d'avoir à le faire régulièrement, ce qui expliquait peut-être ses passages à l'église, ensuite. Il ne pouvait s'empêcher de causer la mort, mais s'en voulait d'être incapable de contrôler ses pulsions.

Bref, si son mari était un tueur en série, comme elle le croyait désormais, c'était le plus redoutable d'entre eux, parce que ses meurtres étaient cautionnés et justifiés par la loi. Son obsession et son délire, entérinés par l'État.

Au petit-déjeuner, le lendemain de son retour du Pontchartrain Auto Repair, observant distraitement les parents et leurs enfants dans la salle à manger de l'hôtel, Roselyn perçut à peine la vibration de son téléphone. Elle crut d'abord qu'il s'agissait de Peter, mais l'appel venait de Gene Saltzman.

— J'ai peut-être quelque chose sur Angel Clements.

Le vieux mécanicien s'était rappelé, finalement, de cet ami de Mitch Arceneaux, qui travaillait au garage à l'époque. En lui mentionnant les antécédents criminels de Clements, le mécanicien avait retrouvé la mémoire.

Arceneaux avait parlé de son ami en des termes très élogieux, ce qui avait incité le propriétaire d'alors à vouloir le rencontrer pour lui offrir du travail, éventuellement.

— C'était un mécanicien exceptionnel, il paraît. Et très rapide.

— Pourquoi il n'a pas été engagé?

— Il avait caché au patron son séjour en prison. S'il l'avait avoué d'emblée, sans qu'on le lui demande, il aurait peut-être eu sa chance. Le propriétaire s'est méfié de lui, il a décidé de ne pas l'embaucher.

— Et on le trouve où, ce Mitch Arceneaux?

— Il ne travaille plus ici depuis des années. J'ai encore l'adresse de sa mère, par contre. Quand il est parti, avant de se réinstaller ailleurs, c'est celle-là qu'il avait donnée. Mais je ne sais pas où il vit aujourd'hui.

Après avoir remercié Saltzman, Roselyn délaissa son petit-déjeuner à peine entamé, monta dans sa voiture et prit la direction de Fordoche, au nord-ouest de Baton Rouge.

Tout en roulant sur l'autoroute 10, Roselyn essaya de mettre de l'ordre dans ce qu'elle venait d'apprendre. L'entrevue d'Angel Clements au Pontchartrain Auto Repair n'était qu'un leurre destiné à endormir son agent de libération. S'il était venu jusqu'à La Nouvelle-Orléans, c'était dans le but d'aller kidnapper Adrian à Camp Connally. Pour quelle raison? Et pourquoi Norah avait-elle révélé à Albert ce qui s'était produit, mais sans rien dire à sa mère?

Rosèlyn se sentait écartée de cette histoire, comme si elle était la seule à ne pas avoir été mise au courant. Elle s'en voulait de penser ainsi, regrettant d'accuser sa fille, qui avait sûrement eu une bonne raison pour agir ainsi.

Après Metairie, l'autoroute semblait suspendue au-dessus du lac Pontchartrain, se faufilant au milieu des bayous. Une fois à Baton Rouge, il fallait traverser le Mississippi et continuer vers l'ouest, sur la 190, au milieu d'un paysage champêtre. Des maisons modestes le long de la route, quelques bâtiments de ferme éparpillés dans une plaine verdoyante.

Le boum pétrolier des années 1970 avait assuré la prospérité de Fordoche, du moins à première vue. Située dans une rue à l'écart, la maison de la famille Arceneaux datait d'une époque plus ancienne. Deux étages en bardeaux, façon Nouvelle-Angleterre, agrandis et rafistolés au fil des ans, avec de moins en moins de succès. Idem chez les voisins, comme si tous s'étaient donné pour but de dénaturer le style des maisons. Autrefois, ces demeures avaient dû témoigner d'une certaine richesse. Plus maintenant. De toute évidence, ces habitants n'avaient pas profité des revenus du pétrole.

Roselyn gara sa voiture devant la maison. L'endroit semblait abandonné. Aucune auto dans l'entrée, personne sur le terrain. Une boîte aux lettres rouillée, qui ne servait plus, visiblement.

Peter l'avait exhortée à la prudence, elle avait pris son conseil à la légère. Maintenant, elle se sentait moins rassurée. Mais elle ne pouvait rester indéfiniment dans sa voiture.

Elle ouvrit la portière et se dirigea vers la maison. Les rideaux étaient tirés, aucune vie ne filtrait. Elle sonna, convaincue qu'il n'y avait personne, ou qu'on refuserait de lui répondre.

Une dame entrebâilla la porte, pourtant, alors que Roselyn allait rebrousser chemin. Tablier, cheveux gris en chignon, pantoufles aux pieds. Une femme de son âge mais d'apparence plus vieille. Un chien jappa derrière elle. Un berger allemand. Le salon était plongé dans la pénombre, ou plutôt une grisaille un peu malpropre. La dame vivait seule, c'était évident. Elle avait peur de tout. Ce qui justifiait la présence du chien de garde.

— Je voudrais parler à Mitch, lança Roselyn. Je ne travaille ni pour le gouvernement ni pour une société de perception, je n'ai rien à lui réclamer. Je ne suis pas de la police non plus. Je veux juste lui dire un mot ou deux.

Par la porte entrouverte, la dame l'examina des pieds à la tête. Son regard n'était pas agressif, curieux plutôt. Pareille visite impromptue devait être un événement rarissime.

— Quelques instants, pas plus, reprit Roselyn, quand elle vit que la dame ne bougeait pas.

Elle ajouta :

— Je m'appelle Roselyn Kerensky, j'habite à Houston, au Texas. J'ai fait tout ce chemin pour voir votre fils.

Silence, toujours.

— S'il n'est pas ici, vous pouvez peut-être m'indiquer où je peux le trouver. Je ne lui veux pas de mal, je vous assure. Je suis prête à lui offrir de l'argent pour qu'il accepte de me rencontrer.

Finalement, la dame ouvrit la porte, puis lui tourna le dos, s'enfonçant dans la pénombre. Roselyn considéra son geste comme une invitation à entrer. Prudemment, en jetant des regards autour d'elle, elle pénétra dans la maison.

Ce salon ne semblait plus servir depuis des siècles. Un de ces salons d'autrefois, qu'on regardait de loin, espace interdit à quiconque, vitrine et salle d'exposition pour les visiteurs. Rares, sans doute. Pourtant, la dame, avec son tablier, s'accrochait à un semblant de vie. Le seul invité qui se pointerait un jour, ce serait la mort.

— Vous êtes bien la mère de Mitch ? demanda Roselyn quand la dame se retourna au milieu du salon.

Elle ajouta, un peu plus fort :

— Vous comprenez ce que je vous dis ? J'aimerais parler à votre fils.

D'un geste hésitant, elle alluma une lampe sur une commode. Un rayon d'un soleil faiblard sur la grisaille ambiante, qui n'éclairait rien. La dame invita Roselyn à s'approcher. Sur la commode, devant le miroir, une collection de cadres miniatures, présentant tous le même jeune homme. Quelques photos mortuaires au milieu du lot... Mitch était décédé. Un type d'une trentaine d'années, pas plus. Un sourire ravageur. De grands yeux rieurs.

Et des cheveux blonds comme le blé.

Sur le chemin du retour, Roselyn ne cessait de penser à ce qu'elle venait de découvrir. D'abord, Mitch Arceneaux était un ami d'Angel Clements, sans doute. Il était fort possible aussi, même si ça restait à prouver, que la mèche de cheveux blonds de la collection d'Albert, c'était la sienne. Donc, les deux hommes avaient opéré ensemble.

En discutant avec la mère de Mitch, Roselyn avait appris que son fils était mort accidentellement. À Clear Creek, dans Jackson Parish, où il avait l'habitude de chasser le chevreuil, il était tombé d'un affût dans les arbres. D'autres chasseurs retrouvèrent son corps, le lendemain.

Sans avoir vérifié l'emploi du temps d'Albert, Roselyn était certaine qu'il s'était absenté ces jours-là, pour prendre la route de Clear Creek. Il avait traqué le mécanicien et profité de sa passion pour la sortie en forêt pour le liquider, comme il avait fait avec Clements dans un même élan de représailles, dans une même rage froide et planifiée. Sa façon à lui de se faire justice, et de punir ceux qui s'en étaient pris à son petit-fils.

D'autres questions se bousculaient dans la tête de Roselyn. Que s'était-il passé pendant l'enlèvement d'Adrian ? Comment les malfrats avaient-ils réussi leur coup ? Où Adrian avait-il été détenu ? Et quel mal lui avait-on fait ? Roselyn s'imaginait le pire, mais le pire n'avait pas eu lieu : Adrian était sorti sain et sauf de l'aventure, sans blessure d'aucune sorte. Et pourtant, Albert avait pris des moyens extraordinaires pour tuer ces deux hommes.

Roselyn était incapable de répondre à ses questions. Aucune réponse, d'ailleurs, aurait pu expliquer la disparition récente de son mari. Mais elle sentait d'instinct que les deux événements étaient liés, et que le premier avait enclenché le second.

Et puis, comment Albert avait-il retrouvé les deux ravisseurs ? Sa traque avait été d'une redoutable précision. On se serait attendu à ce qu'il s'épuise dans d'interminables recherches, toujours sur le point d'abandonner. Mais non. Albert avait trouvé et agi vite, en véritable professionnel.

Qu'est-ce que je raconte, se dit Roselyn.

C'est un professionnel.

Un tueur qui avait deux cent trente-quatre exécutions à son actif avant de s'en prendre à Clements et à Arceneaux.

Roselyn se sentait près du but, elle tournait autour de la solution, de la vérité, mais celle-ci se dérobait toujours.

Alors qu'elle s'approchait de la frontière du Texas, son téléphone vibra. C'était Peter, qui l'appelait de Huntsville.

— On a retracé Albert. À Chicago.

Roselyn stoppa sa voiture en marge de la route, sous un concert de klaxons.

— Vous êtes toujours là, Roselyn ?

— Oui.

Une femme de ménage du Holiday Inn avait appelé la police : un des clients correspondait au signalement d'Albert Kerensky. Il avait loué la chambre sous un faux nom, quelques jours auparavant. À l'arrivée de la police, Albert était absent. En fouillant dans ses affaires, on avait pu déterminer sa véritable identité.

— Et où il est, maintenant ? demanda Roselyn.

— Mystère.

— Que fait-il à Chicago ?

— Aucune idée. Dans les choses qu'il a laissées, on n'a rien trouvé de pertinent.

Sinon son numéro de téléphone. La police de Chicago avait communiqué avec la résidence. Mme Callaghan avait refilé la nouvelle à Peter, quelques minutes plus tôt.

— Il n'est pas revenu à la chambre ?

— Non.

La circulation était dense. Roselyn sentait, tout près, les voitures filer à toute vitesse sur l'autoroute. Ce bourdonnement, cette douleur sonore, accentuait sa détresse.

Albert, à Chicago... Albert, qui avait disparu de nouveau.

— Roselyn ?

— Oui.

— Où êtes-vous ?

Tout près de Beaumont, lui répondit-elle. Peter lui offrit de descendre la rejoindre à Houston, ce soir-là. Le lendemain, très tôt, ils pourraient prendre l'avion pour Chicago. Roselyn lui répondit qu'elle préférait rester seule. Pour faire le point.

— Je comprends.

Peter lui donna les coordonnées du policier chargé du dossier. Il lui avait parlé, lui avait expliqué la situation, lui avait révélé qui était Albert Kerensky.

— Si vous avez besoin de quoi que ce soit, n'hésitez pas.

La conversation terminée, Roselyn fondit en larmes. La digue avait cédé, tout à coup. Elle pleura longuement, sans retenue, alors que les automobilistes filaient près d'elle, ignorant son désarroi. Elle serait restée ainsi des heures durant, mais une voiture de police s'arrêta bientôt. Un agent en descendit. En voyant le visage ravagé de Roselyn, il lui demanda si tout allait bien, si elle avait besoin d'aide.

Elle lui expliqua que son mari était en fuite, elle avait failli le retrouver, il avait disparu de nouveau.

Le type acquiesça d'un mouvement de la tête, mais jeta quand même un regard inquisiteur sur la banquette arrière, puis revint à Roselyn.

— Il ne faut pas rester ici. C'est dangereux.

Le policier attendit qu'elle ait démarré et se soit engagée sur l'autoroute avant de démarrer à son tour et de se perdre dans la circulation.

Chap.

24

Deux heures plus tôt, l'appareil de Roosevelt Okambo s'était posé sur l'aéroport privé de Kisarawe, à quarante kilomètres de Dar es-Salaam. En vol, le pilote avait communiqué avec son cousin Godfrey, « le meilleur chauffeur de taxi de la région », qui accueillit Max O'Brien à sa descente d'avion.

Dans la Mercedes, avec le cellulaire neuf fourni par Godfrey, Max réserva une chambre à l'hôtel Kilimandjaro, l'enseigne locale du Hyatt Regency. En quittant Zanzibar après avoir appris l'assassinat de Valéria et de sa fille, Max avait prévu se rabattre sur Dar es-Salaam en cas de mauvais coup, ce qu'il faisait maintenant. Il avait laissé en consigne à l'hôtel un nouveau passeport, une carte de crédit correspondante, un permis de conduire américain et dix mille dollars.

Malgré le port, le plus actif d'Afrique de l'Est, la cimenterie Heidelberg, les immeubles modernes, modestes tout de même par rapport à ceux de Nairobi, sa rivale, Dar es-Salaam avait conservé son ambiance d'ancien village de pêche, une métropole adossée à la mer dans un écrin de verdure, d'où émergeaient clochers, minarets et soucoupes de télévision. Fondée par les

Allemands, mis à la porte à la fin de Première Guerre mondiale, développée par les Britanniques du temps où le pays s'appelait le Tanganyika, elle devint tout naturellement la capitale du nouvel État créé en 1961 par Julius Nyerere. Depuis, le siège du gouvernement avait été déplacé à Dodoma, mais sans convaincre députés et fonctionnaires d'y déménager leurs pénates – à l'exception de Joseph Lugembe, qui y possédait une résidence. Une fois la session parlementaire terminée, tout le monde regagnait Dar es-Salaam, où se trouvaient encore ministères et ambassades.

— Bienvenue au Kilimandjaro, monsieur Coppersmith. Vos bagages suivront, j'imagine ? lui lança le préposé quand il apparut à la réception les mains vides.

— Détournés sur Nairobi, d'après ce qu'on m'a dit.

— Nos boutiques sont à votre disposition. Notre spa, également, pour une remise en forme complète.

— Le safari le plus éprouvant que j'ai vécu.

— Mais que vous n'oublierez jamais, n'est-ce pas ?

— En effet. À propos, j'aurai besoin d'une voiture.

— Ce sera fait, monsieur Coppersmith.

Max s'enferma dans sa chambre. Au-delà des palmiers, au milieu du port, une parade de voiliers lui rappelait le rassemblement des pêcheurs à Shela. Tous les plaisanciers de la ville semblaient s'être donné le mot. On aurait dit des petits mouchoirs posés sur l'eau, s'agitant au gré du vent. Mais Max n'était pas là pour apprécier le paysage. Il composa de nouveau le numéro du Bahari Beach Golf Course. Aucune réponse, aucun répondeur. Il laissa sonner pour le principe, puis abandonna la partie.

Dans deux heures, il ferait nuit. Trop tard, à présent, pour partir à la recherche de Thomas Musindo. Il commanda son repas par téléphone.

Tôt le lendemain, au volant d'une Audi fournie par l'hôtel, Max s'engagea sur la route de Morogoro, direction nord. La sortie de Dar es-Salaam se fit sans encombre, et sans tracas.

Après Kunduchi, Bahari Beach apparut.

Avec un peu de difficulté, Max trouva le terrain de golf, caché derrière un immeuble hôtelier. Devant lui, un complexe avec aires de jeu, salle de banquet et autres installations. Le terrain de golf se trouvait en retrait, comme si on avait voulu le cacher des automobilistes. Il était modeste, un neuf trous probablement. Max emprunta le chemin qui menait au *club house*, entouré de longues pelouses saupoudrées d'acacias. L'endroit était désert. Dans le parking, un seul véhicule, un pick-up Toyota. On se serait cru à des centaines de kilomètres de Dar es-Salaam, et des dizaines d'années plus tôt, dans un de ces clubs privés chers aux Britanniques.

Le bâtiment principal avait la forme d'une bâtisse en long, au toit bas, une sorte de bungalow rustique. La porte d'entrée était verrouillée. Une affichette maculée de traces de doigts indiquait que l'endroit était fermé pour rénovations.

Max regarda autour de lui.

Discrètes, ces rénovations.

À l'hôtel, quand on lui avait indiqué la direction, personne ne l'avait informé de cette fermeture temporaire.

Prudemment, Max contourna le *club house*, mais faillit buter contre un amoncellement de détritus. Des fenêtres étaient placardées, à l'arrière. De vieux caddies traînaient là également. Par terre, une boîte de tees jaunes, renversée. Max en prit un dans ses mains, identique à celui qu'il avait découvert coincé dans le pneu du Land Cruiser de Valéria, orné du B qu'on y avait gravé.

Mais pas de trace de Thomas Musindo nulle part.

Max s'apprêtait à regagner son véhicule lorsqu'il entendit un bruit distinct. Très faible, oui, mais il s'agissait bien d'un moteur. Il se tourna vers le terrain de golf. Quelqu'un s'occupait à tondre le gazon, au loin là-bas.

Après un moment d'hésitation, Max s'y dirigea, empruntant le même trajet que les golfeurs. Le premier green était dans un état moins lamentable que l'allure du *club house* le laissait présager. La pelouse avait été taillée récemment, et avec soin.

Max aperçut le tracteur près du deuxième green. Il pressa le pas. Le moteur du véhicule roulait tout seul. Max regarda à la ronde. Personne. Il s'approchait du tracteur lorsqu'une voix le fit se retourner :

— Je peux vous aider ?

Un homme dans la cinquantaine émergeait d'un bosquet en zippant son pantalon. Visiblement, Max avait perturbé chez lui un pressant besoin.

— Vous êtes Thomas Musindo ? fit-il, connaissant déjà la réponse. D'après les photos, Musindo était costaud, genre fermier, celui-là était grand, avec un style plutôt urbain.

— Parti. C'est moi le nouveau propriétaire.

— Et vous savez où on peut le trouver ?

— Qu'est-ce que vous lui voulez, à Musindo ?

Son impolitesse ne lui allait pas, comme un gringalet qui gonfle ses muscles ou force sa voix pour se donner une contenance.

Ignorant la question, Max s'approcha du type qui grimpait sur son tracteur.

— Vous venez d'acheter, c'est ça ?

— Pourquoi vous demandez ?

— J'aimerais vous parler, cinq minutes.

— Je travaille. J'ai pas le temps.

— Cinq minutes.

L'homme soupira. Puis éteignit son moteur.

Jacob Buyogera harcelait Thomas Musindo depuis des années, mais l'autre restait inflexible. Le club de golf vivotait, il n'attirait plus que les touristes égarés, désœuvrés ou mal informés, qui ne renouvelaient pas l'expérience et le clamaient sur toutes les tribunes. Pourtant, Musindo refusait de vendre.

— Jusqu'à tout récemment.

Deux ou trois semaines plus tôt, Buyogera avait été surpris de recevoir un appel de sa part. Il était prêt à lui céder la propriété du terrain de golf, et même à bon prix si la transaction était conclue rapidement.

— Quand exactement vous a-t-il fait cette offre?

— Au début du mois.

Quelques jours avant la mort de Valéria, peu de temps, probablement, après sa visite à Musindo. Elle était venue l'avertir de quelque chose, ce qui l'avait incité à quitter les lieux en vitesse. Un départ précipité et définitif, s'il souhaitait mettre en vente sa propriété.

Encore une fois, Max ne comprenait pas pourquoi Valéria s'était liée au meurtrier de Clara Lugembe. Et d'où venait la menace? De quelle nature, exactement?

Max questionna à fond le nouveau propriétaire, sans succès. Sa description de Musindo correspondait plus ou moins à l'image que Max s'en était faite d'après ce qu'il avait lu à son sujet. Un individu qui refusait de baisser les bras, même quand tout se liguait contre lui. Sauf quelques semaines plus tôt, quand Valéria était venue le mettre en garde et lui conseiller, assurément, de se fondre dans la nature. Ce qu'elle n'avait pas eu le temps de faire elle-même.

Max parla à Buyogera de Valéria Michieka, lui demanda s'il ne l'avait pas vue rendre visite à Musindo récemment et par le passé. Le nouveau propriétaire avait vaguement entendu parler de Michieka, mais ne l'avait jamais aperçue dans l'entourage de Musindo. Ni elle ni aucune autre femme, depuis la mort de son épouse.

— Vous savez où on peut le joindre, Musindo?

— Chez lui.

En rentrant en ville, Max tenta encore de saisir l'intérêt de Valéria pour le père de l'assassin. Peu à peu, la motivation de Valéria se précisa : il fallait remonter à l'enfance de l'avocate, quand son père et elle étaient allés chercher une albinos dans un village éloigné, afin de permettre la guérison de son grand frère Evans. Quand elle lui avait raconté cet effroyable périple au bout de l'horreur, ce terrible secret qui avait bouleversé sa vie, Max en avait conclu que l'existence de Valéria tournait autour de ce crime, était alimentée par ce besoin insatiable de rédemption. La rencontre récente de Max avec la directrice de l'école d'Ukerewe lui avait confirmé ce qu'il avait pressenti alors. Valéria avait handicapé une petite albinos, un crime qu'elle avait voulu expier le reste de sa vie, d'abord en sortant la jeune victime de son village et en la faisant éduquer, puis par son engagement envers la cause des albinos en général. Max ignorait encore lequel, mais il existait sûrement un rapport entre la faute de Valéria et l'intérêt de celle-ci pour l'assassin de là fille de Lugembe.

Thomas Musindo habitait une grande maison entourée de jacarandas près du Kivukoni Fish Market. Max sonna à l'entrée de la propriété. Aucune réponse. Il n'en avait pas obtenu non plus après avoir composé le numéro fourni par Buyogera.

Max revint au milieu de la rue, une piste élargie, en fait, en gravier et parsemée de trous énormes, à peine praticable pour une voiture. Il regarda autour de lui. Des maisons semblables, elles aussi entourées de jacarandas. S'étant assuré qu'on ne l'observait pas, Max se glissa par une ouverture entre les arbustes et se retrouva devant la maison, qu'un garage jouxtait. Il le contourna et aboutit à un jardin en friche, à l'arrière. Il vit que la porte de la cuisine avait été forcée. Serrure arrachée, poignée pendante. Effraction récente, semblait-il, des éclats de bois jonchaient encore le sol. Il n'était donc pas le premier à vouloir trouver Musindo.

Prudemment, Max poussa la porte.

Il s'était attendu au désordre habituel des départs soudains, mais l'intérieur, la cuisine surtout, ne donnait pas l'impression d'une fuite. Un journal récent sur le comptoir, une poubelle pleine de trognons de fruits encore frais, mangés le matin même peut-être. Dans le salon, un désordre plus grand, mais rien pour indiquer la panique, là non plus. De toute évidence, Musindo vivait en célibataire. Des vêtements abandonnés un peu partout, une bouteille de bière oubliée sur une table basse. Et une lampe encore allumée, seul signe incongru dans cette pièce baignée de soleil.

Sur une commode, des photos de son fils infirmier, Samuel. Plusieurs d'entre elles au terrain de golf, le petit garçon faisant le pitre sur l'un des greens, ou caché derrière une voiturette. Une autre, plus récente, le montrait à la Bugando Nursing Training School, diplôme à la main, sourire immense.

Max poussa la porte de la chambre. Le lit était défait. Il s'en approcha lorsqu'il remarqua, par terre, une goutte de sang encore frais. Se retournant vivement, il le vit : un corps recroquevillé sur lui-même. Les deux bras retenus dans le dos, au-dessus du coude, par une ceinture déformant la cage thoracique.

La *kandoya.*

Max eut un haut-le-cœur. C'était probablement ainsi qu'on avait retrouvé Valéria et sa fille, victimes de torture comme Musindo. Mais ici, pas de machette ; on avait abrégé les souffrances de ce pauvre homme d'une balle en plein cœur.

Max s'approcha du corps. Le propriétaire du terrain de golf était mort depuis peu. L'assassin avait devancé Max de quelques minutes à peine, peut-être même était-il encore sur place. Max se redressa, tendit l'oreille. Silence complet.

Dans les autres pièces, personne.

On devait avoir torturé Musindo dans le but de l'interroger, lui aussi. Une mort lente et douloureuse, du travail de professionnel, songea Max. Le meurtrier avait pris son temps, s'attaquant d'abord à des parties de son corps qu'il pouvait blesser, mutiler, sans causer la mort ou rendre la victime inconsciente. Bref, on s'était acharné sur Musindo pour lui faire cracher le morceau. Comme on l'avait fait avec Valéria. Celle-ci n'avait rien dit, puisque Musindo avait subi le même traitement quelques jours plus tard.

Le groupe rebelle ougandais dont avait parlé le médecin dans l'avion de Roosevelt au retour de Kigali ? Non, il fallait exclure Kilonzo et son équipe cette fois, même si le policier et son ami Walter correspondaient au profil du meurtrier. Quelqu'un d'autre était à l'œuvre. Il avait frappé Valéria et Sophie, ses premières victimes, puis s'était jeté sur le guérisseur Zuberi peu après, et maintenant sur le père de Samuel Musindo.

Le point commun de tous ces crimes : l'assassinat de Clara Lugembe par le jeune infirmier. Toutes les victimes y étaient liées d'une manière ou d'une autre.

Max s'apprêtait à inspecter les lieux même si, de toute évidence, le meurtrier n'avait pas fouillé l'appartement. Ce qui l'intéressait, c'était Musindo lui-même. Il se remémora l'hypothèse soulevée par le médecin dans le Cessna : et si le meurtre de Clara Lugembe n'avait été, finalement, qu'une vaste machination pour inciter le président Komba à rétablir la peine de mort ? Max ne doutait pas de la culpabilité de l'infirmier, mais remettait maintenant en cause l'innocence de Valéria. Aveuglée par son engagement envers les albinos, ayant l'impression que le pouvoir politique baissait le bras, elle avait organisé l'enlèvement et le meurtre de la fille du ministre de l'Intérieur ou, plutôt, avait manœuvré pour jeter dans les bras de Samuel Musindo cette albinos de premier choix. La machine de mort mise en marche par Valéria prit de la vitesse – dans les médias, auprès du président – et ne pouvait plus s'arrêter. Bouc émissaire des ambitions philanthropiques de Valéria, le fils de Thomas Musindo marcha droit vers la mort, tel que prévu par l'esprit tordu de l'avocate.

Et si, après son décès, le père, ayant appris le rôle de Valéria, avait menacé d'alerter les autorités ? Pour acheter son silence, elle avait besoin d'argent, beaucoup d'argent. Celui que Max était allé chercher dans les poches de Jonathan Harris, le roi du Stellar.

Mais qui les avait assassinés, tous les deux, et quel rôle jouait le meurtrier dans cette histoire ?

La sonnerie du téléphone déchira la quiétude des lieux. Max hésitait. À la quatrième sonnerie, il décrocha.

— Monsieur Musindo ? fit une voix féminine empressée, professionnelle mais un brin impatiente, comme si elle accusait Max d'avoir tardé à répondre exprès pour l'embêter.

— C'est moi.

— South African Airways. Nous avons eu des problèmes avec notre connexion internet, c'est la raison pour laquelle les deux billets ne vous ont pas encore été émis. Ils seront disponibles au comptoir, à l'aéroport.

Deux billets, songea Max.

— Monsieur Musindo ? redemanda la voix.

— Excusez-moi. Très bien, je… Écoutez…

— Oui ?

— Est-ce que la personne avec qui je voyage peut les récupérer à ma place ?

— Bien sûr. Je note donc au dossier que Mme Katala viendra les chercher.

— Oui, c'est ça.

— Ils seront disponibles à partir de treize heures. Merci, monsieur Musindo. Bonne journée.

Dans son auto, un peu plus tard, alors qu'il rentrait à l'hôtel, Max composa le numéro général de la South African Airways, puis expliqua la situation délicate dans laquelle il se trouvait : une erreur s'était glissée dans le prénom de sa femme, serait-il possible de le rectifier ?

— Je m'appelle Thomas Musindo. Je prends l'avion demain après-midi.

Après un silence, la voix se fit de nouveau entendre.

— Janeth n'est pas le prénom de Mme Katala ?

— Janice, plutôt, improvisa Max.

— C'est ce qui est inscrit dans le passeport et sur le visa ?

— Visa ? J'ignorais qu'il fallait un visa.

— Pour l'Afrique du Sud, absolument.

— Vous avez raison. Je l'ai ici. Désolé.

— Alors le changement est fait. Puis-je vous assister pour autre chose, monsieur Musindo ?

— Pour l'instant, c'est tout. Merci.

Max était songeur. Au moment de sa mort, Thomas Musindo s'apprêtait à partir pour l'Afrique du Sud avec une certaine Janeth Katala. Le nom ne lui disait rien. Dans le bottin et sur Internet, qu'il consulta dans sa chambre du Kilimandjaro, aucune trace de Janeth Katala. Musindo avait vendu en vitesse son terrain de golf après la visite surprise de Valéria, puis avait réservé ces deux billets. Une fuite, donc. Mais il avait trop tardé. Pourquoi n'avait-il pas décampé tout de suite après la mort de l'avocate et de sa fille ? Peut-être parce que Musindo attendait quelqu'un. Janeth Katala, par exemple.

Aux nouvelles, ce soir-là, aucune mention du meurtre de Thomas Musindo, ni même du guérisseur Zuberi, qui n'étaient finalement que des faits divers parmi d'autres. Max consulta l'horaire des vols de la South African Airways pour l'Afrique du Sud. Il y en avait un seul, tôt le lendemain matin, à destination de Johannesburg.

P.292

Cette page est blanche

③

Chap.
25

Le cousin de Roosevelt Okambo avait ses entrées à l'Aéroport international Julius-Nyerere. Du côté des fournisseurs, à l'arrière des installations, où il allait parfois chercher des employés. L'endroit était surveillé, comme le reste de l'aéroport, mais avec moins de zèle, selon lui. Les agents de sécurité ne risquaient pas de tomber sur un ministre ou un haut fonctionnaire en transit, qui auraient pu se plaindre de leur attitude négligente. Alors, ils se contentaient de vérifications de routine, faites sans enthousiasme.

Bref, Max O'Brien pénétra dans la salle des départs par l'entrée des fournisseurs et gagna le comptoir de la South African Airways sans se faire inquiéter par la police ou des agents de sécurité. Si son signalement avait été diffusé, personne ne semblait y accorder une attention particulière. Malgré l'heure matinale, il y avait foule, les préposés étaient débordés. Le petit bureau, à droite, paraissait plus tranquille. Une femme pianotait sur un ordinateur avec une énergie frénétique, ignorant l'animation autour d'elle. Dans la vitrine, son nom : Linda Henning.

De la boutique souvenirs, juste en face, Max composa le numéro de South African Airways et demanda à l'employée d'appeler au micro Janeth Katala, sa compagne de voyage. Elle était arrivée à l'aéroport, sûrement, mais restait introuvable. Il craignait qu'elle rate l'avion pour Johannesburg. Il l'attendait avec les billets devant le bureau de Mme Henning.

— Et vous êtes ?

— Thomas Musindo.

Bientôt, le nom de Janeth Katala retentit dans les haut-parleurs, d'abord sans résultat. Max songea avec inquiétude que l'assassin de Musindo s'était peut-être attaqué également à Katala. Mais, après une dizaine de minutes, une jeune femme s'approcha du bureau de Linda Henning, qui leva la tête vers elle sans comprendre ce qu'on lui voulait. L'inconnue indiquait le haut-parleur, tout en regardant autour d'elle avec anxiété. À ses pieds, un sac de voyage sur roulettes.

Max quitta la boutique de souvenirs et aborda la jeune femme.

— Madame Katala ? C'est moi qui vous ai fait appeler. Désolé de vous importuner.

— Qu'est-ce que vous voulez ?

Elle semble plus inquiète qu'effrayée, songea Max.

— Robert Coppersmith, des services frontaliers sud-africains. Vérification de visas. Si vous voulez bien me suivre…

Katala regarda autour d'elle à la recherche de Thomas Musindo, probablement. Max ignorait la nature de leur relation. Ce n'était pas le moment de poser la question.

Il offrit son plus beau sourire à Linda Henning, sa complice involontaire, puis, s'emparant du sac de voyage de Katala, il l'entraîna en direction d'un café où l'attendait Godfrey en compagnie d'autres chauffeurs de taxi.

Tout en marchant, alors qu'elle fouillait dans son sac à la recherche de son passeport et de son visa, Max se tourna vers elle :

— Thomas Musindo ne pourra se joindre à vous ce matin.

Elle s'arrêta. Regarda Max.

— Qu'est-ce qui se passe ? Qui êtes-vous ?

— Un ami.

— Où est Thomas ?

Max soupira.

— Il a été tué. Vous êtes en danger, vous aussi.

Une lueur d'effroi traversa son visage. Elle regarda de nouveau autour d'elle, à la recherche de quelqu'un, peut-être. La peur avait remplacé l'inquiétude. Puis son regard revint vers Max.

— Qu'est-ce que vous me voulez ?

— D'abord vous emmener dans un endroit sûr où vous ne risquerez rien.

— Je ne bouge pas d'ici.

Autour de Max, la foule habituelle des voyageurs pressés. La dernière chose à faire : attirer leur attention.

— J'étais un très bon ami de Valéria Michieka. Elle a été tuée avec sa fille, comme Musindo.

Katala parut être au courant. Max la rassura aussitôt :

— Vous n'avez rien à craindre de moi, je vous assure. Ne restons pas ici.

Godfrey s'approcha et saisit le sac de voyage de Katala, qui accompagna Max à l'extérieur de l'aéroport. Près de la voiture taxi, elle eut une hésitation, mais se glissa sur la banquette arrière, suivie de Max.

Il attendit que l'auto ait quitté l'aéroport pour s'adresser de nouveau à la jeune femme. Il ne cessait de regarder derrière et autour de lui, craignant que le meurtrier de Musindo les ait repérés.

Une fois sur la route, convaincu de ne pas être suivi, Max se détendit.

— Tout va bien.

— Où allons-nous ?

— Dans un hôtel, à l'extérieur de la ville. J'y ai réservé une chambre pour vous sous un faux nom.

Il ajouta :

— Vous avez de la famille à Dar es-Salaam ? Des gens qui pourraient être en danger ?

— Non. Ma mère habite Mwanza.

— Vous l'avez informée de votre départ ?

— Je comptais le faire de Johannesburg.

— Sage décision.

— Qu'est-il arrivé à Thomas ?

— En enquêtant sur le meurtre de Valéria Michieka, j'ai découvert que Valéria avait rendu visite à Thomas Musindo peu de jours avant sa mort.

— Qui l'a tué ?

— La même personne qui a assassiné Valéria, sa fille Sophie et le guérisseur Zuberi. Même si je n'en ai aucune preuve pour l'instant.

Un spécialiste de la torture, version ougandaise.

En peu de mots, Max lui raconta comment il avait découvert son nom, et pourquoi il avait décidé d'entrer en contact avec elle. De toute évidence, malgré son supplice, Thomas Musindo n'avait pas révélé l'existence de Katala. Ce qui lui avait sauvé la vie.

— Dites-moi ce que vous faites dans cette affaire, fit-il. Quel rôle jouez-vous ?

— Aucun.

— Vous connaissiez Valéria ?

— De réputation seulement.

— Quel est votre lien avec elle ? Sa fondation ? Les albinos ?

— Lewis, mon frère.

— Votre frère?

— Il est décédé l'an dernier.

— Mais pourquoi vous en veut-on à vous?

— Je sais des choses. Que Lewis m'a révélées.

Max attendait la suite.

— C'est mon frère qui a exécuté Samuel Musindo au pénitencier d'Ukonga.

Max sursauta.

Valéria Michieka et sa fille, Awadhi Zuberi, Thomas Musindo et maintenant Lewis Katala, tous liés d'une façon ou d'une autre à la mort de l'infirmier.

The Oyster Bay Hotel, à Coco Beach, méritait sa réputation. Jardin luxuriant, vue magnifique sur l'océan Indien, nourriture excellente. Les gens d'affaires du Kilimandjaro étaient remplacés ici par des touristes prospères, rondelets, à la peau rosée, échoués autour de la piscine. Ou déambulant sur la plage au milieu des *natives*. Max avait choisi l'établissement parce qu'il était situé loin du centre-ville, et surtout de l'hôtel Kilimandjaro. Encore une fois, il fallait se méfier du meurtrier de Musindo. Janeth Katala ne devait courir aucun risque.

Dans la chambre, Max lui offrit un verre, qu'elle déclina.

Il demanda:

— Parlez-moi de votre frère.

Diplômé de la Tanzania Military Academy, à Monduli, Lewis voulait devenir officier, raconta Janeth. Pour une raison qu'elle-même ignorait, parce que la perspective d'une carrière militaire ne l'emballait plus, peut-être, il avait répondu à une offre d'emploi de la Tanzania Prisons Service, qui cherchait de nouveaux gardiens pour le pénitencier d'Ukonga. Il fut accepté mais, auparavant, devait suivre une formation de six mois, avec des recrues des autres pénitenciers tanzaniens. À la fin de sa formation, alors qu'il s'apprêtait à occuper ses fonctions, les autorités étaient venues lui proposer un travail beaucoup mieux payé, mais que plusieurs gardiens avaient déjà refusé : bourreau, et gardien au couloir de la mort d'Ukonga.

C'était au cours du procès de Samuel Musindo pour le meurtre de Clara Lugembe. La question du trafic des albinos était sur toutes les lèvres, les médias traquaient sorciers et guérisseurs. Zuberi, plus particulièrement, qu'on avait arrêté en même temps que Musindo.

Quand la culpabilité de l'infirmier fut prononcée, avec la possibilité qu'on lui impose la peine de mort, Katala se prépara à sa première exécution. Par la suite, il y en eut d'autres. De plus en plus difficiles à réaliser, à mesure qu'il prenait de l'expérience.

De temps en temps, Lewis rentrait à Mwanza visiter sa mère. Celle-ci avait caché aux voisins et amis le véritable emploi de son fils, même s'il ne lui avait rien demandé à cet égard. Bien sûr, elle n'aimait pas ce qu'il faisait, mais il était bien payé et elle en profitait, elle aussi.

D'autant plus que les bourreaux – Katala était épaulé par deux collègues – avaient un certain statut à Ukonga, et des conditions de travail exceptionnelles.

— Un jour, il en a eu assez, lança Janeth. Il ne pouvait plus dormir la nuit, et quand il dormait il faisait des cauchemars. Il a vu un médecin, il a pu obtenir une dispense. Ce qui lui a permis de rentrer à Mwanza avec une petite pension.

La vie et la carrière de Katala n'étaient pas vraiment passionnantes, plutôt prévisibles, en fait. Lewis s'était replié sur lui-même après son passage au pénitencier. Lui si enjoué, toujours prêt à rire, était devenu taciturne, préoccupé, comme si sa vie de bourreau lui pesait encore.

Janeth et lui avaient maintenu une correspondance soutenue pendant ses premiers mois à Ukonga. Loin de chez lui, il s'ennuyait, il pensait avoir fait une erreur en acceptant l'offre des autorités pénitentiaires. Mais il était coincé dans un contrat dont il tirait profit, sa famille aussi. Démissionner aurait été impossible. Alors, il souffrait. Au procès de Samuel Musindo, quand la sentence de peine capitale avait été prononcée, puis après le rejet de l'appel soumis par l'avocat Chagula, les lettres à sa sœur étaient devenues plus nombreuses. Une sorte de journal intime où le jeune bourreau racontait la préparation de l'exécution, et surtout ses contacts avec le prisonnier.

Lewis lui parlait de la vie quotidienne dans le couloir de la mort, étonnamment banale. Les visites de plus en plus fréquentes de Thomas, le père de Samuel, et de sa mère, petite femme discrète, toujours en larmes, qui n'arrivait pas au bout de trois phrases sans s'effondrer. Thomas prenait le relais, plus solide mais fragile, lui aussi. De quoi s'entretenaient-ils ? De tout et de rien, de rien surtout. Comme si discuter de la pluie et du beau temps permettait d'occulter la raison de leur présence à cet endroit, tous les trois.

— Lewis était témoin de ces conversations ?

— Non. C'était Samuel qui les lui avait rapportées.

Max trouvait étrange que le futur bourreau partage à ce point la vie du condamné. Chose certaine, si Musindo était resté renfermé à l'égard des médias, ou même de sa famille, il avait été beaucoup plus loquace avec Katala. Dans ce contexte très particulier, les deux hommes avaient noué, non pas une amitié, mais une certaine complicité du fait de leur solitude respective.

Max imaginait les longs après-midi que les deux hommes passaient à discuter dans le couloir de la mort. Il imaginait l'attitude d'abord défensive de Samuel, qui se réchauffa peu à peu au contact de ce bourreau nerveux et intimidé.

Le tueur et son justicier avaient donc fraternisé, avaient trouvé un réconfort mutuel, isolés derrière ces barreaux. De leurs conversations, Lewis résumait parfois des passages au profit de Janeth, à Mwanza. Il décrivait un Musindo loin du tueur sanguinaire décrit par les médias. C'était un autre Musindo dont parlait Lewis, sans animosité envers qui que ce soit. Ce que l'infirmier avait fait était ignoble, il le regrettait de tout cœur, mais ne pouvait effacer le mal causé à Clara Lugembe et à sa famille. Cette condamnation à mort, il la méritait pleinement.

Max s'interrogeait sur les raisons de cette confession tardive, à une personne qui ne pouvait rien pour lui. De toute évidence, Musindo s'était résigné à son sort. Sa vie était déjà finie, Lewis Katala lui permettait de faire le point, une fois pour toutes. Était-il au courant de la correspondance du gardien avec sa sœur ? D'après Janeth, non.

Deux lettres en particulier l'avaient bouleversée. Celle du 15 juillet 2003, quelques jours avant l'exécution de l'infirmier. Une missive plus longue que les autres, écrite sans doute dans l'urgence des préparatifs.

— Ce qu'il y disait me renversa. J'étais sûre qu'il avait perdu la tête, à cause de la pression qu'on lui faisait subir. Et puis, le lendemain de l'exécution, le 24 juillet, il me le confirmait de nouveau, en me disant que si la vérité venait à éclater, il perdrait son emploi.

— Confirmer quoi ? Quelle vérité ?

— Samuel Musindo n'a pas été exécuté.

Max regarda Janeth Katala un long moment, sans comprendre. Elle s'empressa d'ajouter :

— J'ai réagi de la même façon. Je n'y croyais pas.

— L'exécution n'a pas eu lieu ?

— Si, justement. Musindo a été mis à mort, mais il n'est pas mort. Il a feint la mort, pour une raison que Lewis ignorait.

— Votre frère a fait l'injection ?

— Oui, mais ce n'était pas le liquide mortel habituel. Un produit inoffensif.

Max était perplexe. L'exécution de Musindo n'avait été qu'un simulacre. Quelqu'un lui avait permis d'échapper à la mort, et ce n'était pas Lewis, d'après Janeth. Le meilleur moyen de faire croire à l'exécution, c'était justement de la rendre publique. Max savait que des représentants du gouvernement y avaient assisté, y compris le ministre Lugembe et le président Komba, sans parler de Valéria Michieka. Avec un auditoire aussi sélect, aucun risque de mettre en doute ce qui venait de se passer. Et pourtant, une mort par injection létale, c'était la première fois qu'on en voyait en Tanzanie – auparavant, on avait recours à la pendaison.

Musindo pouvait donc jouer faux, mal incarner son rôle de mort présumé. Personne n'avait été témoin d'une telle exécution auparavant, pour pouvoir affirmer que celle-ci n'était qu'un leurre. Mais comment une telle entreprise, qui nécessitait des contacts et des relations privilégiées avec les autorités du pénitencier ou même au ministère de l'Intérieur, avait pu être mise en place ?

Max ferma les yeux, secoué par les répercussions de ce que venait de lui apprendre la jeune femme.

— Pourquoi avoir caché cette information pendant toutes ces années ? lui demanda-t-il.

— Je ne voulais pas causer d'ennuis à mon frère. Il avait déjà quitté son emploi au pénitencier, mais j'avais peur que cette histoire revienne le hanter.

Elle ajouta :

— Il y a quelques semaines, j'ai reçu une lettre des États-Unis. En fait, la missive était adressée à Lewis, mais ma mère étant décédée depuis l'an dernier, c'est à moi qu'on l'a remise.

Une longue lettre qui basculait de temps à autre dans le délire. Un bourreau américain s'adressait à son collègue africain. Il était question de mener les choses à terme, de poursuivre et de terminer ce qui avait été amorcé, de ne rien laisser en suspens…

En lisant et relisant cette étrange lettre, Janeth comprit que l'Américain était à la recherche de Samuel Musindo pour le tuer, pour reprendre l'exécution là où elle avait échoué, des années plus tôt.

— J'ai eu peur. J'ai appelé son père et je lui ai tout raconté.

— Qui c'est, cet Américain ?

— Albert Kerensky. Un type que les autorités du pénitencier ont fait venir des États-Unis pour appuyer Lewis.

— Un autre bourreau ?

— Oui.

— C'était la première exécution de mon frère. Il n'était pas certain d'en venir à bout. D'éviter les bavures. On a donc décidé de faire superviser le travail par un professionnel de l'injection létale, mais dans le plus grand secret.

Janeth n'en savait pas plus. Dans les lettres, Lewis parlait souvent de ce Kerensky, il rapportait parfois ce dont ils discutaient, tous les deux, mais sans détails précis. Chose certaine, il ne semblait pas que Musindo ait développé avec lui les mêmes liens qu'avec le jeune bourreau.

P.303

Janeth savait que le Kerensky en question était retourné aux États-Unis après son court passage en Tanzanie.

De toute évidence, la décision de ne pas exécuter Samuel n'était pas venue de Lewis Katala. De cet Américain, peut-être ? Ou alors, Kerensky obéissait aux ordres de quelqu'un d'autre, un complice du meurtrier.

Pour Max, il fallait absolument retrouver cet Américain pour en savoir davantage sur l'étonnante révélation que venait de lui faire Janeth Katala.

— Ces lettres, vous les avez conservées ?

— J'ai tout brûlé. J'avais trop peur qu'on les découvre.

P. 304

Cette page est blanche (s)

26

Quand le républicain George Ryan, gouverneur de l'État de l'Illinois, avait aboli la peine de mort en 2003, tout le monde s'était frotté les yeux, incrédule. Une véritable surprise. Un électrochoc politique. Une décision venue de nulle part, le dernier jour de son mandat. Ryan n'était pas un ange, au contraire. Déjà accusé de racket, corruption et fraude, le gouverneur tentait visiblement de mettre une partie de l'opinion publique de son côté, histoire d'éviter une peine de prison un peu trop raide. D'où cette abolition de dernière minute, sortie de son chapeau.

Résultat : cent soixante-sept condamnés avaient vu leur peine commuée en détention à perpétuité. Cependant, la justice suivit son cours contre Ryan et il fut coffré à son tour. Un démocrate l'avait remplacé à la tête de l'État, qui demeurait abolitionniste. Ryan, lui, purgeait sa peine dans un pénitencier de l'Indiana.

L'inspecteur Phil Stanway, qui s'occupait du dossier de la disparition d'Albert Kerensky, guidait Roselyn dans les corridors du bureau des services d'enquête de la police de Chicago, en lui racontant le coup d'éclat de l'ancien gouverneur. Elle aurait préféré qu'il parle d'autre chose – ou mieux, qu'il se taise.

— Aujourd'hui, poursuivit Stanway, avec le recours aux empreintes génétiques, administrer la peine de mort est un véritable casse-gueule. Je ne comprends pas comment vous faites, au Texas, pour pousser la machine à plein régime.

Roselyn avait assumé que, pendant toutes ces années, son mari s'était acquitté de son mandat sans jamais remettre en cause le bien-fondé de la peine capitale. Elle s'était peut-être trompée. Certains de ces condamnés avaient pu être victimes d'une erreur judiciaire. Roselyn ne se souvenait pas que son mari ait pu être confronté, des années après, à un tel revirement. Par contre, un jour, on avait annoncé la reprise du procès d'un de ces condamnés à mort, dont la peine avait été commuée en détention à perpétuité entre 1972 et 1976. Albert s'était montré nerveux et irritable, ces jours-là, comme ses collègues, probablement. Un soir, il avait même fait une sortie violente – chose rarissime – contre les tests d'ADN, qui commençaient à se répandre un peu partout et à être acceptés comme preuve dans les cours de justice. Albert craignait peut-être qu'on rouvre tous les dossiers de ses suppliciés, qu'on fouille dans leurs procès passés, à la recherche d'une erreur, d'une faille, que les empreintes génétiques obligeraient à revoir.

Heureusement pour lui, les autorités n'avaient pas succombé à cette tentation. Trop de condamnés hantaient les couloirs de la mort pour se soucier des suppliciés d'autrefois. On ne rouvrait pas les procès de l'Inquisition, pourquoi le ferait-on pour ces morts récentes, dont le souvenir était encore bien vivace pour certains, mais qu'une réévaluation de leur procès ne ramènerait pas à la vie ?

N'empêche, Albert se couchait peut-être le soir en pensant à ces malheureux qu'il avait mis à mort, ces hommes possiblement innocents. Il n'était pas responsable des procès et de leurs résultats, mais c'était lui qui leur enfonçait l'aiguille dans le bras. Lui qui causait la mort, directement. Qui voyait s'agiter puis se détendre le corps des suppliciés. Lui qui retirait l'aiguille, ensuite, une fois le décès confirmé par le médecin.

Les vagues abolitionnistes des années 1990 n'avaient pas semblé non plus troubler Albert. Il n'avait peut-être pas d'opinion sur la question, et Roselyn s'était bien gardée d'en parler avec lui.

Elle aurait peut-être dû. Il y avait tellement de sujets, aujourd'hui, qu'elle regrettait de ne pas avoir abordés avec son mari.

Phil Stanway la précéda dans la pièce où on avait transporté du Holiday Inn les objets personnels d'Albert. Sur une table, elle reconnut ses vêtements, son rasoir, sa brosse à dents, un vieil exemplaire du *Chicago Tribune*, une bouteille de Tylenol non entamée, une canette de Canada Dry. D'un étui en cuirette, Stanway sortit un téléphone cellulaire. Des années plus tôt, à la suite de l'insistance de sa femme, Albert s'était procuré un portable. Pas celui-ci, qui semblait neuf.

Stanway devina ses pensées.

— On a vérifié. Aucun message. Aucun appel.

Roselyn lui demanda s'il avait une idée de l'endroit où pouvait bien se trouver son mari et pourquoi il était venu à Chicago. Selon Stanway, Albert s'était enregistré sous un faux nom et avait payé la chambre en liquide, comme par crainte d'être repéré. Comme s'il fuyait quelqu'un.

— C'est l'hypothèse la plus plausible, dit-il. Par contre, nous avons découvert que votre mari a fait une demande de passeport auprès d'une entreprise privée spécialisée dans l'obtention rapide de documents de voyage.

Surprise de Roselyn.

— Son passeport lui a été remis il y a trois jours.

— Donc, il voulait quitter les États-Unis.

— Sans doute.

Il s'était installé dans cet établissement pour attendre son nouveau passeport. Roselyn avait renouvelé le sien par habitude, même si elle n'avait plus eu l'occasion de quitter les États-Unis après avoir mis une croix sur les vacances au Mexique.

— Nous avons transmis son nom et son signalement aux aéroports et aux postes frontaliers. Mais personne n'a relevé sa présence.

— Mais pourquoi Chicago ? Un passeport, on peut en obtenir partout aux États-Unis. Au Texas, par exemple. Pourquoi s'être rendu aussi loin ?

Stanway n'en avait aucune idée.

— Et il est venu ici comment ?

— Par autocar, je dirais. Je fais circuler sa photo à la gare routière. On verra bien.

Un moment plus tard, une employée remit à Stanway une boîte de carton réglementaire, dans laquelle on avait rassemblé les objets personnels d'Albert, y compris ceux que Roselyn venait de voir.

Elle signa un document que lui tendit la jeune femme, puis suivit de nouveau Stanway dans le corridor.

— Dès que nous aurons des nouvelles, je vous tiendrai au courant. Avez-vous un endroit où loger à Chicago ? Ou bien voulez-vous que…

Roselyn ne s'était occupée de rien. Il lui aurait fallu Peter à ses côtés pour garder la tête froide et faire preuve d'organisation. Elle en était tout simplement incapable.

— Je vais voir. J'ai des amis dans la région. De vieilles connaissances.

Ce qui était faux. Elle sentit que Stanway voyait clair dans son mensonge. Elle s'en voulait d'agir ainsi. Pourquoi refuser son aide ?

Stanway lui remit sa carte, l'invita à l'appeler si elle avait besoin de quoi que ce soit, n'importe quand – il avait ajouté son numéro de téléphone à la maison –, mais Roselyn comprit qu'il s'agissait d'une formule de politesse. Il aurait été furieux d'être dérangé chez lui.

— Je vous appelle un taxi ?

— Oui, merci.

Roselyn voulait se débarrasser de ce type. Se retrouver seule, enfin. Pour réfléchir à la situation à la lumière de ce qu'elle avait découvert en Louisiane. Et compte tenu de ce que Stanway venait de lui révéler. Bien entendu, elle n'avait pas avoué au policier qu'elle soupçonnait son mari d'avoir tué Clements et Arceneaux. Ça ne ferait que compliquer les choses. Elle n'avait surtout pas envie de s'expliquer, et d'expliquer le comportement d'Albert.

De l'aéroport, Roselyn avait filé à la centrale de police. Il lui fallait maintenant trouver un hôtel. Le Westin semblait luxueux et anonyme à souhait. Pourquoi pas ? Le chauffeur de taxi la déposa à l'entrée, un majordome saisit sa valise.

Quand elle pénétra dans la chambre, fourbue, elle n'avait qu'un désir : dormir. Mais, malgré sa fatigue, elle appela à la réception pour commander une assiette froide. Elle communiqua ensuite avec Stanway pour lui dire où elle logeait et le remercier de ses efforts. Roselyn eut le temps de prendre une douche avant qu'on lui livre son repas, qu'elle posa sur le petit bureau où se trouvait déjà son sac.

Son téléphone vibra de nouveau.

Peter, encore une fois.

— Comment allez-vous ? Vous avez vu l'inspecteur Stanway ?

— Il s'occupe de l'enquête. C'est un type bien, je crois.

— Tant mieux. Vous lui avez dit, au sujet de Clements et d'Arceneaux ?

— Non.

— Pourquoi ?

Elle soupira.

— Je n'arrive pas à me faire à l'idée qu'Albert est un criminel et qu'il a tué ces deux hommes. Je ne veux pas qu'on le cherche comme un tueur en liberté, mais comme un vieux monsieur qui a perdu la carte.

— Je comprends.

— Comment va Adrian ?

— Bien. Il s'ennuie de vous.

— Dites-lui que je l'embrasse.

Roselyn n'avait pas eu le temps d'ouvrir la boîte remise par l'employée des services d'enquête. En mangeant son repas, elle en examina le contenu. En plus des objets familiers, un dépliant attira son attention. C'était une publicité pour un organisme appelé The Colour of Respect Foundation, où l'on montrait des photos d'enfants noirs à la peau blanche, des albinos. Le dernier volet du dépliant se transformait en enveloppe, dans laquelle les donateurs pouvaient envoyer leur contribution. Le siège social était situé quelque part en Afrique. En Tanzanie.

La présence de ce document dans les affaires d'Albert surprenait Roselyn. Le nom de Valéria Michieka, qui signait le document, lui était familier. Elle l'avait lu dans le rapport de police que lui avait montré Mme Arceneaux. À la mort de Mitch, à Clear Creek, la police avait conclu à une chute accidentelle mais s'était interrogée sur ses antécédents criminels. Au cours d'une rixe, en Tanzanie, Mitch avait été arrêté pour bagarre et tapage nocturne. Une avocate, Valéria Michieka, s'était portée garante de l'accusé. Grâce à elle, Arceneaux avait pu rentrer en Amérique. Par la suite, toujours selon le rapport, il avait gardé contact avec cette Tanzanienne, mais on ne donnait aucun détail supplémentaire à ce sujet.

Roselyn fronça les sourcils. Angel Clements, Mitch Arceneaux et Valéria Michieka. Tous trois liés à Albert d'une manière ou d'une autre.

Valéria Michieka.

Roselyn ne cessait de répéter ce nom dans sa tête. Où Albert s'était-il procuré la publicité en question ? Ici même à Chicago, peut-être. Pourquoi son mari était-il venu dans cette ville inconnue, avait-il loué une chambre d'hôtel, qu'il avait quittée à toute vitesse, sans prendre le temps de faire ses bagages ni de récupérer des objets compromettants permettant de l'identifier ? À moins, bien sûr, que ce départ précipité ait été involontaire. On l'avait attiré à Chicago pour une raison qu'elle ignorait, en lui faisant croire qu'il pourrait y trouver ce qu'il cherchait. Un piège. Albert se trouvait quelque part, en mauvaise posture, aux mains d'individus qui lui voulaient du mal.

Roselyn chassa cette hypothèse de son esprit. Son mari était armé, de toute évidence, et cette arme ne faisait pas partie des effets personnels qu'on lui avait remis. Ni son nouveau passeport, d'ailleurs. La réalité était plus simple, sûrement : les autorités de l'hôtel s'étaient inquiétées au sujet de leur client, elles avaient appelé la police. Ayant remarqué la présence des agents, Albert avait décidé de disparaître discrètement.

Passeport et Beretta.

Mauvaise combinaison.

Après son repas, Roselyn songea à téléphoner à Phil Stanway, chez lui, mais y renonça.

Le lendemain matin, Roselyn descendit au rez-de-chaussée. Le concierge du Westin s'excusa des rénovations au *business center*, mais la connexion Wifi était quand même disponible dans chacune des chambres et dans le hall d'entrée. Roselyn n'ayant pas d'ordinateur, le concierge lui indiqua la Harold Washington Library, la bibliothèque centrale de Chicago, à quelques pas de l'hôtel.

Roselyn s'y rendit aussitôt, pour se retrouver au cœur d'une horde d'enfants en visite scolaire. Derrière son comptoir, la jeune bibliothécaire l'accueillit avec le sourire.

— Je peux avoir votre carte d'identité ? C'est obligatoire pour l'utilisation des ordinateurs.

Roselyn la lui remit.

— Vous avez un nom célèbre. Kerensky, celui qui a remplacé le tsar dans l'éphémère gouvernement démocratique de la Russie révolutionnaire. Il a été chassé du pouvoir par Lénine.

Roselyn se souvenait d'avoir croisé le nom quelque part, au cours de ses études, il y avait fort longtemps. Elle ne se rappelait plus dans quel contexte.

— Et vous savez ce qu'il est devenu, ce Kerensky ? demanda la bibliothécaire.

Roselyn n'en avait aucune idée.

— Il est mort à New York, en 1970. Vous imaginez ? Il a survécu à tous les acteurs de la révolution russe, victimes par la suite des atrocités de Staline. Incroyable, n'est-ce pas ?

La bibliothécaire semblait sincèrement ébahie.

Dans une pièce minuscule, derrière la section des enfants, trois ordinateurs. La jeune femme en montra le fonctionnement à Roselyn. Une fois la bibliothécaire de retour à son comptoir, Roselyn googla Colour of Respect

Foundation et accéda au site de l'organisme. La page d'accueil était occupée par une déclaration de la directrice, Valéria Michieka.

Très élégante, Michieka souriait à l'objectif. Une courte présentation donnait des informations sur son engagement à l'égard des albinos. L'avocate, d'après la rubrique, avait consacré sa carrière à ces malheureux. Tout en lisant, Roselyn découvrait avec horreur ce qu'on faisait subir à ces enfants, et même aux adultes. Les photos de jeunes femmes mutilées lui firent fermer les yeux. Se pouvait-il que les êtres humains soient si cruels ? Pourquoi cet acharnement maladif à vouloir se faire du mal, les uns les autres ?

À droite de l'écran, on proposait un échantillon d'un de ses discours. Roselyn appuya sur l'icone ; une voix chaude, enveloppante, se fit entendre après un long prélude musical. Une chanson traditionnelle tanzanienne. Roselyn s'était attendue à des rythmes plus folkloriques, au tempo déconcertant – un soir, Norah l'avait entraînée à un concert de musique indienne à l'université, elle s'était ennuyée à mourir.

La pièce avait un rythme soutenu, presque dansant, répétitif parfois, mais qui donnait envie de se lever et de claquer des mains en poussant des cris de joie. On était loin de Johnny Cash et de ses chansons lugubres, songea Roselyn.

À l'écran, s'appuyant sur cette musique, Valéria Michieka parlait de son œuvre, de sa fondation. Une femme plus jeune apparut à ses côtés. Elle lui ressemblait, c'était sa fille, Sophie. La mère semblait très fière d'elle. Roselyn revit Norah, elle eut un pincement au cœur, de nouveau, puis chassa cette pensée. Elle se rendait déjà malheureuse avec Albert, Norah devrait attendre son tour, cette fois.

Curieuse, Roselyn appuya sur l'icone de Wikipédia, au bas de l'écran, et accéda à la rubrique concernant Valéria Michieka et sa fille. Elle y retrouva les mêmes informations que sur le site officiel, mais avec des détails sur leur vie privée.

Tout cela était bien instructif, mais Roselyn ne voyait pas en quoi cette Valéria Michieka et sa fondation avaient pu intéresser Albert.

Et puis, plus loin, un bandeau noir attira son attention. Valéria et sa fille venaient d'être assassinées. Sans savoir pourquoi, Roselyn fut envahie par une tristesse soudaine et inexpliquée. Ces deux femmes, elle ne les connaissait pas. Mais de les avoir vues ensemble, dans ce petit extrait vidéo, si bien assorties, lui avait donné l'impression contraire. Elle cliqua sur le lien qu'on lui indiquait, un article du *Daily News* apparut. En le parcourant, Roselyn découvrit avec stupeur que Valéria Michieka avait fait la promotion de la peine capitale pour les meurtriers d'albinos, et qu'elle avait obtenu gain de cause lors de l'assassinat de Clara Lugembe, la fille albinos du ministre de l'Intérieur. Samuel Musindo avait été exécuté le 23 juillet 2003.

Roselyn s'appuya sur le dossier de sa chaise. De retour à l'hôtel, elle téléphona à Peter Sawyer, à Huntsville.

— Rappelle-moi les dates où Adrian a disparu du Camp Connally?

Peter déposa le combiné, puis revint une minute plus tard avec un vieil agenda, qu'il feuilleta au téléphone.

— La semaine du 20 juillet 2003, dit-il. Du mardi au jeudi.

Au moment même où, en Tanzanie, Samuel Musindo était exécuté.

Roselyn remercia Peter, puis appela Glenn Forrester et lui demanda s'il était bien allé à la chasse avec Albert en juillet 2003. Ça remontait à quelques années, la mémoire de Glenn n'était pas très bonne. Il promit de faire les recherches nécessaires.

Une heure plus tard, il rappelait Roselyn, après avoir communiqué avec un jeune étudiant qui l'aidait, parfois, au musée. En vérifiant dans la comptabilité de l'époque, l'étudiant confirma le voyage de chasse de cette semaine-là, mais Glenn avait fait du camping.

— Albert a horreur de dormir sous la tente. On réservait toujours un des chalets que le parc met à la disposition des chasseurs. Si j'ai fait du camping, c'est qu'il n'était pas avec moi cette fois-là.

La coïncidence rendait Roselyn perplexe. Et si Albert avait fait croire à tout le monde – y compris sa femme – qu'il passait la semaine avec Glenn Forrester alors qu'il se trouvait en réalité de l'autre côté du monde, pour assister ou même participer à l'exécution d'un condamné à mort?

Dans le plus grand secret.

Chap.
27

Au rez-de-chaussée du Westin, une agence de voyages occupait l'espace entre un salon de coiffure et un bureau de location de voitures. De retour de la bibliothèque, Roselyn demanda à la jeune voyagiste des renseignements sur les vols pour la Tanzanie à partir de Chicago. La fille lança à Roselyn un drôle de regard, l'air de dire : vous n'avez vraiment pas le profil pour ce genre de voyage. Pourquoi pas Rome ou Madrid ? Ce qui obligea Roselyn à mentir :

— Un cadeau d'anniversaire de mariage pour mon mari. Il a toujours été amateur de chasse.

C'était ce qu'on allait faire en Afrique, non ? Chasser des animaux exotiques.

L'agente de voyage pianota sur le clavier de son ordinateur un long moment, puis un sourire traversa son visage.

— British Airways a des vols quotidiens à partir de Chicago, dont l'un avec escale à Heathrow. C'est le meilleur choix, sinon il faut passer par Le Caire ou Addis-Abeba.

Si Albert avait voyagé jusqu'ici, songea Roselyn, c'était dans un but bien précis : partir pour l'Afrique. Mais, bien sûr, elle n'en avait aucune preuve.

— Et on peut se procurer des billets facilement ?

— Je suis à votre service.

Albert, en Afrique. Il s'y était rendu, à l'époque. Il voulait y retourner aujourd'hui.

— Mon mari n'aurait pas fait la gaffe de se procurer un billet sans me le dire, n'est-ce pas ?

La vendeuse sourit.

— Je vends très rarement des voyages en Afrique. Pour Rome ou Madrid, par contre...

Roselyn n'avait pas le goût de regagner sa chambre tout de suite. Elle s'arrêta à l'un des cafés de l'hôtel, commanda un cappuccino qu'elle revint boire en vitrine, à l'une des petites tables qui venait de se libérer. L'endroit grouillait de touristes bruyants, épuisés par leur journée de visite. Roselyn enviait leur fatigue, leurs éclats de rire, leur insouciance.

Que faire à présent ? Qui interroger ? Où se trouvait Albert en ce moment ? En route vers la Tanzanie, déjà ? Avec un Beretta dans ses bagages ? Était-ce possible et faisable ? Et pour quelle raison ? Voulait-il tuer quelqu'un, comme il l'avait fait avec Clements et Arceneaux ?

Et s'il avait assassiné également Valéria Michieka et sa fille ? Impossible, leur meurtre remontait à plusieurs jours déjà, et Albert se trouvait ici, à Chicago.

Son nouveau passeport, c'était pour aller dans un autre pays que la Tanzanie.

Mais où ?

— Cette place est libre ?

Roselyn n'avait pas entendu le type approcher d'elle, son double expresso à la main.

— Oui, oui, répondit-elle distraitement, en libérant la chaise de l'autre côté de la table.

L'inconnu s'y installa, dos à la fenêtre. Roselyn replongea dans ses pensées. Albert n'avait pas pris l'avion, elle en était convaincue, parce qu'il n'aurait pu emporter le Beretta avec lui. Il voyageait autrement, en autocar peut-être, comme avait dit l'inspecteur Stanway. Mais il avait commandé un passeport, donc il comptait sortir des États-Unis.

— Moi aussi, je le cherche.

Surprise, Roselyn avait relevé la tête.

— Pardon ?

Le type qui avait pris place à sa table se retourna.

— Je cherche votre mari.

L'inconnu évitait de regarder Roselyn dans les yeux, balayant plutôt de son regard les clients du café.

— Albert Kerensky, dit-il. Vous êtes bien Roselyn, sa femme ?

— Qui êtes-vous ? demanda-t-elle, vaguement inquiète.

— Je m'appelle Max O'Brien.

Une femme élégante du sud des États-Unis. Grande, fière, mais l'air préoccupé. Ses yeux se posaient sur les gens et les objets sans les voir. Depuis son arrivée à Chicago, le matin même, Max l'avait croisée à quelques reprises dans le hall du Westin sans qu'elle le reconnaisse d'une fois à l'autre. Avant de prendre contact avec elle, il avait décidé d'en apprendre un peu plus à son sujet.

De Dar es-Salaam, Max avait communiqué avec les services pénitentiaires du Texas, où on l'avait transféré à la Stanford Hill Residence. Une certaine dame Callaghan, sèche et expéditive, lui avait répondu que toutes les questions concernant Albert Kerensky devaient être adressées à Peter Sawyer, son gendre, ou à sa femme, Roselyn. Max comprit à demi-mot que le vieillard avait quitté la résidence sans prévenir et que sa famille le cherchait depuis plusieurs jours.

Quand Mme Callaghan lui apprit que Sawyer était policier – «Vous êtes journaliste, vous avez dit?» –, Max lui demanda plutôt le numéro de Roselyn. Elle est à Chicago, lui répondit la directrice de la résidence, vaut mieux parler à Peter Sawyer. Quelques appels dans les principaux hôtels de Chicago permirent à Max de localiser la femme de Kerensky au Westin.

Pendant que Janeth Katala partait pour Johannesburg sur un autre vol de la South African Airways, Max prit le même jour celui de la Lufthansa qui atterrit à l'aéroport O'Hare dix-huit heures plus tard, après des escales à Addis-Abeba et Francfort.

Arrivé le matin même, encore affecté par le décalage horaire, Max s'était mis sur la piste de Roselyn. Il l'avait vue et entendue demander un renseignement à la réception, puis prendre la direction de la bibliothèque publique indiquée par la préposée. Max avait profité de son absence pour pénétrer dans sa chambre et en examiner le contenu, ce qui lui avait permis de déduire que, contrairement à ce qu'il avait pensé, Roselyn ignorait où se trouvait son mari. Des objets personnels de Kerensky étaient étalés sur le couvre-lit, près d'une boîte vide ornée du logo du Chicago Police Department, avec à l'intérieur la carte de visite de l'inspecteur Phil Stanway. Des notes sur un bloc, des numéros rayés, un nom biffé: tout cela témoignait d'une personne à la recherche de quelque chose, ou plutôt de quelqu'un.

Au café, Max l'avait abordée avec conviction, forcément. Chose certaine, Roselyn aurait pu se sauver et appeler la police, mais n'avait pas osé. Au contraire, elle était restée docile, avec ses grands yeux perplexes, motivée davantage par la curiosité que par la peur. Puis elle avait accepté de suivre Max à la chambre qu'il avait louée, lui aussi, au dix-huitième étage du Westin. Pas une chambre, en fait, ni même une suite, mais un véritable appartement dont les baies vitrées, immenses, donnaient sur une forêt de gratte-ciel. Un salon luxueux, mais un peu artificiel. Couleurs ternes sur les murs, mobilier sobre, tableaux fades, dans les teintes et les nuances qui s'agençaient avec le reste de la pièce. Lustre clinquant suspendu au plafond. Lourdes tentures en faux velours.

Max brûlait d'entendre l'histoire d'Albert Kerensky, de découvrir où et quand elle allait rejoindre la sienne, cette longue trace de sang encore humide qu'il suivait depuis l'Afrique et qui l'avait mené ici, dans cet endroit improbable, pour entendre les confidences de la femme de l'ancien exécuteur de l'État du Texas.

— Qu'est-ce que vous lui voulez? Pourquoi le cherchez-vous? demanda-t-elle quand Max revint s'asseoir devant elle.

Il avait préparé du thé, auquel elle ne toucha pas.

Son ton était plus curieux qu'agressif.

Max lui répondit que Kerensky avait mis en branle, en Afrique, une machine infernale qui avait déjà causé la mort de Valéria Michieka et de sa fille, Sophie. Et de deux autres personnes, Awadhi Zuberi et Thomas Musindo. Une machine qui risquait de broyer tous ceux qui, de près ou de loin, se trouveraient sur son passage.

En quelques mots, il lui raconta ce qu'il avait appris ou déduit au cours de son enquête.

Kerensky avait été mandaté par l'État du Texas pour prêter main-forte à un jeune bourreau de Tanzanie, ce que Roselyn savait déjà. Le pays venait de remettre en vigueur la peine de mort, suspendue quelques années plus tôt, mais on s'apprêtait à recourir pour la première fois à l'injection létale, comme on la pratiquait aux États-Unis, au Texas notamment.

— Un mandat secret, précisa Roselyn. J'imagine que le gouvernement américain ne voulait pas être accusé d'ingérence dans l'application de la justice en Tanzanie.

— Les autorités de la prison de Dar es-Salaam ont dû en faire la demande de façon confidentielle. Ou plus probablement le Chief of Justice, qui relève directement du président.

— Et Albert a été sélectionné à cause de ses états de service impeccables.

— J'ignore de quelle manière ça s'est fait, et pourquoi il a été choisi, lui, mais votre mari arrive en Tanzanie, où il supervise le travail de Lewis Katala. L'homme à exécuter s'appelle Samuel Musindo, un infirmier condamné pour le meurtre d'une jeune albinos, Clara Lugembe, la fille du ministre de l'Intérieur, aujourd'hui président de la Tanzanie.

Par la suite, la situation s'était compliquée, ajouta Max. Musindo n'avait pas été exécuté, pour une raison inconnue. Comment les choses s'étaient-elles déroulées ? Mystère. Mais Kerensky était forcément au courant.

— Je ne vois pas mon mari rater une exécution par sa propre faute. On l'a obligé à agir ainsi. On l'a forcé à le faire.

— Vous en êtes certaine ?

— Absolument.

Max la regarda, étonné.

— En juillet 2003, au moment où Albert se trouvait en Tanzanie pour procéder à l'exécution, notre petit-fils, Adrian, était kidnappé dans un camp de vacances au sud du Texas. Par deux hommes : Angel Clements et Mitch Arceneaux.

Elle ajouta :

— J'ai rencontré la mère d'Arceneaux. Elle m'a tout raconté. Son fils était un ancien mécanicien de la marine marchande. À la fin des années 1990, il avait été impliqué dans une bagarre à Dar es-Salaam, où son cargo faisait escale. Valéria Michieka l'avait aidé à se sortir du pétrin.

Le marin dont Sophie s'était amourachée quand elle était pensionnaire. Ayant gardé contact avec le jeune homme, Valéria l'avait rappelé au moment du procès de Musindo, quand il était devenu évident que la peine capitale serait remise en vigueur spécialement pour l'infirmier.

— Arceneaux lui devait une fière chandelle. Grâce à Michieka, le mécanicien avait réussi à éviter les prisons tanzaniennes, qui ne doivent pas être très rigolotes.

— Pourquoi cet enlèvement ? Pour faire pression sur votre mari ?

— Exactement. Si Samuel Musindo était exécuté, il ne reverrait jamais Adrian.

— Et votre mari a cédé à ce chantage ?

— Je connais Albert. Il a quitté très rarement les États-Unis, et toujours pour nos vacances, au Mexique, sans cesse au même endroit. Il n'est jamais allé en Europe, ni en Asie, encore moins en Afrique, à l'exception de ce voyage éclair. Je n'ai aucune peine à l'imaginer perdu et désemparé dans un monde étrange, ne pouvant se fier ni se confier à personne, surtout pas à la police. Il ne pouvait même pas m'appeler et me demander conseil, puisque je n'étais pas au courant.

Son regard s'était embué.

— Si ça s'était passé ici, aux États-Unis, poursuivit-elle, la situation aurait été différente. Il aurait dénoncé la tentative, il s'en serait remis au *warden*. Mais il se trouvait à l'autre bout du monde, dans un pays inconnu et potentiellement menaçant. Où il ne devait pas se trouver, d'ailleurs, puisque toute l'opération était secrète.

— Alors il a obéi...

— Adrian venait d'être enlevé. Albert devait répondre vite, je vous l'ai dit. Il était tiraillé entre son devoir à accomplir et la survie de son petit-fils. Il n'aurait pu continuer à vivre en se sentant coupable de sa mort. Alors, il a cédé.

— Comment il a fait ?

— Pour saboter l'exécution ? Je ne sais pas.

Mais elle était certaine qu'Albert connaissait par cœur le contenu et le dosage des liquides requis pour la mise à mort. Depuis le début de sa carrière, il en avait réalisé deux cent trente-quatre, sans aucune bavure.

— C'était le meilleur, tout simplement.

Un expert. Un champion.

Et là-bas, au pénitencier d'Ukonga, personne ne connaissait vraiment le mode d'opération, à part Lewis Katala, bien sûr. Selon sa sœur, il avait été informé par le bourreau américain de ses intentions de ne pas exécuter le condamné.

— Ce type, c'était son *tie-down team*, précisa Roselyn. Il n'avait pas le choix, il devait faire partie du stratagème.

— Et Musindo, demanda Max, vous croyez qu'il était au courant ?

— Je ne sais pas. Il a peut-être eu la plus belle surprise de sa vie en se réveillant de ce qu'il croyait être son dernier sommeil.

D'après Janeth Katala, Kerensky lui-même avait confirmé la mort de Musindo, même si, n'étant pas médecin, il n'aurait pas eu normalement le droit de se prononcer à ce sujet. Encore une fois, c'était une première pour la Tanzanie, on s'était fié à Kerensky.

On avait ensuite transporté Musindo dans une pièce isolée pour préparer la dépouille en vue de l'incinération, officiellement, mais en réalité pour lui donner le temps de se réveiller. Puis, muni d'une nouvelle identité, avec de faux papiers, l'infirmier avait pu recommencer une nouvelle vie, ailleurs, dans la plus grande discrétion.

Les deux bourreaux choisirent de ne rien dire. Difficile pour Kerensky, de retour chez lui, de se plaindre d'avoir subi des pressions pour bousiller une exécution, et Katala amorçait sa carrière. Pour la première fois, sa mère et sa sœur pouvaient vivre dans un certain confort. Avouer sa faute aurait tout compromis et l'aurait banni à jamais d'un emploi au gouvernement.

Adrian avait été libéré, on ne lui avait fait aucun mal.

Mieux valait oublier cette histoire qui n'avait pas entraîné de conséquences fâcheuses, ni pour Kerensky ni pour Katala. Encore moins pour Musindo.

Les deux hommes avaient donc gardé le secret pendant quelques années, et puis un jour, récemment, sans qu'on comprenne pourquoi, Kerensky avait lâché le morceau.

— Mon mari est obsédé par les exécutions qu'il a réalisées au cours de sa carrière, expliqua Roselyn. Il a gardé précieusement des… reliques de tous ces condamnés, ce que j'ignorais. À sa retraite, après la mort de Norah, notre fille, il a été pris d'une rage meurtrière.

Menant sa propre enquête, Kerensky avait d'abord retrouvé Clements et Arceneaux, qu'il avait liquidés pour les punir du rapt de son petit-fils. Sa colère inassouvie, il s'était mis en tête de reprendre l'exécution qu'on lui avait fait rater, des années plus tôt. Et, cette fois, de la mener à terme, selon ses propres conditions. Kerensky était motivé par sa volonté de clore sa carrière de bourreau par un dossier impeccable.

— Ce qui expliquait sa lettre à Lewis Katala, ignorant que l'ancien exécuteur était maintenant décédé. Il voulait l'enrôler dans sa mission meurtrière. Il lui demandait sa collaboration, de bourreau à bourreau, de collègue à collègue.

Mais quel rôle jouait Valéria dans cette affaire ? Durant des mois, elle avait promu la peine de mort, réclamé la tête de Samuel Musindo, à un point tel que certains ont cru qu'elle avait fait kidnapper elle-même la fille du ministre pour inciter le président Komba à remettre en vigueur ce châtiment à l'égard des meurtriers d'albinos.

Max avait appris que Valéria connaissait déjà Thomas et Samuel Musindo, qu'elle avait déjà été vue en leur compagnie. Samuel avait même été approché par l'avocate dans le cadre de son initiative pour envoyer des enfants albinos en adoption, à l'île d'Ukerewe. Avant d'apprendre que Musindo avait un tout autre objectif.

Une fois informé du projet de Kerensky grâce à la sœur du bourreau, Thomas Musindo avait appelé Valéria, qui avait gagné Dar es-Salaam dans le plus grand secret afin de préparer la sortie de piste de Thomas Musindo et celle de Janeth Katala. Puis la sienne et celle de sa fille par la suite. Une mise en sécurité sans doute financée par le million que Max avait soutiré de Jonathan Harris.

— Tous les quatre avaient peur d'Albert ?

— De quelqu'un d'autre. Plus menaçant encore.

Dont Max ignorait l'identité.

Il avait d'abord pensé que l'inspecteur Kilonzo sabotait l'enquête pour masquer sa propre implication dans le crime. Le policier était à la fois ambitieux et incompétent, mais était étranger aux meurtres de Valéria, de Sophie et de Thomas Musindo, même si, tout comme le tueur, il avait le profil de l'emploi : vétéran de la guerre entre l'Ouganda et la Tanzanie, lié à des membres des groupes rebelles en exil, adepte de la violence pour servir la « cause », celle de son avancement, bien sûr. Non, quelqu'un d'autre s'agitait dans l'ombre, lui aussi obsédé par une sorte de vendetta. Un type plus dangereux que Kerensky.

Cet individu avait tué le guérisseur Zuberi, croyant à tort qu'il était au courant de l'endroit où avait trouvé refuge Samuel Musindo.

D'autres questions se pressaient dans sa tête.

— Mais pourquoi cette mise en scène de la part de Valéria, son double discours depuis le début, réclamant la tête de quelqu'un pour ensuite tout mettre en œuvre afin de le sauver, organiser à distance le rapt d'un enfant, l'achat d'un faux passeport, trouver une planque et garder le secret pendant toutes ces années ? Pourquoi tant d'efforts ?

Il avait réfléchi tout haut.

Roselyn le fixa un long moment.

— Je vous croyais déjà au courant, dit-elle. Samuel Musindo, c'est le fils de Valéria Michieka.

P. 328

Cette page est blanche

(5)

Troisième partie

L'EXÉCUTION

P. 330

Cette page est blanche

(5)

Chap.

28

Debout devant Roselyn Kerensky, Max O'Brien en état de choc. Samuel Musindo, c'était le fils de Valéria ? Voilà donc pourquoi elle avait déployé tant d'efforts pour le sauver et garantir sa sécurité par la suite.

— Mais d'où tenez-vous cette information ?

— De la mère de Mitch Arceneaux. Quand j'ai découvert le nom de Valéria Michieka dans le rapport de police, je l'ai interrogée à son sujet.

La dame lui avait raconté la mésaventure de son fils, à Zanzibar, et le rôle joué par l'avocate. Elle lui avait parlé aussi de cet appel qu'il avait reçu de sa part, en juin 2003, du plus profond de l'Afrique. À sa mère, Mitch avait raconté que le fils de cette Africaine allait mourir. Elle lui avait demandé de l'aider à lui sauver la vie. De lui rendre service, comme elle l'avait fait pour lui à l'époque. Sans expliquer en quoi consisterait cette aide exactement.

— J'en ai déduit que ce Samuel Musindo était en réalité le fils de Valéria, même s'il ne portait pas son nom. Par la suite, quand j'ai découvert qu'elle avait fait la promotion de la peine capitale dans son pays, j'ai compris pourquoi elle avait eu besoin d'Arceneaux pour sauver la vie du condamné.

Désespérée de voir que son fils allait être exécuté, Valéria avait utilisé tous les contacts qui s'offraient à elle.

Max tournait en rond dans le salon, incapable de s'arrêter. Il comprenait maintenant l'initiative de Sophie quand elle était venue le voir à Lamu. Kerensky venait de lancer sa bombe, Valéria s'inquiétait pour la sécurité de Samuel. Elle avait absolument besoin d'argent, de beaucoup d'argent, pour le mettre à l'abri, de nouveau, lui trouver une nouvelle identité, une nouvelle planque, pour qu'il puisse s'enfoncer davantage dans l'anonymat. Afin de ne pas attirer l'attention de celui qui s'était mis en chasse pour le retrouver, Valéria avait eu recours à ce bon vieux Max, à son insu, pour plus de sécurité encore une fois.

Les deux femmes s'étaient donc partagé le travail. Alors que Sophie filait à Lamu, Valéria préparait le déménagement de Samuel, organisait son changement d'identité. Peu importe l'endroit où il se trouvait, son départ devait être justifié et naturel.

Il comprenait aussi l'attitude de Naomi Mulunga, la directrice de l'école Sandy Hill, à Ukerewe. « Laissez leur mémoire en paix », avait-elle dit au sujet de Valéria et de Sophie. Sans doute était-elle au courant de ce qui s'était passé, elle ne voulait pas que Max, par ses efforts, découvre la vérité et oblige ainsi Samuel à sortir au grand jour. Son seul objectif en demandant à Max de mettre un terme à l'enquête : protéger le fils de Valéria. Mais son attitude, loin de démobiliser Max, l'avait stimulé davantage. Il était le seul, croyait-il, à vouloir aller au fond de cette histoire, le seul qui se préoccupait de retrouver l'assassin des deux avocates.

Comment Valéria et Thomas Musindo s'étaient-ils connus, dans quel contexte ? Samuel était plus vieux que Sophie, donc Valéria l'avait eu avant son mariage avec

Richard Stroner. Un enfant non désiré, probablement, qu'elle avait laissé à son père biologique, qui avait épousé par la suite une autre femme. Ou alors, elle l'avait remis à ce type de Dar es-Salaam, dont la femme était infertile. Peu importe la version, Valéria avait fait le sacrifice de confier son fils en adoption. Plus tard, elle avait repris contact avec Samuel, comme le prouvaient ses rencontres avec lui et Thomas, son père, avant le meurtre de Clara Lugembe.

Max en voulait à Valéria de lui avoir caché ce pan de son existence, tout comme Roselyn se sentait flouée par Albert, qui avait dissimulé tant d'aspects de sa vie au pénitencier. Voilà ce qui les réunissait, tous deux : les mensonges par omission de la part d'êtres qu'ils aimaient plus que tout, mais qui avaient conservé jalousement leurs secrets les plus intimes.

— Nous sommes peu de chose dans la vie des autres, lança Roselyn. L'importance que nos proches nous accordent n'est qu'une illusion, une projection, un fantasme créé par nous-mêmes, dans le but de nous attribuer du crédit et de nous croire indispensable.

Jugement cruel, mais Max ne trouvait aucun argument pour la contredire. Plus son enquête avançait, plus Valéria s'éloignait de lui. Au lieu de se laisser rejoindre, elle fuyait devant, silhouette furtive, qu'il discernait de moins en moins. Ce qu'il avait découvert à son sujet altérait son souvenir, modifiait l'image qu'elle lui avait laissée, partiellement fausse, orientée sûrement.

Comment Valéria avait-elle toléré que Samuel se soit livré au trafic d'albinos ? À Ukurewe, Naomi Mulunga avait révélé à Max que l'avocate ne s'était d'abord doutée de rien. Elle avait appris la vérité au moment de l'arrestation de Samuel, découvrant avec horreur que le jeune homme se servait de son métier d'infirmier pour refiler des enfants albinos aux trafiquants, et en particulier au sorcier Zuberi.

Sa réaction ? La stupeur. L'impression d'un épouvantable gâchis. Il avait trahi sa confiance. Elle avait sollicité sa collaboration pour sauver de la mort ces enfants albinos en les remettant à des familles d'Ukerewe, comme elle avait elle-même sauvé la vie de Samuel en le confiant à Thomas Musindo. Il avait profité de la situation pour s'enrichir et trahir ainsi Valéria et son engagement envers les albinos.

Et puis, au cours du procès, son instinct maternel avait repris le dessus : ce tueur était aussi son fils et, malgré son crime, il n'était pas question qu'il meure sur l'échafaud. Max imaginait le dilemme de Valéria. Elle ne pouvait rester là, les bras croisés, à attendre que la justice fasse son œuvre. Elle devait agir, mais sans nuire à son engagement.

D'autres questions le tiraillaient. Comment l'assassin de Valéria, de Sophie, de Thomas Musindo et de Zuberi avait-il eu connaissance de la fausse exécution de Samuel ? Le bruit avait couru dans l'entourage de Janeth, peut-être, ou encore de Valéria, quand la nouvelle lui avait été transmise par Thomas Musindo. Quelqu'un l'avait découvert d'une manière ou d'une autre, et c'était ce qui avait déclenché la série de crimes dont Valéria et sa fille avaient été les premières victimes.

De la torture et des meurtres perpétrés par un ancien rebelle d'origine ougandaise, ou alors un militaire tanzanien appliquant les méthodes utilisées par ces opposants à Idi Amin. Pas Kilonzo, non. Qui alors ? Walter, son tortionnaire de la prison où il avait été détenu brièvement ? Peu probable.

Et où se cachait Samuel Musindo ?

— Que suggérez-vous ?

Max releva la tête. Il avait presque oublié la présence de Roselyn dans la pièce. Il haussa les épaules. Peu importe les raisons qui motivaient Kerensky et l'autre tueur, le fils de Valéria était visé. Il fallait empêcher ce nouveau meurtre. Mais comment? Une seule solution, selon Max : sortir l'affaire au grand jour, étaler sur la place publique ce qui s'était passé, à l'époque, dans la plus grande discrétion. Obliger Musindo à quitter sa tanière pour faire face, enfin, à la justice.

— Pour qu'il soit exécuté de nouveau?

— Tôt ou tard, son secret sera éventé. Et il devra recommencer à fuir.

— Ce qu'il fait déjà, j'en suis certaine.

— Ou alors il ne bouge pas, tapi dans sa tanière, sachant que le moindre mouvement risquerait d'attirer l'attention.

— C'est possible aussi.

— Nous avons affaire à un animal traqué en mode survie. Aux aguets.

— Où est-il allé après la fausse exécution, selon vous? demanda Roselyn. Il est peut-être resté en Afrique.

Maintenant que la nouvelle de sa fausse exécution s'était répandue, Samuel ne pourrait continuer de vivre en paix, peu importe où il se cachait. Tôt ou tard, Kerensky ou un autre lui mettrait la main dessus. Et Samuel disparaîtrait sans laisser de traces, puisqu'il était déjà mort aux yeux de la justice. Il fallait donc le retrouver avant que Kerensky et l'autre tueur le fassent.

Pour Max, le commanditaire de la fausse exécution était la clé de l'énigme. Si Valéria était à l'origine du subterfuge, comme il le croyait, elle avait eu besoin de complices. Mitch Arceneaux avait été responsable d'une partie de l'opération, Sophie s'en était occupée aussi, sans doute, et Thomas Musindo devait avoir joué un rôle également. Mais il leur avait fallu l'aide d'une autre personne au moins pour assurer la suite des choses. Protéger son anonymat, notamment.

Mais, surtout, où avait-il trouvé refuge ?

Max, un habitué des fausses identités, savait à quel point disparaître et réapparaître ailleurs, sous un autre nom, possiblement une nouvelle apparence physique, pouvait être ardu pour des gens qui n'y connaissaient rien. Si Samuel avait lui-même orchestré sa fausse mort avec l'aide de Valéria, s'il était l'artisan de la mystification avec sa mère, il avait quand même dû profiter de l'expertise de connaisseurs en la matière – faussaires et autres.

Plus préoccupant encore : Samuel, sûrement informé de la mort de Valéria, ne s'était pas manifesté. Ou alors n'était-il pas au courant, d'où son silence.

Comment le retrouver ?

Ou lui faire signe.

Lui envoyer un message.

— Vous avez des enfants, monsieur O'Brien ?

Max releva la tête. Roselyn le regardait avec attention.

— Norah était adorable, dit-elle. Une fille intelligente, qui allait devenir une jeune femme formidable. Albert et moi étions ébahis par cette enfant que nous avions mise au monde.

Roselyn détourna le regard, qui se perdit à l'horizon, de l'autre côté du lac Michigan.

— Depuis sa mort, je pense sans cesse à elle. Je me prends à rêver de pouvoir la retrouver, non pas en mourant moi-même, mais en allant la rejoindre dans un endroit connu de nous seules, où nous pourrions, elle et moi, faire comme si sa mort n'était qu'un mauvais rêve, ou une blague idiote faite à la vie, à nos amis, aux voisins, à la société au grand complet.

Max comprenait où elle voulait en venir.

— Valéria avait la possibilité, elle, de revoir son fils pour vrai. Je suis certaine qu'elle ne s'en est pas privée. À sa place, je n'aurais pu rester loin de lui des années sans le rejoindre, de temps en temps.

Max était songeur.

— Elle quittait l'Afrique parfois ? demanda Roselyn.

— Pour ses fameuses tournées de financement. Sinon, elle ne prenait jamais de vacances.

Max se jeta sur le téléphone. Quelle heure il était à Bukoba, il s'en foutait. Il réveilla Teresa Mwandenga chez elle. Lui demanda le relevé des déplacements de Valéria depuis juillet 2003, après la mort de Samuel Musindo. La comptable n'avait pas cette information sous la main, mais elle ferait les recherches nécessaires et rappellerait Max dès que possible.

Deux heures plus tard, alors que Max et Roselyn mangeaient un morceau, Teresa le rappela sur son portable. Valéria s'était rendue à Londres à quelques reprises, et ailleurs en Europe et aux États-Unis. Mais ses bienfaiteurs les plus sollicités étaient ceux de Vancouver.

— Vous avez les dates ?

— Chaque année, en février. Depuis 2004, elle n'avait pas dérogé une seule fois.

Autour du 8 février, probablement. Date de naissance de Samuel Musindo. Même après la mort présumée de son fils, Valéria n'avait jamais manqué à sa promesse de passer sa journée d'anniversaire avec lui. Comme elle le faisait avec Sophie. Max se souvenait de sa déclaration, à leur première rencontre, à Toronto. « Quand elle est née, j'ai fait un vœu, lui avait-elle avoué. Pour le reste de ma vie, peu importe l'endroit où je serai dans le monde, je rentrerai la serrer dans mes bras ce jour-là pour lui souhaiter un joyeux anniversaire. » Une promesse tenue à l'égard de Samuel également.

Vancouver, au Canada.

— Mettez-vous à la place de Valéria et de ses complices, qui veulent assurer la sécurité de Samuel, précisa Max. Ils ne prendront pas le risque de choisir un pays signataire d'un accord de réciprocité avec la Tanzanie en matière de justice, de peur que Samuel soit sujet à l'extradition si le subterfuge est découvert.

Ce qui justifiait le choix du Canada, dont le gouvernement n'avait pas signé une telle entente avec la Tanzanie. L'employé du consulat à New York le confirma à Max, au téléphone.

Mais ils n'étaient pas les seuls à avoir deviné où se terrait Samuel. Roselyn révéla à Max ce qu'elle avait déduit des déplacements de son mari. Gêné par le Beretta, il ne pouvait franchir la frontière qu'en voiture ou en autocar, en ayant soin de cacher l'arme sous une banquette ou ailleurs. Selon elle, si Samuel s'était réfugié au Canada, Albert le savait déjà. C'était pour s'y rendre qu'il avait demandé ce passeport, qu'on exigeait maintenant à la frontière canadienne. Le seul objectif de Kerensky : retrouver Musindo et reprendre l'exécution ratée, cette tache à son parcours jusque-là impeccable.

Max et Roselyn devaient absolument le rattraper et le neutraliser avant qu'il concrétise son projet.

Chap.
29

De l'aéroport O'Hare, Max O'Brien et Roselyn Kerensky
prirent un vol d'American Airlines pour Seattle. Dans
l'avion, incapable de dormir, Max tenta de faire le point.
Depuis la mort de Valéria et de sa fille, les choses s'étaient
bousculées, les révélations s'étaient multipliées, qui permettaient peut-être de comprendre ce qui s'était passé,
mais laissaient de nombreuses questions en suspens. Le
portrait de la situation se précisait, mais comment saisir
le sens profond des événements qui s'étaient enchaînés
comme un funeste jeu de blocs?

Pendant des années, Samuel avait poursuivi sa vie sous
une nouvelle identité, reléguant l'Afrique derrière lui,
plus particulièrement le meurtre de Clara Lugembe. Il
ne donnait de nouvelles à personne, sauf à sa mère. Ce
qui la mettait à risque, évidemment. On pouvait la faire
parler, elle aussi.

De temps à autre, au moins une fois par an, Valéria
allait visiter son fils. Ses tournées de financement ser-
vaient aussi d'alibis, lui permettant de justifier ses déplacements fréquents. La destination de Vancouver était
cachée au milieu des autres. Jamais on n'avait prêté
attention à la faible participation des donateurs de cette

région – même Teresa Mwandenga n'y avait vu que du feu.

La folie d'Albert Kerensky avait tout bousculé.

L'avion atterrit à Seattle quatre heures plus tard. De nouveau, le Westin, et un bureau de location de voitures où Max prit livraison d'une Lincoln Towncar, alors que Roselyn se reposait dans sa chambre, voisine de la sienne. Il la réveilla très tôt, le lendemain, et ils prirent la route en direction de la frontière. Après Bellingham, Max bifurqua par la 539. La campagne, de nouveau. À cette heure matinale, personne au poste frontière d'Abbotsford, sauf un fermier venu bavarder avec le douanier. Son tracteur encombrait la voie de droite comme s'il s'agissait d'un espace de stationnement. La grosseur et le luxe de la voiture de Max suscitèrent l'intérêt du douanier, mais très peu de méfiance. La présence d'une dame âgée à ses côtés rassurait.

Max appuya sur l'accélérateur, rejoignit l'autoroute transcanadienne et fila sans s'arrêter jusqu'à Vancouver. Une fois installés dans une suite du Wedgewood Hotel & Spa, dans Hornby Street, Max et Roselyn prirent le temps de souffler, enfin.

— Et maintenant, que suggérez-vous ? demanda Roselyn après une bonne douche.

Max hocha la tête. Il n'avait ni plan ni stratégie particulière. Au cours du trajet en voiture depuis Seattle, il avait essayé de se mettre à la place du meurtrier. Le jeune homme avait échappé de peu à l'exécution, il voyageait sous un faux nom, un faux passeport – probablement canadien – et venait d'arriver à Vancouver. Était-il attendu par un contact ? On ne pouvait en être certain. Mais si Valéria avait pu organiser le rapt d'Adrian à partir de Bukoba, elle avait dû préparer avec le même soin la retraite de son fils. Musindo en était à son premier séjour à Vancouver, qui plus est avec de faux papiers, il devait forcément s'en remettre à quelqu'un.

— Les caméras, à l'aéroport ? suggéra Roselyn.

Même si on pouvait remonter à six ans plus tôt – ce dont Max doutait –, ce matériel ne leur serait sûrement pas accessible. Et puis, il faudrait visionner des heures d'enregistrement. Ils ignoraient si Musindo était arrivé au Canada immédiatement après son « exécution ».

— Il aurait très bien pu transiter par l'Europe, y passer quelques semaines, histoire de mieux brouiller les pistes.

Sans parler de son apparence. Pour changer de vie de façon aussi radicale, Samuel se devait d'afficher un autre visage. Chirurgie faciale, donc. Convaincante, probablement.

Roselyn soupira. Ce voyage allait-il servir à quelque chose et, surtout, cette quête pour retracer Musindo lui permettrait-elle de retrouver Albert, de l'empêcher de commettre un meurtre, un autre ? Le ramener à la raison, le sortir de cette mission destructrice qu'il avait entreprise. Mais ensuite, quoi ? L'arrestation de son mari, son incarcération, d'abord au Canada, puis son extradition aux États-Unis où il aurait à répondre des meurtres d'Angel Clements et de Mitch Arceneaux, deux crimes passibles de la peine capitale. Ils avaient été commis en Louisiane, un autre État adepte des injections létales. Amère, Roselyn constatait l'ironie tragique de ce dénouement. Elle avait accepté de suivre Max, sachant qu'ainsi, à son tour, elle mettait en marche une machine infernale, une machine de mort qui finirait par broyer son mari.

L'information dont ils disposaient pour retrouver Musindo était minime – le nom d'une grande ville – et sa validité incertaine. Max pouvait lui lancer un message en publiant une annonce dans des journaux locaux, un message relayé par Internet, qui inciterait le fugitif à entrer en contact avec lui. C'était miser sur sa bonne volonté, sur son désir de se montrer – ce dont Max doutait fort. Et puis, par un tel message, ils signalaient ainsi leur présence à Kerensky et à l'autre tueur si, pour une raison ou une autre, les deux hommes ne les avaient pas encore localisés. Il importait de garder un profil bas, même si la discrétion n'était pas gage de sécurité.

— C'est un Noir, un Africain, lança Roselyn. Peut-être s'est-il rapproché de la communauté des immigrants de ce continent.

— Pour quelle raison?

— Nostalgie, mal du pays.

— Un immigrant ordinaire, oui. Mais pas Samuel Musindo. Il pouvait tomber sur quelqu'un qui connaissait sa véritable identité. Un Tanzanien qui aurait suivi de près le procès et l'exécution du condamné. Les risques étaient minimes, mais réels. Par conséquent, il ne s'était pas manifesté.

Bref, les pistes étaient minces. À peu près inexistantes.

— Et Valéria Michieka? Essayons de retracer ses allées et venues, quand elle venait visiter son fils.

— Bonne idée.

Le lendemain, Max s'y attela. Valéria n'avait sûrement pas couché à l'hôtel, elle pouvait être descendue chez son fils à chaque occasion. Inutile donc de faire le tour des établissements avec sa photo. Max tenta de suivre la trace de ses sessions de financement, mais ne put trouver l'endroit où elles se tenaient. Dans le dossier, selon la comptable, aucune facture de location de salle ni d'équipement audiovisuel, confirmant l'hypothèse que Valéria venait à Vancouver pour visiter son fils et non pour récolter des fonds.

Avaient-ils célébré les anniversaires de Samuel dans un restaurant?

Roselyn passa au peigne fin les Pages jaunes, s'enquit auprès du concierge de l'hôtel d'un établissement idéal pour ce genre de soirée. Mais les appels qu'elle fit dans ces restaurants ne donnèrent aucun résultat. Le 8 février de l'année précédente, et même de l'année avant, Samuel et sa mère n'y avaient pas mangé, du moins sous leurs vrais noms.

Changement d'approche. Puisque la piste de Valéria ne menait à rien, Max et Roselyn s'informèrent auprès de l'association des spécialistes en allergies de la Colombie-Britannique. Musindo avait peut-être eu besoin de poursuivre ses traitements.

— Discrètement, dès son arrivée à Vancouver, il commence à fréquenter une clinique où il passe inaperçu. On s'habitue à lui, il ne fait pas d'histoires, il se fond dans la foule des patients.

Roselyn semblait sceptique, mais ça valait le coup d'essayer.

Au téléphone avec Susan McGillivery, Max s'inventa une nouvelle passion : l'accueil des patients étrangers dans le système de santé de la Colombie-Britannique, surtout les jeunes hommes victimes d'allergies. Internet lui fournit le titre d'une obscure revue destinée aux nouveaux arrivants, sorte de dépliant publicitaire pour l'intégration des immigrants. Max s'improvisa journaliste, en train de préparer un reportage.

McGillivery le reçut dans un bureau désordonné, rue Davies. Une femme énergique, qui n'avait pas de temps à perdre, qui jugeait vaine la démarche de Max, mais qui accepta quand même de l'aider.

— Nos patients ne sont pas répertoriés par couleur ou par race, lança McGillivery dès qu'elle lui eut serré la main.

Max ne put s'empêcher de sourire.

343

— Bien sûr. Ce qui m'importe, c'est leur origine. L'Afrique anglophone, par exemple. Certaines allergies propres au Kenya et à la Tanzanie m'intéressent davantage.

— Ce sont des données confidentielles.

Mais qui existaient, comprit Max.

— Je dois m'appuyer sur des statistiques bien précises.

— Désolée, je ne peux vous aider.

Max tenta de convaincre McGillivery de l'utilité de sa démarche, qui visait à démontrer, justement, que le gouvernement faisait tout pour s'assurer que les victimes d'allergies d'autres pays puissent bénéficier de soins adéquats et équivalents aux autres Canadiens. Rien n'y fit.

Il se tourna vers une association visant l'intégration des nouveaux venus mais, là encore, l'information était confidentielle, ou bien on ne disposait pas de données précises pour orienter son enquête. Il fallait chercher ailleurs, et autrement.

De façon moins officielle, hors des sentiers battus.

Mais où, et comment ?

De retour à l'hôtel, Max ne put cacher son découragement à Roselyn. Au cours de leur repas, il avait la tête ailleurs. Soucieux, préoccupé. Roselyn également, comme si le pessimisme de Max déteignait sur elle.

Elle fouilla dans son sac à main pour en sortir son médicament contre l'hypertension. Quand elle releva les yeux, Max la fixait drôlement.

— À quoi vous pensez ?

Pour combattre ses allergies, Samuel Musindo était un grand consommateur d'éphédra. Une drogue illégale, mais facile à obtenir. Au procès, on avait établi que Musindo s'approvisionnait auprès des ouvriers chinois venus travailler en Tanzanie. La plante poussait en

Chine, on l'utilisait là-bas comme stimulant en la mélangeant avec du thé, notamment.

Max et Roselyn se pointèrent dans la première pharmacie venue. On leur apprit une bonne nouvelle : les produits contenant de l'éphédra étaient fortement réglementés par Santé Canada, on n'autorisait en vente libre que des quantités minimes. Idem aux États-Unis. Si Musindo consommait autant qu'en Tanzanie, il avait dû s'approvisionner ailleurs.

Sur le marché noir, donc.

Piste audacieuse, qui risquait de ne mener nulle part, basée sur trois hypothèses impossibles à vérifier : même à l'extérieur de l'Afrique, Musindo était toujours aux prises avec ses allergies, et il avait recours à la même drogue qu'il utilisait en Afrique, en quantité importante.

Cette éphédra, il lui fallait la trouver ailleurs qu'en pharmacie. Et il avait peut-être – troisième hypothèse – utilisé la même filière qu'en Tanzanie, celle des travailleurs chinois.

Max et Roselyn parcoururent Chinatown. Autrefois délabré, ce secteur de Vancouver se refaisait une beauté grâce à des investissements en provenance d'Asie. Dans les années 1990, l'annexion prochaine de Hong Kong par la Chine avait incité des millionnaires craintifs à déménager leur fortune de l'autre côté du Pacifique – surtout après la répression de la place Tienanmen. À ces Chinois et leurs familles, s'ajoutaient des hordes de touristes japonais, pour qui Vancouver était la première étape de leur visite au Canada.

Max essaya de se mettre dans la peau de Samuel, de nouveau. Il ne cherchait ni coke ni héroïne, rien de tel, juste un médicament – auparavant légal – qui lui permettrait de neutraliser ses très fortes allergies.

Par où débuter ?

Max et Roselyn déambulèrent dans le quartier chinois. Au détour d'une rue apparut le Sun Yat-sen Hotel, construction baroque qui tenait à la fois du gâteau de riz et du biscuit mystère. Le concierge s'occupait de la voiture d'un client. Sans que Roselyn ait pu l'empêcher, Max lui demanda où il pourrait se procurer de l'éphédra, en grosse quantité.

Le type n'en savait rien – mais, de toute évidence, l'éphédra ne lui était pas inconnue.

— C'est pour ma mère, dit-il, désignant Roselyn, qui l'attendait plus loin.

Le concierge leva la tête vers elle.

— Elle n'en dort pas la nuit, ajouta Max.

Le type suggéra une boutique de souvenirs, rue Pender, on y importait des herbes et d'autres produits naturels de même nature. Pendant que Roselyn rentrait au Wedgewood Hotel, Max s'enfonça plus profondément dans Chinatown.

Rue Pender, le magasin chinois, typique, regorgeait de babioles. Des bouddhas en plâtre aux couleurs vives protégeaient la boutique en jetant un regard concupiscent aux clients. Ceux-ci évoluaient au milieu d'un capharnaüm de chinoiseries de toutes natures, éventails, boîtes à musique, encens et fleurs en plastiques. Un peu partout, des comptoirs vitrés pleins de DVD, piratés probablement, mettant en vedette des stars du cinéma chinois. Des tissus brodés, des tuniques traditionnelles, un amoncellement de sandales en paille complétaient le décor. On n'était pas vraiment en Chine, plutôt dans l'une des boutiques à rabais de l'aéroport de Shanghai ou de Hong Kong. Un mélange de camelote et de trafic louche.

Le propriétaire avait le physique de l'emploi. Un Chinois aux épaules carrées, pas très grand mais sûrement redoutable, qui portait des lunettes Gucci avec la désinvolture d'un chef de triade.

Avec lui, Max n'avait pas envie de mettre des gants blancs. Il alla droit au but :

— Je cherche de l'éphédra.

— Connais pas.

Il n'eut pas le temps de tourner le dos à Max que celui-ci le saisit par le col et le projeta violemment sur un comptoir vitré, qui s'effondra sur le sol dans un vacarme de vaisselle cassée.

Max s'accroupit au niveau de sa victime, lui arracha ses lunettes et les lança à l'autre extrémité du magasin.

— En fait, je cherche quelqu'un qui achète de l'éphédra pour son usage personnel. En grande quantité. Un Africain.

Le type soufflait en clignant les yeux. Privé de ses lunettes, il semblait avoir perdu ses moyens.

— Un Africain, je te dis. De Tanzanie.

L'autre se taisait toujours.

D'un coup de pied, sans bouger de sa position, Max envoya valser un faux vase Ming, qui se brisa à son tour sur le plancher, après avoir tournoyé au milieu de la pièce.

— J'ai tout mon temps. Et bien des choses à casser.

Mais l'alarme, soudain, retentit. Max se releva. Dans la rue, des passants s'étaient arrêtés. Max sortit de la boutique à toute vitesse, maudissant sa témérité.

À l'hôtel, Roselyn l'attendait avec un message de Teresa Mwandenga. En fouillant dans les dossiers de Sophie, elle avait découvert que la fille de Valéria s'était rendue à Vancouver, elle aussi, mais en août 2003. Quelques semaines après la fausse exécution de Samuel.

Donc, elle l'avait accompagné pour faciliter sa fuite. Comme elle n'avait rien à cacher, Sophie avait dû voyager sous son vrai nom, contrairement à Samuel.

En se faisant passer pour un employé de Revenu Canada, Max communiqua avec quelques hôtels de l'aéroport de Vancouver, à la recherche d'informations concernant le séjour de Sophie Stroner.

Son intuition était bonne. Au cinquième appel, le Fairmont lui apprit que la jeune femme y avait séjourné une seule nuit, en août 2003. L'hôtel faisait affaire avec une compagnie de location de voitures, où le nom de Sophie apparut de nouveau. Le lendemain de son arrivée à Vancouver, elle avait loué une Toyota, qu'elle avait laissée quelques jours plus tard à la succursale de Prince George, huit cents kilomètres au nord.

30

Au matin, Max O'Brien et Roselyn Kerensky s'engagèrent sur l'autoroute, direction Kamloops, première étape de leur voyage. Le fils de Valéria voulait passer inaperçu, mais il avait choisi un territoire peu peuplé, où les Noirs étaient plutôt rares. Beaucoup d'Amérindiens, par contre, un certain nombre d'Asiatiques. Bref, il risquait tôt ou tard de se faire remarquer ou, à tout le moins, qu'on s'interroge sur sa présence dans ce coin de pays.

— Je comprends mal sa décision d'avoir choisi Vancouver comme point de chute, lança Max, alors qu'il aurait été plus facile pour lui de se perdre dans la foule torontoise, par exemple, où la population noire est plus nombreuse.

Autre incongruité : sa décision de ne pas s'installer en ville, mais de vivre à la campagne, dans les montagnes, ou encore dans une petite localité, augmentant ainsi les possibilités d'être repéré. Et puis, s'il avait choisi de vivre dans les Rocheuses, par exemple, dans une ville touristique, il risquait de tomber sur un visiteur plus physionomiste que les autres. Évidemment, les touristes tanzaniens étant plutôt rares, voire inexistants, le risque d'être reconnu était faible. N'empêche, Samuel se mettait en danger pour rien.

— Et Albert, vous croyez qu'il sait où il se trouve?

Max l'ignorait. Mais la veille de leur départ de Chicago, en se faisant passer pour Kerensky, il avait communiqué avec les cinq compagnies aériennes qui effectuaient la navette avec Vancouver, pour leur expliquer qu'il avait perdu son billet d'avion. Ses recherches n'avaient rien donné.

Roselyn avait raison: si son mari se trouvait déjà au Canada, il y était venu par la route, comme eux.

— Et l'autre type? demanda Roselyn, inquiète.

Max n'en savait pas plus.

Après Cache Creek, les roulottes et les véhicules récréatifs se firent plus rares, la plupart d'entre eux ayant pris l'embranchement en direction de Banff ou Jasper, en Alberta. La route de Prince George était maintenant sillonnée de camions et de véhicules de travailleurs forestiers. Les terrains de camping avaient cédé la place à des restaurants devant lesquels étaient garés des trains routiers chargés de billots. Les chauffeurs y dormaient, ou alors venaient enfiler un hamburger en vitesse avant de reprendre la route.

Max et Roselyn s'y arrêtèrent eux aussi, à quelques kilomètres de Quesnel. Après le repas, pendant que Roselyn terminait son café, Max en profita pour faire le plein. Il aperçut alors de nouveau la Subaru aux vitres teintées remarquée pour la première fois à la sortie de Cache Creek, trois cents kilomètres plus au sud. Le véhicule s'était tenu à bonne distance de sa Lincoln, mais ne l'avait jamais perdue de vue. En arrivant à Williams Lake, des travaux routiers avaient obligé Max à emprunter un chemin de terre, plus à l'ouest. Il s'était égaré, avait dû revenir sur ses pas et reprendre le détour depuis le début. La Subaru l'attendait plus loin, sur l'accotement de la route, et s'engagea de nouveau derrière l'auto de Max quand il la doubla quelques instants plus tard.

Voir la Subaru choisir la même station-service ne surprit pas Max. Le véhicule s'éloignait maintenant, et ralentissait près de la bretelle de sortie, histoire de se mettre en position pour talonner de nouveau la Lincoln dès qu'elle réintégrerait l'autoroute.

Après avoir payé l'essence, Max récupéra Roselyn, qui l'attendait à l'entrée du restaurant. Elle remarqua son air préoccupé et ne put s'empêcher de lui demander :

— Qu'est-ce qui se passe ?

— Nous avons des compagnons de voyage.

La Subaru s'était déjà engagée sur l'autoroute, de façon à précéder la Lincoln. Appuyant sur l'accélérateur, Max fit mine de quitter les lieux mais rebroussa chemin au dernier moment, en effectuant un demi-tour plutôt audacieux juste avant de quitter la sortie du parking. La Subaru était déjà loin, elle n'aurait pu reculer. Max vit le véhicule accélérer davantage afin de rejoindre le plus vite possible le premier viaduc qui lui permettrait de revenir à la station-service.

Max avait quelques minutes à peine pour mettre son plan à exécution. Il abandonna la Lincoln sur le parking après avoir déconnecté la batterie, puis téléphona à la compagnie de location pour dire que la voiture ne pouvait plus démarrer. On lui promit une remorqueuse qui arriverait de Prince George, mais il fallait être patient. Deux heures, au moins. Max répondit qu'il ne pouvait attendre.

— Les clés seront remises au préposé de la station-service, ajouta-t-il.

Ce qu'il fit, sous le regard ébahi de Roselyn, qui ne comprenait pas les intentions de Max. Mais ce n'était pas le moment de l'embêter avec ses questions.

— Venez.

— Nos bagages ?

— On les récupérera plus tard. Dépêchez-vous.

Max entraîna Roselyn au milieu des camions remorques. Il vit revenir un chauffeur du restaurant, casquette sur la tête, démarche lourde, sans enthousiasme.

Max s'approcha :

— J'ai des ennuis de voiture, je n'ai pas le temps d'attendre la remorqueuse, vous pouvez nous conduire à Prince George ? Son médecin l'attend à l'hôpital.

— Désolé, mon vieux. Les règlements m'interdisent…

Mais Max avait déjà sorti trois billets de cent dollars.

— Vous savez à quel point c'est difficile d'obtenir un rendez-vous…

Le camionneur détailla Roselyn – qui lui rappelait peut-être sa propre mère – puis regarda autour de lui. Personne ne les observait.

— Allez, montez, dit-il en empochant les billets.

Le camion se mit en branle, Roselyn installée entre le chauffeur et Max. Celui-ci aperçut la Subaru qui s'engageait de nouveau sur le parking de la station-service, à la recherche de la Lincoln. Rassuré de la voir près du restaurant, les bagages à l'intérieur, le chauffeur de la Subaru gara son véhicule plus loin.

— Et vous arrivez d'où, comme ça ? demanda le camionneur.

— Kamloops, répondit Roselyn, sans se démonter.

Le chauffeur siffla entre ses dents, l'air de dire : toute une distance pour un rendez-vous chez le médecin.

— Un excellent rhumatologue, ajouta-t-elle. Il a choisi de s'installer à Prince George.

Max se retourna. Roselyn lui souriait.

Décidément, cette femme le surprenait de plus en plus.

Prince George avait perdu ses allures de poste de traite. À une certaine époque, avec Fort St. James, c'était le point de contact des Amérindiens, qui venaient vendre des fourrures aux représentants de la North West Company. La petite ville avait changé de vocation avec le développement du chemin de fer et de l'industrie des pâtes et papiers, cheminots et employés d'usine ayant remplacé trappeurs et commerçants en fourrure. Comme c'était le cas dans cette région, Prince George s'était construite en s'appuyant sur le labeur des Amérindiens, d'abord mis au service des aventuriers – fournissant canots, guides et porteurs –, puis des entreprises forestières, et maintenant des groupes de chasse et pêche. En cette saison, l'endroit fourmillait de touristes qu'on allait chercher à Vancouver à bord de petits avions comme celui de Roosevelt Okambo. L'aéroport était l'un des plus fréquentés de la région.

Max demanda au camionneur de les laisser à l'entrée du Prince George Regional Hospital. Une fois qu'il eut disparu en direction de Dawson Creek, Roselyn se tourna vers Max.

— Et maintenant ?

— Suivez-moi.

Max entraîna Roselyn à travers le parking de l'établissement puis lui donna le bras pour l'aider à traverser la rue. Dans le magasin The Bay, tout près, ils achetèrent deux sacs de sport qu'ils remplirent de leurs nouveaux vêtements. À la porte du commerce, Max fit monter Roselyn dans un taxi, qui les déposa quelques instants plus tard devant l'hôtel Ramada, au centre-ville. Plusieurs voitures et quelques véhicules récréatifs dans le parking. Un endroit animé.

Sous un faux nom, Max loua deux chambres qu'il paya en liquide, s'informa des vols en partance de Prince

George dans la prochaine heure. Edmonton et Calgary, d'après ce que lui apprit le réceptionniste. Et Seattle plus tard en soirée.

Roselyn le regarda sans comprendre.

— Qu'est-ce que ça veut dire ?

Max lui fit signe de se taire.

Dans l'ascenseur, il communiqua de nouveau avec la compagnie de location d'autos pour dire qu'il se trouvait déjà à l'aéroport et qu'il prenait l'avion dans quelques instants, sans préciser la destination. Tous les frais nécessaires au remorquage de la voiture pourraient être portés à sa carte de crédit. Le préposé était désolé des inconvénients, Max lui dit de ne pas s'en faire. Il gardait quand même une très bonne impression de Prince George et de ses attraits.

— Vous préférez la vue sur le parking ? demanda-t-il à Roselyn, dans le corridor.

— N'importe quoi. À condition que vous m'expliquiez ce qui se passe.

— Il serait préférable de manger ici, ce soir.

La chambre de Roselyn était plus spacieuse, plus tranquille aussi. Max fit monter deux repas chauds, qu'il arrosa d'une bière tirée du minibar. Roselyn se contenta d'une eau minérale.

Le chauffeur de la Subaru avait dû interroger le type du remorquage, lui expliqua Max. Il avait appelé le préposé de la compagnie de location et patrouillait à présent la salle d'attente de l'aéroport à leur recherche.

— C'est Albert, vous croyez ? demanda Roselyn.

— Quelqu'un d'autre, plutôt.

D'avoir été filé depuis un bon moment, peut-être même depuis Vancouver, préoccupait Max, bien entendu, mais le rassurait aussi, en un sens. On se servait d'eux pour retrouver Musindo, donc on ignorait où il se trouvait. Le type de la Subaru croyait peut-être que Max savait des choses.

Il avait été tenté de rester sur place, à la station-service, pour enfin mettre un visage sur cet inconnu, mais avait jugé plus prudent de disparaître complètement.

Bref, Musindo n'avait pas encore été retrouvé.

Mais Kerensky, lui, pouvait être plus avancé. Angel Clements et Mitch Arceneaux, les deux hommes qu'il avait tués, l'avaient-ils informé, à l'époque, de l'endroit où se terrait Musindo ? Peu probable. Sa fausse mort avait été téléguidée de Tanzanie, les deux kidnappeurs n'étant que des exécutants à qui on avait confié très peu de choses, forcément.

Max ne pouvait s'enlever de l'idée que Valéria avait disposé d'une aide quelconque, à part Mitch Arceneaux. Cet individu restait planqué, parce que sa vie à lui aussi était maintenant menacée.

La présence de la Subaru obligeait Max à changer d'approche. Cet inconnu n'abandonnerait pas la partie aussi facilement. Il ne croirait pas que Max ait pris l'avion pour Edmonton, Calgary ou même Seattle. Il continuerait de sillonner Prince George à sa recherche, ou à la recherche de Musindo. Max et Roselyn devaient donc être très discrets pour éviter d'être repérés. Ils ne pouvaient pas sillonner la ville la photo de Musindo à la main, en espérant tomber sur une connaissance du jeune homme. Trop dangereux.

Depuis son arrivée à Prince George, Max ne cessait de voir des Amérindiens un peu partout, facilement reconnaissables à leur teint buriné et à leurs yeux bridés. Ils occupaient des emplois subalternes, comme ceux de leurs pères et de leurs grands-pères – le chauffeur de taxi, les vendeuses au magasin The Bay, l'employé d'entretien de l'hôtel. Originaires des villages environnants, ils étaient venus en ville travailler, gagner un peu d'argent. Plusieurs, par contre, semblaient donner du fil à retordre aux autorités municipales. En pleine nuit, Max fut réveillé par des cris et des bruits de bagarre sous sa fenêtre. Le matin, on lui expliqua qu'un bar des environs était fréquenté par des Amérindiens. À la fermeture, les choses dérapaient parfois. Comme la veille.

Max se remit à songer à Samuel Musindo.

Infirmier, le jeune homme ne pouvait prendre le risque de chercher du travail dans un hôpital. Par contre, on ne serait pas trop regardant s'il offrait ses services à des organismes chargés de soigner et de soulager les plus démunis. À Prince George, c'étaient les Amérindiens.

Piste mince, mais qui valait la peine qu'on s'y attarde. Max et Roselyn montèrent dans un taxi qui les déposa dans un refuge pour Amérindiens, à l'extérieur de la ville. Il s'agissait en fait du sous-sol d'une église presbytérienne que le pasteur avait transformé en dortoir. Avec d'autres bénévoles, il recueillait drogués et ivrognes, sans poser de questions, leur offrant gîte et nourriture, mais aussi des vêtements propres offerts par les habitants de la ville.

Son nom : Brendon Wilson. Il accueillit Max et Roselyn dans son bureau, derrière la cuisinette. Max lui mit une photo sous le nez.

— Un infirmier, vous dites ? Et qui travaillerait avec les Amérindiens ?

— Possiblement.

Wilson regarda de nouveau la photo. Hocha la tête. Non, il ne voyait pas.

— Si c'est un infirmier, comme vous dites, il est peut-être lié à un hôpital.

— J'en doute.

Wilson hocha la tête de nouveau.

Max lui avait raconté une vague histoire de famille à la recherche de son fils. Wilson était sceptique, mais tenta de ne pas le faire voir. Et puis, la présence incongrue de Roselyn le rendait perplexe.

— Pourquoi n'allez-vous pas à la police ?

En effet.

Ce soir-là, après avoir souhaité bonne nuit à Roselyn, installé au bar du Ramada – enfreignant ses propres consignes de sécurité –, Max eut l'impression que leur entreprise ne mènerait à rien.

Il allait monter se coucher à son tour lorsqu'il sentit le regard du *busboy* amérindien sur lui. Depuis le début de la soirée, il ne cessait de lui tourner autour. Finalement, voyant que Max quittait les lieux, il le suivit à l'extérieur du bar.

— Cet homme dont vous parlez, je l'ai vu.

Max s'arrêta net. Regarda le *busboy*. Un Amérindien, mais probablement métissé.

— Tu sais où il est ?

— Pourquoi vous le cherchez ?

Un moment, Max dévisagea le jeune Amérindien. Il voulait peut-être lui soutirer de l'argent. Feindre de savoir des choses, lui laisser miroiter de fausses informations, qu'il monnaierait, bien sûr. Pas question de tomber dans ce piège.

— Tu l'as rencontré ?

— Oui. Un Africain.

Max n'avait pas précisé à Wilson que Samuel venait d'Afrique.

Le *busboy* ajouta :

— Je finis à onze heures. On peut se voir après.

— Ici ?

— Il y a un Tim Hortons près du refuge où vous êtes allé cet après-midi. Je vous y attendrai.

Une heure plus tard, Max s'installa dans une banquette, avec vue sur la salle où s'attardaient quelques clients. Le *busboy* arriva avec un léger retard, chercha Max du regard et prit place devant lui.

— Il a soigné mon père, dit-il d'entrée de jeu. Ma famille habite à une cinquantaine de kilomètres de la réserve de Duncan Lake. Mon père est guide de pêche.

Un jour, il s'était blessé au bras en nettoyant ses prises de la journée. La blessure s'était infectée. Il fallait faire vite. L'hôpital de Burns Lake étant trop loin, sa mère avait lancé un appel sur la radio ondes courtes, réclamant un médecin de toute urgence. Mais il était tard, personne n'était venu. À l'aube, ils avaient vu un Land Rover s'avancer sur la piste menant à leur camp. Un Noir en était descendu.

Max montra au *busboy* la photo de Musindo.

— Oui, c'était lui.

L'infirmier avait nettoyé la plaie en utilisant des outils de fortune, disponibles sur place. Ce n'était qu'une fois son père endormi et tiré de ce mauvais pas qu'ils avaient jugé étrange que l'inconnu se soit manifesté sans matériel, sans équipement de premiers soins. D'ordinaire, les médecins ne se déplaçaient jamais sans leur trousse, surtout dans cette région-ci, et voilà que ce type, qui avait des connaissances médicales, de toute évidence, débarquait les mains vides.

Bien entendu, il n'avait pas voulu être payé.

— On lui a demandé qui il était, d'où il venait, et comment il avait intercepté notre appel. Il s'est contenté de dire qu'il avait capté le message sur sa radio, alors qu'il roulait vers Prince George.

— C'est là qu'il habitait ?

— Non, il n'a rien dit. Ni son nom, rien. Mais il venait de Prince Rupert.

Quand l'inconnu avait quitté les lieux, le *busboy* avait remarqué le nom du concessionnaire automobile inscrit sur le coffre arrière. Le véhicule avait été acheté à Prince Rupert, sur la côte, à sept cents kilomètres à l'ouest de Prince George.

Cette information réjouit Max. Musindo habitait donc cette partie de la Colombie-Britannique. Son arrivée impromptue dans cette famille en panique n'était pas passée inaperçue. Des années plus tard, le jeune homme s'en souvenait encore.

— Il a sauvé la vie de mon père.

— Comment vous avez su qu'il venait d'Afrique?

Deux jours plus tard, son père était monté avec un client jusqu'à Burns Lake. À l'hôpital, on avait examiné la blessure et le travail effectué par l'inconnu. Des soins professionnels mais dispensés avec les moyens du bord.

Le médecin traitant avait montré les points que Samuel avait effectués en utilisant du fil de pêche. Un classique de la médecine de brousse, avait-il déclaré. En Afrique plus particulièrement. Il avait travaillé au Mali pendant quelques années avant d'être engagé à l'hôpital de Burns Lake. Lui-même avait déjà eu recours à ce procédé.

— Depuis ce jour-là, conclut le *busboy*, on l'a appelé l'Africain, ce type sorti de nulle part.

De passage au refuge, en entendant Wilson discuter avec Max, le *busboy* s'était douté qu'il s'agissait peut-être de la même personne. Pour cette raison il avait abordé Max au bar de l'hôtel. Peut-être que l'étranger saurait où habitait l'homme qui avait sauvé la vie de son père. Celui-ci voulait le retrouver pour le remercier.

Discret sur les raisons qui le poussaient lui-même à retracer Musindo, Max promit néanmoins au *busboy* de le mettre en contact avec l'infirmier dès qu'il l'aurait localisé.

Après le départ du jeune homme, Max regagna le Ramada et frappa à la porte de Roselyn. Pas de réponse. Craignant le pire, il courut à la réception chercher une autre carte magnétique, puis remonta à l'étage. Il frappa de nouveau, puis déverrouilla.

Ses affaires traînaient un peu partout, mais pas de trace de Roselyn. Max se précipita à la fenêtre, remarqua la Subaru garée dans le parking, un peu à l'écart des autres véhicules.

Max revint à toute vitesse dans le corridor. Un premier coup à la tête le déséquilibra ; au second, plus fort, il perdit connaissance.

À son réveil, il faisait jour. Il était ficelé sur le siège arrière de la Subaru. Sa tête lui faisait atrocement mal, du sang avait coulé sur son visage. Où était Roselyn ? Le chauffeur filait sur la route, en pleine forêt. Son acolyte tenait Max en joue : Bruno Shembazi, l'adjoint de l'inspecteur Kilonzo.

Chap.
31

La surprise de Max O'Brien devait se lire sur son visage, et en lettres majuscules, car Shembazi éclata de rire. Un rire tonitruant, presque chaleureux, comme s'il savourait une bonne blague. Son regard, son attitude, sa manière de se comporter, avaient changé. En Tanzanie, il avait joué à merveille le rôle du subalterne souffre-douleur. Ici, aucun doute : il dominait la situation. Et en tirait de toute évidence un plaisir immense.

— Par son incompétence et ses ambitions démesurées, Kilonzo nuit à la réputation de la police tanzanienne. À la suite de ton arrestation, il se voyait déjà chef de police, à Arusha, sa ville natale, avec bureau climatisé, compte de dépenses, voiture et chauffeur. À présent, à cause de ton évasion, il fait traverser les écoliers dans une banlieue minable de Dar es-Salaam.

Il ajouta :

— Tu me dois une éternelle reconnaissance. Je t'ai sauvé la vie.

— Qu'est-ce que tu racontes ?

— Tu crois vraiment que tu aurais pu te sortir par toi-même des griffes de Kilonzo si je n'avais pas été là pour te prêter main-forte ?

Max se taisait.

— Des hommes à moi avaient été placés dans le fourgon, cette moto appartenait au ministère. Et si Roosevelt Okambo s'est trouvé à voler de ton côté, ce jour-là, juste au-dessus de ta tête, c'est parce qu'il avait été averti que tu tenterais de t'évader.

Max comprenait maintenant pourquoi Roosevelt ne l'avait pas cru quand il avait affirmé avoir agi seul, sous l'impulsion du moment. Il aurait dû se douter que d'autres joueurs s'étaient glissés dans la partie à son insu.

— Ta vie m'appartient, je peux en faire ce que je veux, reprit Shembazi.

Les mots lancés par Kilonzo, au moment de son arrestation. Les deux hommes étaient issus de la même école, celle des rebelles ougandais.

— Alors pourquoi tu ne m'as pas laissé entre les mains de Kilonzo ?

— Il fallait empêcher que cet imbécile nuise à mes efforts pour retrouver Samuel Musindo. En t'éliminant comme il le souhaitait, il ne pensait qu'à promouvoir sa carrière.

— Parce que toi, bien sûr, tes ambitions diffèrent.

— Je n'ai pas d'ambitions. Mais un sens très aigu du devoir.

— Où est Roselyn Kerensky ? demanda Max. Qu'est-ce que vous lui avez fait ?

Shembazi se taisait.

— Tu lui veux quoi, à Musindo ?

— Soulager la douleur d'un père, répondit Shembazi après un court silence.

— Tu travailles directement pour Lugembe, c'est ça ?

— L'assassin de sa fille se promène en liberté à l'autre bout du monde, et tu voudrais qu'il n'intervienne pas ?

— C'est toi qui as tué Valéria ? Et Sophie ?

— Elles auraient eu la vie sauve si elles avaient collaboré et admis leur erreur. Lugembe n'est pas un monstre. Il veut juste mettre la main sur le meurtrier de sa fille.

— Il l'a appris comment ?

— Qu'il était en vie ? Le président s'est toujours méfié de l'avocate. Dans son entourage, il avait placé des pions à lui, bien au fait de ses activités, et qui rapportaient à Lugembe le moindre détail intéressant...

— Je les croyais alliés, tous les deux.

— Ça ne l'empêchait pas de surveiller ses fréquentations. L'Histoire regorge de situations où les alliés d'autrefois deviennent les ennemis de demain. Lugembe ne se maintient pas au pouvoir uniquement grâce à ses beaux discours. Serrer la main d'Obama et lui conter fleurette, ça ne suffit pas.

Il ajouta :

— En Afrique, la démocratie est une chose fragile, à la merci de n'importe quel général hystérique et imbu de son pouvoir. Tôt ou tard, des Idi Amin et d'autres clowns du genre sortent de leurs casernes et imposent leur loi. Lugembe ne veut pas répéter la même erreur. Démocrate, oui, mais pas naïf.

— Bref, il surveille tout le monde.

— Si on veut.

Prenant conscience de la panique de Valéria, qui s'était rendue chez Musindo dans le plus grand secret, voyant avec quelle rapidité celui-ci avait mis son terrain de golf en vente, Lugembe avait perçu quelque chose d'anormal. Il avait envoyé Shembazi chez l'avocate et sa fille, qu'il avait tenté de faire parler. Sous la torture, Valéria ou Sophie avaient admis que Samuel était vivant, mais sans préciser où il se cachait. Sans révéler non plus sa nouvelle identité.

En apprenant que le meurtrier de sa fille était libre comme l'air, Lugembe, sceptique, avait mené sa petite enquête. Convaincu de s'être fait avoir, finalement, il était entré dans une terrible colère. Celle de l'homme d'État qui découvre que les lois qu'il est chargé de mettre en place sont bafouées. Et celle du père, qui ne pouvait tolérer que l'assassin de Clara soit demeuré impuni toutes ces années.

Lugembe lança Shembazi à la recherche de Musindo en imposant sa présence auprès de l'inspecteur Kilonzo, qui ne se doutait pas du rôle réel de ce nouveau venu. Il fallait à Lugembe un enquêteur personnel, qui pourrait poursuivre sous la couverture fournie par Kilonzo les recherches entreprises auprès de Michieka et de sa fille.

Le nom d'Albert Kerensky avait fait surface au cours des séances de torture des deux avocates. Parallèlement au travail de Shembazi, Lugembe avait envoyé quelqu'un au Texas pour l'interroger, lui aussi, mais il avait disparu avant qu'on puisse en savoir davantage à son sujet.

Entre-temps, Max avait fait son entrée dans le dossier, bouleversé par la mort de Valéria et de sa fille. Quand Shembazi vit à quel point cet amant éconduit prenait l'affaire au sérieux, il l'utilisa au service de ses propres intérêts. Jusqu'au jour où Kilonzo décida de lui faire porter le blâme du meurtre du guérisseur Zuberi.

— Une autre de tes victimes, lança Max.

— Kilonzo, plutôt. Il cherchait un moyen de te compromettre. Quand il sut que le guérisseur t'avait donné rendez-vous, Kilonzo te devança pour préparer ton arrivée, en quelque sorte. Une mise en scène comme il en avait l'habitude. Il croyait que te coller le meurtre sur le dos, ajouté à l'arnaque dont tu étais soupçonné, lui suffirait pour se faire remarquer de ses supérieurs.

Décidément, Kilonzo était prêt à tout pour une promotion.

— Zuberi n'était au courant de rien. La filière ne passait pas par lui, il avait agi comme une sorte d'écran pour camoufler l'imposture de Michieka.

— Pour Kilonzo, c'était le suspect parfait.

— Mais il lui était impossible de prouver sa culpabilité. Et puis, Zuberi avait des contacts au gouvernement, des alliés, des amis secrets. En interrogatoire, jamais Kilonzo n'aurait pu tenir tête au guérisseur, qui aurait fait jouer ses relations. Tandis que toi...

— Une proie facile.

— Au début, je croyais que tu en savais plus que nous. Et puis j'ai compris que tu étais dans le brouillard, toi aussi. Alors je t'ai laissé chercher, jusqu'au moment où tu as trouvé. Je t'ai libéré pour que tu puisses faire le travail à ma place. Pour que tu puisses trouver ce foutu infirmier. Ingénieux, n'est-ce pas ?

— J'ignore où se cache Musindo.

— Et c'est pour cette raison que tu es monté jusqu'à Prince George ? Parce que tu ne sais rien ?

Shembazi éclata de rire.

La Subaru emprunta un chemin de gravier, à la sortie de Vanderhoof, et roula ainsi de longues minutes avant de se garer dans une sorte de parking improvisé et rudimentaire, un espace boueux au milieu d'une pépinière abandonnée. Le genre d'endroit qui devait permettre aux camions remorques de rebrousser chemin. Par terre, des traces de pneus en zigzag et en demi-cercles. Bruno Shembazi regarda autour de lui en descendant de la voiture, donnant ainsi l'impression à Max qu'il découvrait ce lieu pour la première fois. Ses ravisseurs avaient attendu qu'il reprenne conscience avant de s'écarter de la route et de trouver cet endroit isolé.

— Tu perds ton temps, Shembazi. Tu m'as intercepté trop vite. Si tu avais attendu...

— Tais-toi.

D'un geste de la main – celle qui tenait le revolver –, Shembazi ordonna à Max de descendre à son tour. Il sortit doucement, prudemment, malgré la douleur lancinante qui lui martelait la tête.

Le collègue de Shembazi, le visage fermé, était descendu à son tour. Il poussa Max devant lui, loin de la voiture. Avaient-ils décidé de le tuer ici, au milieu de nulle part ? Max ne le croyait pas, même si la tentation devait être forte.

On le torturerait, probablement, comme on avait fait avec Valéria, Sophie et les autres. Mais il n'avait rien à avouer, ce qui laissait présager de longues heures de souffrance.

— Samuel Musindo ne fait de tort à personne. Cette histoire est oubliée. Pourquoi s'acharner sur lui ?

— Il a tué la fille du président, répondit Shembazi. Il doit payer.

— Il te suffit de raconter à Lugembe que tu l'as retrouvé et éliminé, comme convenu.

— Tu voudrais que je trahisse celui qui m'engage au profit d'un escroc minable ? Que je trompe le type pour qui j'ai combattu en Ouganda ? Aux côtés de qui je suis entré à Kampala pour déloger Idi Amin ? J'ai bien compris ? C'est ce que tu me demandes ?

— Je peux te payer, j'ai beaucoup d'argent.

Shembazi était appuyé sur le capot de la Subaru. Un sourire illuminait son visage. Il jouissait de chaque instant et s'amusait à faire durer le plaisir, comme s'il avait longtemps attendu ce moment.

— C'est la différence entre toi et moi. Tu es tout seul, alors que je suis appuyé par une organisation. Par un gouvernement. Je ne suis pas motivé par l'argent, comme toi. Je m'en fous, de ton fric.

— Je ne sais pas où se cache Musindo. Je ne sais même pas s'il est encore vivant, fit Max.

— Valéria Michieka n'aurait pas été aussi fébrile en apprenant que son secret avait été découvert.

— Oublie Musindo.

— Ta gueule !

Avant que Max eût le temps de répliquer, le téléphone de Shembazi sonna.

— Quelqu'un veut te parler, dit-il à Max après un moment.

Il lui tendit le téléphone à bout de bras. Max eu un pressentiment qui se confirma quand le complice de Shembazi le poussa vers son patron.

Le téléphone, c'était un Stellar.

D'une main nerveuse, devinant ce qui allait venir, Max s'empara du portable.

À l'écran, Roselyn Kerensky, attachée à une chaise. Derrière elle, accroupi, une montagne de muscles : ceux de Ferguson, l'homme de main de Jonathan Harris.

— Max ? murmura Roselyn, d'une voix faiblarde. Vous êtes là, Max ?

La vieille dame semblait effrayée.

— Oui, c'est moi. Vous allez bien ? On ne vous a pas fait de mal ?

Ils étaient tous issus du même terreau, celui de la guerre contre l'Ouganda. Lugembe s'y trouvait, comme Ferguson et Shembazi, ce que ce dernier lui confirma. Une fois au pouvoir, Lugembe les avait engagés pour sa protection et ses services de renseignements.

— Le roi du Stellar venait de négocier avec le gouvernement l'implantation de son service téléphonique sur le territoire tanzanien, expliqua Shembazi. La présence de Ferguson sur le yacht de Harris avait permis aux négociateurs de Lugembe de découvrir la stratégie du milliardaire.

En Tanzanie, grâce à l'astuce du président, les consommateurs profiteraient d'une technologie de pointe à un prix modeste.

Quand Max avait pris d'assaut le yacht de Jonathan Harris, Ferguson avait joué le jeu même si Max ne lui était pas inconnu. Il l'avait déjà vu dans l'entourage de Valéria, quand il était chargé de l'espionner avec d'autres agents des services secrets tanzaniens. On ignorait ses antécédents d'escroc, sa couverture avait bien tenu. Jusqu'à l'arnaque contre Jonathan Harris. Si Ferguson n'avait rien dit, c'était pour ne pas se compromettre lui-même. En clair, Max s'était présenté sous une fausse identité, mais le colosse également. C'était ce qui avait protégé Max à l'égard de Harris et lui avait permis de filer avec le magot.

Mais la performance de Max était venue aux oreilles de Lugembe et de son entourage. Au départ, le président avait trouvé la situation cocasse. Harris était furieux de l'intention du gouvernement de vouloir imposer ses revenus à un niveau exorbitant, selon lui. Il exigeait un traitement de faveur, un passe-droit, une dérogation. Voir Max le dépouiller d'une partie de sa fortune ne pouvait que réjouir Lugembe, même s'il n'en tirait pas profit directement. L'humiliation de ce prétentieux qui donnait des leçons de civilité à tout le monde lui faisait un immense plaisir.

— Tu avais raison, sur le *Sunflower*, lança Ferguson. C'est formidable, la technologie.

— Roselyn n'a rien à voir dans cette histoire, laissez-la tranquille.

— Alors, tu vas nous dire où se cache Samuel Musindo, reprit Shembazi.

— Libérez Roselyn, d'abord.

— Tu n'es pas en position d'exiger quoi que ce soit.

— J'ignore où se trouve Musindo. Roselyn aussi.

— Je te donne une dernière chance.

— J'ai appris qu'il avait débarqué à Vancouver mais rien de plus. Le reste, je l'ai déduit. Je marche à l'aveugle, comme vous.

— Tu dis n'importe quoi.

— Libérez Roselyn.

— Il ne sait rien, rétorqua faiblement la vieille dame, à l'écran du Stellar.

— Un petit effort.

Ferguson pointait son revolver sur la tête de Roselyn.

— Libérez-la.

Un long moment de silence, puis un coup de feu. À l'écran du Stellar, Max vit avec stupeur Roselyn qui tentait de reprendre son souffle, les yeux fermés. Ferguson, stoïque, n'avait pas bougé, le revolver encore fumant à la main.

— Tu veux vraiment avoir le meurtre d'une vieille dame sur la conscience ? demanda Shembazi. Et ébruiter la nouvelle auprès de son mari ?

Il ajouta :

— Quand il verra que l'exécution de Musindo a aussi provoqué la mort de sa femme, il voudra se venger. Je ne donne pas cher de ta peau.

Avant que Max ait pu réagir, un deuxième coup de feu se fit entendre. De nouveau sans toucher Roselyn.

— Il vit à Prince Rupert, lança Max, désespéré. Un jeune Amérindien l'a rencontré, il a soigné son père, il savait qu'il venait de la côte.

— Tu vois ? Il suffit d'un peu de collaboration.

— Laissez-la, maintenant.

— Où, à Prince Rupert ?

— Je vais vous y mener si vous libérez Roselyn.

Un long silence, comme si Shembazi évaluait la proposition. Max avait besoin d'un argument massue, un dernier, pour sauver la vie de Roselyn et la sienne.

— Il ne sait pas que vous êtes à ses trousses.

— Tu lui as parlé ?

— Oui. Il s'attend à me voir. S'il découvre que je ne viens pas au rendez-vous, il se méfiera. Ce sera encore plus difficile pour vous de le retrouver. Il a l'habitude de disparaître sans laisser de traces.

Max improvisait mais, de toute évidence, ce qu'il racontait se tenait, puisque Shembazi écoutait sans répliquer. Quand il eut terminé son laïus, Max lança :

— Maintenant, libérez Roselyn. Elle ne vous a rien fait, elle ne vous causera pas d'histoires…

Un troisième coup de feu interrompit Max, alors que l'écran du Stellar devint rouge, tout à coup.

— Roselyn ! cria Max.

Shembazi lui arracha le téléphone des mains et l'écrasa sous son pied.

— Allons-y.

Abattu, dégoûté, sans énergie, Max se laissa pousser sur la banquette arrière de la Subaru. La portière se referma derrière lui dans un claquement sec.

Chap.
32

La mort de Roselyn lui rentrait dedans, comme s'il s'était réveillé, tout à coup, au milieu du ring, à servir de *punching bag* à un champion de boxe. Une douleur, là, au creux du ventre, qui ne voulait pas disparaître. Max O'Brien se sentait responsable de ce qui était arrivé. Roselyn ne voulait qu'une chose : retrouver son mari. Il l'avait entraînée dans ce pays perdu sans se soucier de son sort. Bien sûr, il avait insisté pour qu'elle reste à Chicago ou qu'elle rentre à Houston, mais pas très fort, et pas très longtemps. Il savait qu'elle pourrait lui être utile en cas de rencontre avec Albert Kerensky. S'il y avait quelqu'un pour lui faire entendre raison – si possible – c'était elle, personne d'autre. Quand elle s'était entêtée à vouloir l'accompagner, il avait presque été soulagé, ce qu'il regrettait maintenant.

Depuis toujours, son existence évoluait ainsi, au gré des ratés et des échecs, dopée par sa volonté illusoire de corriger ce qui ne pouvait l'être. De vivre dans l'illégalité avait exacerbé son sens moral, ironiquement. La mort de Roselyn lui faisait autant de mal que celles de Valéria et Sophie, même s'il n'avait côtoyé la vieille dame que quelques jours à peine. Sa culpabilité était insoutenable.

Avec la disparition de Roselyn, la situation de Max s'était détériorée. Il avait créé cette histoire au sujet de Musindo, fausse bien sûr, mais qui avait conforté Shembazi dans sa conviction qu'il savait où se trouvait le repaire de l'infirmier. Sa lamentable pirouette de sortie pour sauver Roselyn avait échoué. Et maintenant, comme l'avait prévu Shembazi, en plus de ces deux-là, Max aurait bientôt Kerensky sur les talons dès que la mort de sa femme serait rendue publique.

S'il réussissait à échapper à ces deux exaltés.

Aussitôt que Shembazi et son molosse s'apercevraient qu'il leur avait menti, il était bon, lui aussi, pour se faire éclater la tête en direct à l'écran d'un Stellar.

Le seul moyen de jouer cette partie désormais, se dit Max, c'était d'y aller pion par pion, et d'aviser au fur et à mesure. Il n'avait pas d'autre option, de toute façon.

Retrouver Samuel Musindo, d'abord.

Tout en regardant la forêt par la fenêtre de la voiture, des conifères aux couleurs sombres serrés les uns contre les autres, Max se demanda de nouveau pourquoi le fugitif avait choisi cette région, alors qu'il aurait pu se fondre dans la masse à Toronto, Montréal ou ailleurs. Max se dit qu'en trouvant ce qui avait motivé son choix, il aurait une meilleure chance de découvrir où l'infirmier se terrait. Mais il avait beau se creuser les méninges, rien ne lui venait. Les motivations de Musindo demeuraient opaques.

Max savait peu de choses de lui, ce qu'il regrettait maintenant. Des éléments essentiels. Comment Valéria en était-elle venue à abandonner cet enfant et pourquoi Thomas Musindo en avait-il hérité ? Était-il le vrai père de Samuel, ou bien avait-il agi pour rendre service à Valéria ? En Tanzanie, l'avortement n'était pas autorisé, à moins que la vie de la mère soit en danger. Ce qui n'avait pas été le cas avec Valéria. L'intervention de Musindo avait donc été nécessaire.

Cet enfant devenu adulte s'était transformé en trafiquant et en tueur d'albinos, que Valéria avait tout fait pour sauver de la mort – alors qu'elle avait elle-même demandé cette peine extrême pour ce genre de crime. Quelque chose clochait dans ce dénouement. À la fois le trafic auquel s'était livré Samuel et les moyens pris par Valéria pour le sortir de là.

À moins que le jeune homme, malgré les apparences, ait été innocent du crime dont on l'accusait. Mais Max se souvenait qu'après avoir pris la fuite et tenté de traverser la frontière, l'infirmier avait avoué spontanément être l'auteur du meurtre.

C'était peut-être ça, justement, qui intriguait Max. Cet aveu spontané alors qu'aucun témoin direct ne s'était manifesté et qu'il aurait pu, grâce aux efforts de l'avocat Chagula, semer le doute chez les membres du jury. Tout comme était curieuse sa volonté ferme de ne jamais incriminer le guérisseur Zuberi, qui s'en était tiré avec une peine mineure.

Peu avant Prince Rupert, la pluie fit son apparition. Monotone, discrète, une bruine, presque, qui imbibait le paysage sans l'inonder. À l'odeur de cette pluie s'ajouta celle de l'océan. Après un centre-ville peu inspirant – une rue très large, bordé d'hôtels démodés et de maisons de chambres un peu glauques –, le port apparaissait, industriel, animé, coincé au milieu des conserveries de poissons. Un énorme panneau publicitaire à l'entrée de la ville l'affirmait avec fierté : Prince Rupert, capitale mondiale du flétan.

Près du quai, avec ce rideau de conifères toujours en arrière-plan, des pêcheurs livraient leurs prises, récupérées par les employés des conserveries, amérindiens pour la plupart. Le bourdonnement continu des usines de transformation ajoutait à la grisaille des lieux. Malgré l'animation industrielle, on croyait se trouver au bout du monde, loin de tout. Plus loin encore que Bukoba.

Le complice de Shembazi gara la Subaru devant un McDo lugubre où, derrière une vitrine dégoulinante de pluie, paressaient quelques retraités, casquettes de base-ball vissées sur la tête. Tournés vers le parking, ils scrutaient les nouveaux venus. Leur arrivée n'était pas passée inaperçue.

— Alors ? demanda Shembazi en éteignant le moteur.

— J'ignore où il habite.

— Ça suffit, O'Brien.

— Mais il m'a donné rendez-vous.

— Où ça ?

— Le restaurant Smile's. Demain. À midi.

En entrant dans la ville, Max avait remarqué le panneau publicitaire de l'établissement, spécialisé dans les poissons et les fruits de mer – y compris le meilleur flétan de Colombie-Britannique, servi sans cérémonie et sans vous ruiner, vous et votre famille. Un restaurant populaire, rempli d'habitués, probablement. Une sorte de frénésie devait s'emparer du personnel, à midi. Ce qui n'était pas pour déplaire à Max.

Avant que Shembazi ait pu répliquer, il ajouta :

— Si Musindo découvre que je suis accompagné, il disparaîtra aussitôt. Vous perdrez de nouveau sa trace.

Shembazi hésita un long moment, comme s'il se demandait si Max bluffait ou non. Finalement, il ordonna à son collègue de redémarrer la voiture. Ils roulèrent un long moment, jusqu'à la sortie de la ville.

Un motel, un peu à l'écart de la route, dont on voyait pourtant l'affiche de très loin, juchée sur une énorme grue. Une station-service attenante à l'établissement. Quelques rares voitures sur le parking. Sur une camionnette un panneau lumineux vantant les chambres à rabais. Un commerce qui avait connu de meilleurs jours et qu'on tentait de ramener à la vie à coups de publicité tapageuse.

Pendant que le collègue de Shembazi s'occupait de louer la chambre, celui-ci fit descendre Max de la Subaru, sous une pluie plus intense. Trempé, Max fut poussé dans une pièce humide qui sentait le produit nettoyant. Deux grands lits, une commode défraîchie, au-dessus de laquelle on avait accroché une énorme télé à écran plasma, seule touche contemporaine du décor.

Les deux hommes menottèrent Max au radiateur de la salle de bain, refermèrent la porte sur leur prisonnier, puis Shembazi quitta la chambre à la recherche de nourriture. Max entendait la télévision, que le collègue de Shembazi avait allumée. Il vérifia le radiateur, soudé solidement au plancher, d'où il lui serait impossible de se libérer. De toute façon, même s'il y parvenait, la fenêtre des toilettes était trop petite pour lui permettre de s'enfuir. Il lui faudrait donc affronter son gardien, dans l'autre pièce. Le type était armé et redoutable.

Peu d'espoir de s'en sortir, donc.

Max avait gagné quelques heures, mais elles ne serviraient qu'à prolonger son supplice. En réalisant qu'il s'était foutu de leur gueule, Shembazi lui mettrait une balle dans la tête. S'il ne lui prenait pas la fantaisie de lui donner sa propre version de la *kandoya*.

Quelques instants plus tard, Max entendit Shembazi revenir. La porte de la salle de bain s'ouvrit. Il lui lança un sandwich et un soda comme on lance un os à un chien affamé, puis la porte se referma aussitôt. Max repoussa le sandwich d'un coup de pied. Il aurait dû manger, reprendre des forces, mais il avait perdu tout appétit. La porte s'ouvrit deux heures plus tard, et une couverture lui fut lancée au visage.

Cette nuit-là, Max dormit à moitié, réveillé sans cesse par le bruit des menottes qui heurtaient le radiateur chaque fois qu'il se retournait. Courbaturé, épuisé, il vit enfin un jour gris apparaître dans la petite fenêtre au-dessus de sa tête. On lui avait enlevé sa montre, il ignorait l'heure. Très tôt le matin, sûrement. De l'autre côté de la porte, aucun bruit. Les deux geôliers dormaient.

S'il avait eu les moyens et la possibilité de fuir, c'était maintenant, mais la nuit blanche qu'il venait de passer ne lui avait donné aucune idée brillante.

Shembazi revint dans la pièce pour se soulager. Il se pencha vers Max.

— J'espère que tu es régulier avec nous. Tu sais ce qu'on faisait aux traîtres, dans l'armée rebelle de l'Ouganda?

Max ne tenait pas à le savoir.

Shembazi sourit.

Il ouvrit les menottes du radiateur et lança à Max:

— Allez, debout. Faut surtout pas manquer notre rendez-vous.

Assis dans la vitrine du restaurant Smile's où traînaient encore quelques retardataires du petit-déjeuner, Max n'avait pas plus d'appétit que la veille. L'odeur du bacon et des œufs lui levait le cœur, il était à deux doigts de vomir. Devant lui, son assiette à peine entamée, abandonnée, son café refroidi, dont il n'avait pris qu'une seule et pénible gorgée. Ce restaurant servait peut-être le meilleur flétan du monde, mais pour le café on avait jeté l'éponge depuis longtemps.

Plus loin, une serveuse préparait les tables pour les employés de McMillan Fisheries, tout près, qui envahiraient les lieux sur le coup de midi. Près de la sortie sur le parking, au fond de la salle : le sbire de Shembazi. Ce dernier s'était installé à une table à l'entrée, les deux hommes contrôlant ainsi les seules issues. Shembazi avait même jeté un œil dans la cuisine, dont il pouvait aussi repérer la sortie de sa position.

Qu'allait-il se passer ?

Pendant le trajet du motel au restaurant, Max avait tenté d'imaginer un plan, un autre pour se sortir de sa fâcheuse position, mais en avait été incapable. Résultat : il était entré dans ce restaurant sans espoir, convaincu que Shembazi, déjà, mettait en doute ce fameux rendez-vous.

Derrière le comptoir, la serveuse retirait du lave-vaisselle la quincaillerie habituelle, virevoltant comme elle devait le faire chaque jour. Au-dessus de sa tête, une horloge indiquait onze heures. Au-delà de la porte battante de la cuisine s'agitaient le cuisinier et son assistant, que Max avait brièvement entrevus à son arrivée.

Il n'y avait pas d'issue. Pas de solution.

Pire encore : Max était convaincu qu'en tentant de fuir maintenant, Shembazi et son homme de main n'hésiteraient pas à lui tirer dessus au milieu de la clientèle. La guerre entre l'Ouganda et la Tanzanie, comme toutes les guerres d'ailleurs, ne les avait pas sensibilisés au sort des populations civiles.

Max avait déjà le meurtre de Roselyn sur la conscience, il ne tenait pas à être responsable, en plus, de la transformation du Smile's en stand de tir.

— Vous n'avez pas touché à votre assiette, lui reprocha la serveuse.

— C'est délicieux, j'en suis certain. Désolé.

— Vous désirez autre chose ?

— Non merci.

Les minutes s'égrenèrent devant un café remplacé plusieurs fois, et ignoré sans cesse, jusqu'à ce que, peu à peu, les premiers employés des conserveries occupent les tables vides, se bousculant comme des écoliers. Le tournis de la serveuse s'accentua. Le va-et-vient de la cuisine à la salle à manger s'accéléra. Il fut bientôt onze heures et demie, puis midi moins une. Et midi et cinq, et midi et quart ensuite. À mesure que le temps passait, le regard de Shembazi devenait plus acéré et plus menaçant. À midi trente, dans le restaurant maintenant bondé, il s'approcha de la table de Max en lui faisant signe de le suivre.

C'était la fin.

Il se leva, laissant la place à des clients qui attendaient à l'entrée, où une petite file d'attente s'était formée. Ses gestes étaient lourds, il avait l'impression de marcher vers l'abattoir.

— Max O'Brien ?

La voix, très forte, venait de l'arrière du restaurant. Au bout du comptoir, la serveuse brandissait le combiné du téléphone comme s'il s'agissait d'une raquette de tennis.

— Il y a un Max O'Brien ici ? répéta la serveuse, un brin impatientée, alors que les assiettes s'accumulaient derrière elle, dans l'ouverture communiquant avec la cuisine.

Max jeta un regard à Shembazi, qui acquiesça en silence.

— C'est moi ! lança-t-il en se dirigeant vers le comptoir d'un pas rapide.

Il prit le combiné des mains de la serveuse, qui disparut avec quatre menus du jour posés en équilibre sur ses bras tendus, pendant que Shembazi restait derrière lui, regardant dans toutes les directions à la recherche d'un Noir avec un cellulaire à l'oreille. Personne.

— O'Brien à l'appareil.

Il y eut un long silence, puis :

— L'endroit s'appelle Rainbow Pier, là où partaient autrefois les traversiers pour Port Simpson. Demandez à la serveuse, elle vous indiquera comment vous y rendre.

La voix masculine était jeune, mais nerveuse. Max y reconnut des intonations tanzaniennes. Celle de Samuel Musindo ? Max eut la présence d'esprit de répondre à l'inconnu :

— Écoute, Samuel, il faut absolument…

Mais la ligne fut coupée par Shembazi, qui, déjà, faisait signe à son partenaire de le rejoindre.

Chap.
33

Dans la Subaru, quelques instants plus tard, Shembazi ne pouvait cacher sa satisfaction. S'il avait eu des doutes sur les révélations de Max O'Brien, ils avaient maintenant disparu. Sous peu, il allait retrouver Musindo, le tuer, enfin – lui qui était déjà mort, officiellement – et se débarrasser de Max par la même occasion. Mais de qui venait cet appel mystérieux? On devait les avoir suivis, tous les trois. Shembazi et son sbire fonçaient tête baissée dans le piège qu'on venait de leur tendre, et pour lequel Max servait d'appât. Même si sa situation s'était singulièrement améliorée, il ignorait ce qui l'attendait sur ce fameux Rainbow Pier.

Tout en roulant, Max se demandait s'il n'avait pas été mené en bateau depuis le début. Une série de révélations fabriquées de toutes pièces, comme si on avait voulu guider Max et ses deux poursuivants vers un lieu précis, qui n'avait rien à voir, finalement, avec l'endroit véritable où se trouvait Musindo. Le téléphone au restaurant confirmait ses soupçons, lui prouvait qu'ils étaient, tous trois, des quantités négligeables dans une affaire qui les dépassait. Le seul avantage de Max sur Shembazi et l'autre? Il savait qu'on les manipulait sans vergogne.

C'était la seule arme en sa possession pour se sortir de ce mauvais pas.

À une certaine époque, du Rainbow Pier partaient les bacs qui reliaient Prince Rupert non seulement à Port Simpson, mais aussi à Klemtu, Bella Bella et aux îles de la Reine-Charlotte. Y habitaient surtout des Amérindiens, en majorité le long de la côte, de Port Hardy au nord de l'île de Vancouver, jusqu'à la frontière de l'Alaska, au sud de Ketchikan. Ces Amérindiens avaient commercé avec les Russes à l'époque où ceux-ci possédaient l'Alaska, puis avec les Américains. Au début du vingtième siècle, la construction du chemin de fer avait donné une vocation à Prince Rupert, le dernier port d'importance avant la frontière américaine.

Au fil des ans, l'intensification du tourisme et du trafic maritime avait nécessité la construction de nouvelles installations. Rainbow Pier avait donc été abandonné, ses piliers en bois achevant de pourrir sous l'action du sel et des vents du Pacifique.

L'approche était peu accessible. Une clôture métallique empêchait les véhicules d'atteindre le quai comme tel, deux cents mètres plus loin. Une affiche marquée danger complétait le décor. Les vagues, violentes, bruyantes, venaient se fracasser sur la barrière de rochers qui empêchait l'érosion de la rive et qui ajoutait à l'ambiance sinistre des lieux.

Un endroit isolé. Le coupe-gorge parfait.

Shembazi descendit de l'auto le premier, en regardant autour de lui. Le visage soucieux, marqué de tension. Pour la première fois, Max perçut de la nervosité dans son attitude. Ce n'était plus lui, dorénavant, qui menait la partie, il semblait enfin s'en rendre compte.

Shembazi se tourna vers Max, à qui il ordonna d'un geste impatient de descendre à son tour. Son acolyte était déjà debout près de la Subaru, jetant lui aussi des regards nerveux à la ronde.

— Tu vas marcher devant, ordonna Shembazi.

— S'il vous voit, il va se sauver.

— Il n'ira pas très loin. Toi non plus. Alors, pas d'initiatives malheureuses.

Max s'approcha de la barrière. De près, il vit qu'elle était ouverte. Le cadenas, qu'il croyait solide, pendouillait, rouillé. Si la municipalité vérifiait les lieux de temps à autre, on ne devait pas l'avoir fait depuis des mois. Il n'avait aucune difficulté à imaginer cet endroit idyllique transformé en baisodrome et lieu de rencontres pour les jeunes les week-ends. Les voitures et les motos garées ici et là, des feux de camp improvisés, les bières qu'on écluse avant de fracasser les bouteilles sur les blocs de ciment.

Max s'engagea sur le chemin du quai, dont on n'apercevait pour l'instant que l'extrémité s'avançant dans l'océan. Shembazi, son arme à la main, marchait quelques mètres derrière lui, mais un peu en retrait, à gauche, balayant du regard la forêt de broussailles. Son acolyte s'intéressait aux rochers, de l'autre côté, craignant peut-être d'y voir surgir Idi Amin et ses mercenaires libyens…

Un long moment, scrutant les environs, Max marcha d'un pas régulier, cherchant à maîtriser sa propre nervosité. Si Samuel Musindo avait réussi à tendre ce piège à Shembazi, avec la complicité involontaire de Max, on pouvait s'attendre à ce qu'il ne tombe pas bêtement dans les pattes de l'envoyé de Lugembe. C'était ce qui inquiétait Max davantage : savoir qu'il se trouverait, tout à coup, au milieu d'un échange de tirs.

Soudain, Max aperçut une silhouette, plus loin.

Assis par terre, lui tournant le dos, appuyé sur l'un des blocs de ciment qu'on avait disposés à l'entrée du quai comme tel, ultime mise en garde, un homme, un Noir, contemplait l'océan. Le bruit des vagues l'empêchait d'entendre Max, qui se retourna vers Shembazi. Les deux Tanzaniens avaient remarqué la silhouette eux aussi, ils étaient prêts à intervenir.

L'acolyte de Shembazi s'enfonça dans les fourrés, et Shembazi se déplaça derrière les rochers. Les deux hommes semblaient vouloir prendre Musindo en tenailles. Shembazi fit signe à Max de continuer d'avancer sans faire de bruit.

Comment sortir l'infirmier de cette situation? Max n'avait pas d'autre choix qu'obéir à l'ordre de Shembazi. À quelques pas de l'homme, qui ne s'était pas encore retourné, Max s'écria :

— Musindo?

Aucune réaction. Étrange...

Max s'approcha, contournant le type.

Ce n'était pas Samuel Musindo, mais Ferguson, le *bodyguard* de Jonathan Harris. Mort, et plus encore, si possible. De son ventre pendouillaient viscères et autres délicatesses, dont des millions de bestioles, bientôt, ne tarderaient pas à se délecter. De toute évidence, on l'avait tué à bout portant avec un gros calibre. Son corps reposait sur une sorte de support roulant.

Constatant la répulsion de Max, Shembazi le rejoignit en deux enjambées. Profitant de la surprise du Tanzanien de voir son complice tué, Max le repoussa à la renverse du bloc de ciment sur lequel était appuyée la dépouille de Ferguson. C'est alors qu'un coup de feu retentit. D'instinct, Max se jeta sur le sol en entraînant le corps de Ferguson sur lui, tout en essayant de s'emparer de l'arme de Shembazi. Du coin de l'œil, il vit le partenaire du Tanzanien s'écraser par terre, une balle en plein front. La deuxième détonation toucha Shembazi à l'épaule, puis un troisième coup de feu l'atteignit à la tête, à son tour.

Max se releva. Un inconnu habillé en chasseur sortit des buissons. Dans ses mains, une Winchester avec lunette d'approche. Un type âgé, le pas lent, avec la détermination des gens qui savent où ils vont et qui ont tout leur temps pour s'y rendre. Il venait de tuer deux hommes mais ne semblait pas perturbé par la situation.

Max le reconnut d'après la photo que lui avait montrée Roselyn : Albert Kerensky.

Sans prendre la peine de jeter un regard aux deux victimes – il est certain de les avoir tués, il n'a même pas besoin de vérifier, songea Max avec horreur –, il s'arrêta et leva sa carabine. Max l'entendit reprendre son souffle. Ce qu'il prenait pour un calme et une maîtrise exceptionnelle de soi n'était que le résultat de sa faiblesse physique. L'homme était malade, il économisait chacun de ses gestes.

Si Kerensky était venu l'abattre, comme les deux autres, pourquoi ne le faisait-il pas maintenant ? Pour faire durer le plaisir ? Pour lui réserver le même traitement qu'à Ferguson ? À quelques pas de Max, le revolver de Shembazi. Jamais il ne pourrait l'atteindre.

— Lève-toi.

Sa voix, étonnamment forte et autoritaire, détonnait par rapport à son physique, comme si la maladie l'avait épargnée.

Max se dirigea dans la direction indiquée par Kerensky, à travers les fourrés. Ils marchèrent une centaine de mètres, longeant la grève, jusqu'à une Mercury Grand Marquis garée au bout d'un chemin de bois.

Kerensky l'obligea à se coucher à plat ventre sur la banquette arrière, mains dans le dos. Il sentit bientôt ses poignets enserrés dans des attaches de plastique, du type de celles qu'on vend dans les quincailleries. Ses chevilles reçurent le même traitement. Avec une chaîne, Kerensky lia les deux attaches entre elles, transformant Max en une sorte de paquet mal emballé. Les membres engourdis, il pouvait à peine remuer, encore moins s'en prendre à Kerensky, calmement installé derrière le volant.

L'inquiétude de Max, qui s'était en partie résorbée quand l'autre l'avait épargné sur le Rainbow Pier, était revenue en pleine force, avec une vigueur renouvelée. Ce taré l'avait laissé vivre, mais ce n'était que partie remise.

À la sortie du chemin de terre, sans cesser de conduire, Kerensky se retourna vivement et lança une couverture – qui sentait le neuf – sur le corps de Max, le recouvrant tout à fait. Mais en se tortillant, il réussit à l'écarter de son visage. Malgré sa position précaire, il pouvait voir qu'ils roulaient maintenant sur la Transcanadienne. Kerensky avait quitté Rainbow Pier sans même songer à se débarrasser des corps de Shembazi, de Ferguson et du troisième lascar. De toute évidence, Kerensky ne s'inquiétait pas de savoir ce qu'allait penser la police de ce carnage. Il s'en foutait, visiblement. Voilà ce qui inquiétait Max par-dessus tout.

Avant Prudhomme Lake, la Mercury quitta la route et s'enfonça dans la forêt. Kerensky alluma la radio, trouva un poste qui jouait de la musique country et augmenta le son lorsque la voix de Johnny Cash se fit entendre. Du coffre à gants, il s'empara d'une canette de Canada Dry qu'il ouvrit d'une seule main.

Son calme était étonnant, dérangeant même. Et donnait froid dans le dos.

— Kerensky, lança Max. Écoutez-moi. Vous avez eu ce que vous vouliez, Roselyn est vengée, maintenant.

Mais Kerensky ne réagit pas.

— Vous n'avez aucune chance. La police va vous tomber dessus dès que les corps de ces trois-là seront découverts.

Pour le faire taire, Kerensky monta de nouveau le volume de la radio.

Ils roulèrent ainsi pendant quelques kilomètres dans un mauvais chemin crevassé par la pluie et peu fréquenté, sinon par des chasseurs, à l'automne, ou par des touristes accompagnés de leurs guides. Kerensky semblait connaître les lieux. Il conduisait la voiture avec beaucoup d'assurance, sans avoir peur de s'égarer ou de s'enliser.

L'endroit était inhabité. Comme si la région était fermée pour la saison et qu'on en avait évacué les habitants. Devant la Mercury, au détour d'un virage en épingle, quelques cambuses inoccupées, humbles logis qui tombaient en ruine et semblaient abandonnés depuis longtemps. Kerensky longea le lac sur un autre kilomètre, puis stoppa devant un chalet sur pilotis posé sur les rochers, tournant le dos au chemin.

Un lieu isolé, une retraite parfaite.

Après lui avoir libéré les chevilles, Kerensky fit descendre Max et, le tenant en joue, lui fit signe d'ouvrir le coffre arrière de la Mercury. Un Noir d'une trentaine d'années était ligoté et bâillonné avec du *gaffer tape*, les yeux épouvantés, grelottant de froid et de frayeur.

Max reconnut aussitôt Samuel Musindo.

Le fils de Valéria.

Le jeune homme jeta un regard effrayé vers Max comme pour le supplier de l'aider. Mais Max était aussi impuissant que lui.

Kerensky libéra également les chevilles de Musindo et l'obligea à sortir du coffre et à se diriger vers le chalet, menaçant les deux hommes de sa Winchester.

La voix qu'il avait entendue au Smile's, c'était proba-blement celle de Musindo. Kerensky avait dû l'obliger à passer cet appel avant de le ligoter et de l'enfermer dans le coffre de son auto.

— C'est de la folie, Kerensky, reprit Max. Je sais ce que vous voulez faire. Vous ne pourrez jamais vous en tirer avec ce meurtre. Ni avec les autres.

Kerensky se tourna vers Max.

— Sans loi, c'est la jungle, répondit-il. Quiconque s'y soustrait se soustrait aussi à la volonté et au droit des hommes de punir leurs semblables.

— Alors remettez Musindo à la justice.

— C'est moi, la justice.

À l'intérieur, tout en tenant Max en joue, Kerensky attacha solidement Musindo au lit qui se trouvait au milieu de la pièce. Puis il ligota Max sur une chaise, en biais par rapport au lit.

Une installation préparée de longue date, on aurait dit. Un décor étudié avec soin. Si Kerensky lui avait laissé la vie sauve, c'était pour qu'il serve de témoin. Le bourreau semblait avoir deviné le raisonnement de son prisonnier.

— Une exécution sans témoin n'est qu'un meurtre comme les autres. Ce qui confère à la peine capitale sa solennité, c'est la sanction légale, bien sûr, mais aussi la présence de citoyens qui ont donné le mandat à leur gou-vernement de punir les condamnés.

— J'ai donné aucune permission à personne, Kerensky.

— Pas vous individuellement, bien sûr. Mais en tant que représentant du peuple souverain.

— Vous délirez complètement.

— Je n'ai jamais été aussi lucide.

— Vous allez commettre un meurtre.

— Une exécution, ce qui est tout à fait diffé-rent. Aucune colère en moi, aucune impulsion, rien que la volonté froide d'appliquer la sanction imposée à ce criminel et qu'on m'a empêché de mener à bien il y a six ans. Je suis ici pour remettre les choses en ordre.

Musindo assistait à cet échange avec stupeur. Max aussi, qui cherchait désespérément, encore une fois, le moyen de se tirer de ce mauvais pas.

— Et ensuite ? reprit Max. Quand ce sera fait, quand vous aurez remis les choses en ordre, comme vous dites…

— L'avenir n'a pas d'importance.

Tout en parlant, Albert Kerensky avait ouvert une valise sur la table de la cuisine, d'où il avait sorti différentes fioles et autres contenants. Quelques seringues. De temps en temps, il jetait un regard à Musindo, qui continuait de se débattre, mais jamais il ne quittait son attitude calme, professionnelle. On aurait dit un chirurgien qui s'apprêtait à opérer.

— Normalement, je leur offre la possibilité de prononcer leurs dernières paroles, dit-il à l'intention de Max, ignorant complètement Musindo. À condition que ce ne soit pas des obscénités ou des insultes.

Il se tourna vers l'infirmier.

— Cette déclaration a déjà été faite au moment de l'autre exécution, il est inutile de la répéter.

Il ajouta :

— L'aumônier aussi, ça ne servirait à rien.

Après un moment, Kerensky s'approcha du prisonnier, lui arracha sa chemise d'un coup sec et fixa de minuscules ventouses sur son corps. Musindo se débattait et essayait de hurler, mais sans pouvoir le faire à cause de son bâillon. Son agitation ne perturbait pas le bourreau qui poursuivait son travail méticuleusement.

— Ce sont des senseurs cardiaques, dit-il à Max, qui ne lui avait rien demandé. Ils m'informeront de la mort du sujet sans que j'aie besoin de mesurer directement ses fonctions vitales.

— Ça suffit, Kerensky.

— En règle générale, ces préparations sont effectuées avant l'arrivée des témoins. Mais aujourd'hui, bien sûr, la situation est exceptionnelle.

Le bourreau fouilla de nouveau dans sa valise. Il mit d'autres objets sur la table, que Max ne pouvait identifier. Finalement, il sortit un long tuyau de plastique qui se terminait par une aiguille et l'examina avec soin.

Le bourreau revint vers Musindo. Délicatement, il lui enfonça l'aiguille dans le bras. Le jeune homme se débattit encore plus, en vain. De la même valise, un second tuyau, avec une aiguille aussi, que Kerensky fixa dans une autre veine. On aurait dit une banale prise de sang.

— Simple mesure de précaution, une solution de rechange au cas où l'injection ne se ferait pas comme prévu, lança le bourreau. Normalement, les deux tuyaux devraient disparaître derrière un mur, où ils seraient connectés d'abord à une solution saline inoffensive puis, plus tard, à du thiopental sodique, une préparation destinée à endormir le condamné.

Kerensky s'adressait à Max comme s'il donnait un cours à l'université. Derrière lui, Musindo avait cessé de se débattre. Son regard éteint n'exprimait plus nulle révolte. Une partie de lui avait déjà fait le grand saut vers la mort.

Kerensky jeta un coup d'œil à sa montre.

— Dans neuf minutes, nous pourrons commencer.

— Kerensky, écoutez-moi…

— Un mot de plus et je vous endors, vous aussi. Et vous raterez la mise à mort. Ce qui serait bien dommage. Pour moi, je veux dire. Je devrai trouver un autre témoin.

Kerensky revint à la table tout en gardant les yeux sur Musindo, comme on observe un objet étrange, sans émotion particulière mais avec un intérêt évident.

— Le médecin n'est pas là, dit-il pour lui-même. Il ne viendra pas. Mais nous pourrons quand même constater le décès…

À l'heure prévue pour l'exécution, Kerensky s'avança vers l'extrémité d'un des tuyaux de plastique. Il appuya sur la seringue. Musindo voulut hurler une dernière fois, en vain. Son visage était déformé, en proie à une détresse épouvantable. Puis il ferma les yeux, tout à coup.

— C'est l'étape que je préfère, murmura Kerensky. Voir ces visages se transformer sous mes yeux. Devenir calmes et reposés.

San cesser de regarder sa victime, il ajouta :

— Il dort, tout simplement. De cette façon, la mort sera indolore.

Kerensky sortit des ciseaux de la poche de sa chemise. Sans hésiter, il coupa une mèche des cheveux de Musindo. Puis il revint à la table et les glissa dans un petit sac de plastique.

Il s'empara ensuite d'une autre seringue.

— Du bromure de pancuronium, ce qui paralysera instantanément son système musculaire, y compris les facultés respiratoires. Ce serait suffisant, normalement. Mais j'injecterai aussi du chlorure de potassium, pour stopper d'un coup sec les battements de son cœur.

Il se tourna vers Max :

— La mort est effective en quelques secondes seulement, mais il est coutume de laisser passer un certain temps avant de déclarer l'exécution réussie.

La seringue à la main, Kerensky s'approcha de l'extrémité de la tubulure de plastique. Il allait la fixer au tube lorsque…

— Non, Albert.

Sans abandonner la seringue, Kerensky se tourna vivement vers la porte de la chambre.

Roselyn se tenait sur le seuil, chancelante.

— Va-t'en, ordonna-t-il d'un ton autoritaire.

— Ne fais pas ça, je t'en prie, bafouilla Roselyn.

— Ça suffit. Laisse-moi travailler.

— Arrête.

L'ignorant, il lui tourna le dos, se penchant sur le tube de plastique. Le coup de feu se fit entendre au moment où il allait appuyer sur la seringue. La tête de Kerensky éclata, projetant autour de lui morceaux de cervelle et éclats de boîte crânienne. Puis Roselyn laissa tomber le Beretta et s'effondra, en larmes.

Chap.
34

La seule préoccupation de Max O'Brien : quitter les lieux au plus vite avant que la police rapplique. Sortir Roselyn et Musindo de cet enfer et filer sur la route, comme si la vitesse avait le pouvoir de faire s'évanouir le cauchemar. Il ne disposait que de la Mercury de Kerensky, dont il faudrait se débarrasser bientôt. De retour à Prince George, peut-être, où il pourrait louer une autre voiture. Mais, pour l'instant, tout ce qui comptait, c'était d'accumuler les kilomètres. Après le meurtre de Kerensky, une fois libéré par Roselyn encore sous le choc, Max avait essayé de réveiller Musindo, en vain. Il avait réussi à l'installer sur la banquette arrière de la voiture, qui filait maintenant sur la route 16. À côté de lui, Roselyn était perdue dans ses pensées. Toujours sous le coup de ce qu'elle venait de faire : tuer son mari. Mais Max savait que l'impact serait encore plus fort le lendemain et les autres jours. Son deuil serait une épreuve épouvantable, dont il n'était pas certain qu'elle puisse sortir indemne.

Ils roulaient depuis une demi-heure lorsque Roselyn dit :

— Albert a été témoin de notre arrivée à Prince Rupert. Il nous avait suivis depuis Vancouver. Quand j'ai été enlevée par Shembazi et remise à son complice, il a tout vu.

Kerensky était intervenu pour sauver la vie de sa femme en se pointant dans la chambre de motel que Ferguson avait louée à la sortie de Prince George. Le Tanzanien ne s'était pas méfié d'un vieux monsieur à l'aspect fragile. D'un coup de feu, Kerensky lui avait fait éclater le visage. Le sang éclaboussé à l'écran du Stellar, c'était celui de Ferguson. L'ancien rebelle n'avait eu aucune chance.

Le bourreau avait déjà repéré Musindo mais, avant de mettre en marche son projet d'exécution, il devait d'abord régler le cas de Shembazi et de son acolyte. Comme ils étaient deux, avec Max à la traîne, il ne pouvait opérer de la même façon qu'avec Ferguson. Il avait besoin de les attirer sur son terrain à lui, avant de les abattre comme les chevreuils et les sangliers du Texas, que Kerensky aimait aller chasser avec son ami Glenn Forrester.

— Pendant ce temps, où étiez-vous ? demanda Max.

— Dans ce chalet, qu'il avait loué pour la semaine. Après la mort de Ferguson, j'ai tenté de le raisonner. Je voulais qu'il se rende à la police. Nous avons parlé toute la nuit et au petit matin, je croyais avoir réussi à le convaincre. Nous irions ensemble au poste de la GRC à Prince Rupert, pour leur expliquer la situation.

Les meurtres de Clements et Arceneaux ne seraient pas mentionnés. À l'égard de Ferguson, Kerensky raconterait qu'il avait agi sous le coup de la colère, en s'apercevant qu'il détenait sa femme en otage. Argument qui ne convaincrait sûrement pas Peter mais permettrait à Kerensky de rentrer au Texas et de reprendre sa vie de retraité. Du moins, c'était l'objectif de Roselyn.

Celle-ci ignorait qu'Albert voulait simplement l'écarter de son projet. Et que le cadavre de Ferguson était déjà enfermé dans le coffre de la voiture. Qu'il faisait partie du plan de Kerensky pour se débarrasser des deux autres Tanzaniens. Roselyn était tombée endormie sans s'en rendre compte, droguée par un cachet qu'Albert lui avait fait prendre à son insu. À son réveil, des heures plus tard, elle avait entendu du bruit dans la pièce voisine. Avait surpris la voix de Max. Et découvert Musindo connecté à des tubes de plastique qui lui étaient familiers. Elle avait alors décidé d'intervenir, sachant qu'elle ne parviendrait pas à raisonner son mari.

— Je n'avais pas d'autre choix.

Elle ajouta, tristement :

— Il a fait de moi un assassin.

Un peu avant Terrace, Musindo commença à remuer sur la banquette arrière. Max sortit à la halte suivante et se gara loin des camions remorques et des véhicules récréatifs. Musindo se redressa enfin, perdu, déboussolé. Max avait déjà ouvert la portière. L'infirmier vomit sur le parking, longuement, son corps se vidant des saloperies que Kerensky y avait injectées.

Roselyn revint de la station-service avec de l'eau et de la glace. Musindo reprit peu à peu ses sens, toujours confus. Mais il commençait à avoir l'habitude : c'était la seconde exécution à laquelle il survivait.

En quelques mots, Max lui raconta ce qui s'était passé. L'intervention de Roselyn, qui lui avait sauvé la vie. La veille, dit Musindo, Kerensky l'avait abordé dans le parking d'un supermarché à Prince Rupert. Il soufflait, semblait mal en point, cherchait de l'aide pour placer son épicerie dans le coffre de sa voiture. Musindo ne s'était pas méfié d'un type d'aspect aussi fragile. Peu après, enfermé dans le coffre, il se mit à avoir peur, très peur. Le coffre s'ouvrit, enfin, et il reconnut celui qui l'y avait enfermé. La peur devint pure panique. Ce vieux monsieur souffreteux, c'était son bourreau, en Tanzanie. Le pire de ses cauchemars s'était matérialisé.

— Sa folie a aussi causé la mort de Valéria et de Sophie, précisa Max. Et de Thomas, ton père adoptif.

— Mon vrai père, en fait.

Max l'avait deviné : Valéria et lui avaient eu une courte liaison alors qu'elle étudiait à l'université. Ils s'étaient entendus pour qu'il garde l'enfant. Une fois mariée à Richard Stroner, mère d'un autre enfant, Sophie, Valéria n'avait pas cherché à revoir Samuel jusqu'au moment où, devenu adulte, à la recherche de sa mère biologique, il était entré en contact avec elle. Quelques semaines plus tôt, Valéria, bouleversée, l'avait appelé pour lui dire que Kerensky cherchait à le retrouver pour le tuer. Elle lui recommanda d'être très prudent, qu'elle s'organiserait pour lui trouver une autre planque, plus sécuritaire. Elle mettrait la main sur beaucoup d'argent, bientôt. Elle pourrait alors réaliser son plan. D'ici là, pas un mot. Samuel devait garder le profil bas, continuer de se faire oublier.

Quand il avait appris la mort tragique de sa mère, Valéria, de Sophie, sa demi-sœur, et de Thomas, son père, Musindo avait compris qu'on s'était lancé à sa recherche. Il croyait Kerensky coupable de ces trois meurtres et de celui du sorcier Zuberi. Il ignorait que Shembazi s'était mis en chasse, lui aussi, sur les ordres du président Lugembe.

— Et le million de Jonathan Harris ? demanda Max.

— C'est moi qui l'ai retiré du compte de Valéria. J'ignorais qu'elle venait de mourir. Quand je l'ai appris, je n'ai pas touché à l'argent, de peur d'attirer l'attention.

— Tu as tué sa fille, oui ou non ? demanda Max.

— Je n'ai jamais tué personne. Je ne suis pas coupable, je ne l'ai jamais été. Sinon d'avoir voulu aider Clara.

— Vous vous connaissiez tous les deux ?

— On travaillait ensemble. Comme moi, elle colla-
borait au projet de Valéria pour sauver les nouveau-nés
albinos.

Au dispensaire, quand des albinos naissaient, Musindo
s'organisait pour les confier à des parents adoptifs
d'Ukerewe. Les familles étaient au courant, certaines
décidaient de s'installer dans l'île à leur tour, mais la
plupart d'entre elles étaient satisfaites de savoir que leur
enfant ne serait plus menacé. Quand on avait arrêté
l'infirmier pour le meurtre de la fille de Lugembe, on
avait cru à tort qu'il faisait du trafic d'albinos au profit de
Zuberi et d'autres guérisseurs comme lui. Valéria n'avait
pu rétablir les faits.

— Qu'est-il arrivé à Clara ?

Musindo prit une grande inspiration. Il ferma les yeux,
cherchant à mettre de l'ordre dans ses pensées.

— Nous étions amoureux fous, elle et moi. Personne
n'était au courant, surtout pas son père. Et puis, un jour,
elle m'a annoncé qu'elle avait appris une chose incroyable.
En rapport avec Lugembe, justement.

Samuel raconta à Max et à Roselyn l'histoire de ce
jeune politicien ambitieux, excellent orateur, économiste de première force mais sans le sou. Lugembe s'était
amouraché de Myriam Ikingura, qui venait d'une famille
en vue de Dar es-Salaam, son père ayant milité aux côtés
de Julius Nyerere à l'époque de l'indépendance. Elle avait
déjà des jumelles, deux petites albinos, Faith et Clara,
issues d'un premier mariage. Lugembe s'était intéressé
à Myriam davantage pour promouvoir sa carrière que
par amour véritable. D'autant plus que Myriam avait un
comportement plutôt erratique. Elle avait rompu avec sa
famille, s'était mis à dos tout le monde, Lugembe le premier. Leur mariage était vite devenu une convention, un
partenariat, en fait. Lors des réceptions et autres sorties

officielles, Myriam apparaissait au bras du politicien, sinon ils menaient des vies séparées. La mère de Faith et Clara s'enfilait des martinis et autres drinks à la mode dans les grands hôtels de Dar es-Salaam. On l'avait vue errer dans les faubourgs après des cuites monumentales. Un comportement compromettant et politiquement dangereux, qui avait forcé Lugembe à la faire interner à l'hôpital psychiatrique Mirembe, à Dodoma. La garde des deux fillettes lui fut retirée, Lugembe engagea une domestique pour s'occuper d'elles.

Et puis un jour, l'une des fillettes – Faith – fut enlevée. Les ravisseurs avaient profité d'une distraction de la bonne. Le lendemain, on avait découvert ce qui restait de l'enfant, ses vêtements, en fait, dans une case abandonnée. Une autre victime des guérisseurs.

Un drame effroyable.

Dont Joseph Lugembe lui-même était responsable. Il avait besoin d'argent pour défrayer les coûts de sa première campagne électorale. Celle qui lui permit d'être élu à l'Assemblée nationale et d'amorcer sa carrière politique.

La sœur jumelle de Clara avait une valeur particulière, très grande, parce qu'elle était la fille d'une folle, disait-on. De cette façon, on s'assurait de la pureté des colifichets et autres porte-bonheur, qui prendraient une valeur encore plus grande. Bref, Faith représentait une véritable fortune. Coincé financièrement, ayant besoin d'argent pour se faire connaître, ambitieux, impatient, Lugembe n'avait pu résister à cette mine d'or qu'il avait sous la main.

— Dévastée par la mort de Faith, ignorant évidemment le rôle joué par son mari, Myriam s'est jetée du toit de l'hôpital. Ou alors on l'a précipitée dans le vide de peur qu'elle soupçonne la complicité de son mari dans la mort de sa fille. Un suicide commode pour Lugembe, de toute façon.

En travaillant avec Musindo, en contact avec Valéria, Clara avait compris toute la complexité du trafic d'albinos. Curieuse, elle s'était intéressée à l'enquête menée lors de l'enlèvement et de la mort de sa sœur jumelle. Elle avait découvert que la famille de la bonne d'enfants, qui avait détourné la tête pour permettre aux ravisseurs de commettre leur crime, avait réussi à récupérer ses terres confisquées dans le cadre de la réforme agraire imposée par le gouvernement Nyerere. Le nom d'un organisateur politique de Lugembe était mentionné. Il n'y avait pas de preuves directes, d'accusations précises, mais Clara avait confronté son père adoptif, qui était entré dans une colère épouvantable. Par le fait même, elle s'était condamnée à mort.

Max comprenait maintenant l'urgence pour Joseph Lugembe de retrouver et de liquider Musindo. Celui-ci était sûrement au courant de la culpabilité du président, qui avait fait tuer ses deux filles adoptives. Si on apprenait que Lugembe avait vendu Faith pour financer sa première campagne électorale, et tué Clara pour éviter qu'elle le dénonce, il pouvait dire adieu à son poste à la tête du pays. Déchéance assurée. Ruine complète et définitive. Adieu les poignées de main et les accolades avec Barack Obama. Il avait donc envoyé Shembazi retrouver et abattre Musindo avant que la vérité éclate et détruise sa carrière.

Dévastée par l'arrestation et l'inculpation de l'infirmier, Valéria avait joué double jeu. Tout en faisant semblant d'applaudir à la décision du président Komba de remettre en vigueur la peine capitale, elle mit tout en œuvre pour éviter la mort à son fils et lui trouver un refuge à l'autre bout du monde. Un endroit reculé où on pouvait refaire sa vie, recommencer à zéro à l'abri des questions.

— Et c'est en faisant pression sur Albert Kerensky, par son petit-fils, que Valéria a pu mener à terme son projet.

Valéria avait rencontré discrètement le bourreau à son hôtel de Dar es-Salaam, où on l'avait installé. Elle lui avait expliqué ce qu'il fallait faire pour qu'Adrian ait la vie sauve. Kerensky avait accepté, il n'avait pas le choix. Mais, en retour, elle l'avait assuré qu'il ne serait jamais inquiété par Lugembe ou n'importe qui d'autre, à condition, bien sûr, qu'il se taise. C'était d'autant plus facile qu'il se trouvait en Tanzanie dans le plus grand secret. Légalement, il n'existait pas. Mais s'il parlait un jour, n'importe quand, il serait victime, lui aussi, indirectement, de la colère de Lugembe.

Kerensky avait compris le message. Il truqua l'exécution. Musindo resta caché quelques semaines, le temps de préparer son départ avec Sophie, puis sortit de Tanzanie par la route qui permettait d'entrer au Burundi, la frontière la plus poreuse du pays. De Bujumbura, le couple avait pris un vol pour Amsterdam via Kigali, Samuel voyageant sous sa nouvelle identité. Aux yeux de tous, douaniers, policiers et autres, il n'était qu'un de ces hommes d'affaires africains en route pour l'Europe dans le but de rencontrer des investisseurs. Après quelques jours d'attente dans un hôtel de Haarlem, Samuel et Sophie étaient partis pour le Canada, leur destination finale. À Lake McFearn, plus précisément. Sophie était rentrée la semaine suivante, une fois Samuel en sécurité.

— Valéria avait gardé contact avec un très bon ami de son mari, qui travaillait à l'usine Alcan, à Kitimat. Grâce à lui, j'ai pu m'installer à Lake McFearn sans attirer l'attention.

Chaque année, le jour de son anniversaire, Valéria était venue voir son fils, discrètement. En fait, ils préféraient se rencontrer ailleurs, au centre de Prince Rupert, ou même à Prince George. Et une fois à Vancouver.

Musindo était prudent. Il voyageait sans cesse avec sa radio à ondes courtes branchée sur la fréquence des policiers de la GRC, dont c'était le territoire. Grâce à cette radio, il avait entendu l'appel à l'aide du père du *busboy* amérindien et avait pu intervenir pour lui sauver la vie.

Bref, il s'agissait d'une entreprise rodée au quart de tour, précise dans les moindres détails, une opération qui aurait été couronnée de succès si, quelques années plus tard, Albert Kerensky, devenu psychotique, ne s'était mis en tête de traquer Musindo pour reprendre cette exécution qu'on lui avait fait rater. C'était son dernier coup d'éclat, sa dernière mise à mort. Dans sa maison de retraite, oisif, ruminant les faits marquants de sa longue carrière dans la *tie-down team*, il ne pouvait s'enlever de la tête Samuel Musindo, ne pouvait oublier cette exécution qui n'avait pas eu lieu. Pour avoir l'esprit en paix, l'ancien bourreau s'était mis en chasse.

Tout comme le président Lugembe.//

— Où sommes-nous ? demanda Musindo quand il eut fini son histoire.

— Tout près de Terrace.

Max lui expliqua son plan. Abandonner et détruire la voiture, en trouver une autre. Quitter la région pour de bon. La suite, il n'en avait aucune idée. Improviser encore une fois. C'était devenu sa spécialité.

Musindo n'était pas d'accord. Le meurtre de Kerensky avait probablement déjà été découvert, ou ceux des Tanzaniens. Il fallait quitter la grand-route au plus vite. S'enfoncer dans la forêt, histoire de se faire oublier.

— Je connais les lieux. Faites-moi confiance.

Max s'inclina.

Après quelques kilomètres, Musindo indiqua à Max une sortie, puis une route secondaire, à droite, qui longeait la forêt avant d'y bifurquer. Au bout d'une ving-taine de kilomètres, un embranchement. Musindo lui fit prendre le chemin de gauche, en moins bon état, mais qui les fit déboucher, après deux heures de montagnes russes, sur le bord d'un lac aux eaux cristallines.

Musindo indiqua un chalet, caché par des bouquets de cèdres.

— Où on est? demanda Max.

— Chez moi.

Musindo descendit de la voiture sans attendre la réac-tion des deux autres. Il se précipita vers l'entrée de la maisonnette d'où sortit en vitesse une jeune femme qui se jeta dans les bras de Musindo. Bientôt rejoint par un petit garçon. Quand il se dégagea, Max eut un choc. Cette femme, c'était une albinos. Musindo se tourna vers Max et Roselyn qui étaient descendus de l'auto.

— Je vous présente Clara. Et Daniel, notre fils.

Au départ, en suspectant son père d'avoir tué sa jumelle, Clara avait voulu le dénoncer publiquement et, éven-tuellement, le traîner devant la justice. Mais elle com-prit qu'elle ferait fausse route en adoptant cette stratégie. D'abord, elle n'avait aucune preuve de ce qu'elle avan-çait, même si la culpabilité de Lugembe ne faisait aucun doute. En Tanzanie, on ne pouvait accuser le président d'un crime aussi grave sans risquer de mettre en péril tout l'appareil gouvernemental. Surtout si l'accusation venait de la propre fille de Lugembe. Dès que Clara rendrait public ce qu'elle savait, toute la classe politique ferait front derrière le ministre, non seulement pour le protéger, mais pour se protéger eux-mêmes. Combien de politiciens soi-disant irréprochables avaient, eux aussi, trempé dans le trafic d'albinos? Combien d'entre eux avaient toujours recours aux services des sorciers et des guérisseurs?

Lugembe n'aurait qu'à évoquer le fait que Clara était folle comme sa mère pour réduire son accusation à néant.

Bref, on enterrerait l'affaire rapidement, laissant Clara sans défense, vulnérable, à la merci de son père adoptif, qui n'hésiterait pas à l'éliminer. Un accident. Un suicide comme sa mère. Une disparition mystérieuse. Le ministre avait l'embarras du choix.

Clara échappa à une première tentative d'enlèvement à la sortie de l'université, ce qui obligea l'institution à redoubler de vigilance et à accroître la sécurité. Mais la jeune fille savait que la prochaine fois serait la bonne, son père adoptif avait mis un contrat sur sa tête. Selon Valéria, il fallait prendre les devants sur Lugembe. Il voulait la mort de sa fille, Valéria allait la préparer pour lui. Une mascarade qui lui en mettrait plein la vue et le rendrait inoffensif, par conséquent. Samuel devait remplacer son corps par celui d'une patiente morte quelques jours plus tôt.

— Mais les choses ne se sont pas déroulées comme prévu, précisa Musindo.

Il avait été arrêté pour le meurtre.

Après la fausse exécution, il avait pu rejoindre Clara à Lake McFearn.

— Mais pourquoi ici? Pourquoi avoir choisi cet endroit?

Musindo indiqua la pluie qui tombait sur les rochers.

— Parce que c'est la région la moins ensoleillée d'Amérique. Prince Rupert et les environs reçoivent annuellement une quantité de pluie record. Un endroit idéal pour une albinos qui ne peut supporter les rayons du soleil…

Chap.

35

À Huntsville, les rues étaient encombrées de véhicules garés un peu partout, y compris dans la cour de l'école, derrière l'église, où on avait improvisé un parking payant pour l'occasion. Max O'Brien y avait abandonné son Grand Cherokee, après avoir remis quelques dollars à un jeune homme poli, qui lui avait suggéré d'utiliser la porte latérale pour pénétrer dans l'église, tous les fidèles s'étant massés devant l'entrée principale. Max louvoya entre les voitures, pressant le pas, regrettant son retard. Il avait prévu de ne pas arriver trop tôt afin de se fondre dans l'anonymat de la foule, mais c'était raté.

Jusqu'à maintenant, sa présence aux États-Unis n'avait pas suscité l'intérêt de la police. En Tanzanie, il était toujours recherché pour le meurtre du guérisseur Zuberi, mais Kilonzo serait tôt ou tard incriminé, si jamais on décidait de mener cette enquête jusqu'à sa conclusion. Max en doutait fortement. La version officielle, dont se contenteraient les autorités : Zuberi avait tué Valéria et sa fille, la mort du guérisseur était l'œuvre de Cheskin, avide de vengeance. Ce Cheskin disparu, volatilisé, avait rendu un fier service au gouvernement tanzanien, on ne chercherait pas à le retrouver.

Pour Bruno Shembazi, Ferguson et leur homme de main, les choses étaient plus compliquées. Mais il était peu probable qu'on relie le meurtre de Thomas Musindo à celui de Valéria et de tous les autres. Leur présence au Canada allait soulever des questions, qui demeureraient sans réponse. Bref, Max ne pensait pas être inquiété par les autorités canadiennes, ni américaines.

Du côté de la Tanzanie, par contre, dans l'entourage proche du président, l'échec de Shembazi et de ses deux acolytes risquait de relancer les recherches pour retrouver Samuel Musindo. En ce moment même, Lugembe devait mal dormir et avoir perdu l'appétit. Il avait cru pouvoir remonter facilement jusqu'à Musindo mais avait mal mesuré la réaction de l'infirmier. Shembazi et Ferguson étaient redoutables. Pourtant, ils avaient failli lamentablement.

Selon Max, Lugembe ne présentait plus un danger, à moins que Samuel le menace ou le dénonce, ce qu'il n'avait pas l'intention de faire, afin de protéger Clara, dont Lugembe ignorait l'existence auprès de l'infirmier.

Max se glissa dans l'église au milieu des fidèles, debout, derrière et le long des bancs, sans se faire remarquer, contrairement à ses appréhensions. L'officiant parlait d'Albert Kerensky avec émotion, il racontait dans quel contexte il avait fait sa connaissance, des années plus tôt. D'une voix chaude et puissante, il décrivait un homme passionné, méticuleux, qui prenait son métier difficile au sérieux. Être responsable de la mort d'un être humain est un fardeau insoutenable, disait l'officiant. La Bible défendait de tuer ses semblables, mais l'État en avait décidé autrement. Et il fallait des hommes comme Albert Kerensky pour accomplir ce travail, jour après jour, année après année. Il était compréhensible que Kerensky ait outrepassé, à la fin de sa vie, les pouvoirs qu'on lui avait conférés. Il fallait comprendre et pardonner, se mettre à la place du bourreau avant de le juger.

Autour de Max, des fidèles acquiesçaient d'un mouvement de la tête. Ce que disait l'officiant les concernait directement. La plupart des personnes qui assistaient à la cérémonie faisaient un métier lié à celui de Kerensky, à divers échelons de la hiérarchie : *wardens*, membres des *tie-down teams*, médecins, aumôniers. La nouvelle de sa mort avait provoqué une onde de choc dans les pénitenciers américains. Sans surprise, les bourreaux s'étaient mobilisés pour leur ancien collègue. Plusieurs d'entre eux étaient venus de très loin pour lui rendre hommage. De la Louisiane et du Mississippi, d'Alabama, du Kentucky et de l'Arkansas, et de bien d'autres endroits encore, tous compétiteurs du Texas en matière de peine capitale. Autour de Max, des dizaines d'assassins, qui n'avaient pourtant rien à craindre des autorités puisqu'ils opéraient sous les ordres de leurs États respectifs.

Pendant que l'officiant continuait à vanter Kerensky, Max examina les bourreaux les uns après les autres. De sa place, il ne voyait que leur nuque, la tête légèrement penchée, recueillis, solennels. Max s'était attendu à des gueules de gardiens de prison, les cheveux ras, le cou massif, un ventre proéminent serré dans une chemise trop petite. Il y en avait, mais ce n'était pas la majorité. Un bourreau, ça venait dans tous les modèles. Certains avaient l'air de brutes, mais d'autres ressemblaient à des fonctionnaires ou à des professeurs. Celui-là, plus loin, Max l'aurait très bien vu dans un bureau de dentiste. L'autre, à gauche, semblait appartenir à une chambre de commerce ou à un club de bridge. Un tout petit, plus loin, presque délicat, tenait avec ferveur le bras de sa femme.

Bref, des gens normaux, qui ressemblaient à tout le monde. Et c'était, selon Max, ce qui rendait l'atmosphère de cette église particulièrement étouffante. Des milliers d'individus, des criminels sans doute, de véritables ordures, avaient trouvé la mort par l'action de ces hommes recueillis, aujourd'hui, pour rendre hommage à l'un des leurs.

Le regard de Max se porta plus loin en avant. Dans le chœur, le cercueil de Kerensky, recouvert du drapeau des États-Unis et de celui du Texas, le Lone Star. Roselyn, assise dans un banc, toute seule. Difficile à cette distance de déterminer son état d'esprit. Deux jours après leur installation chez Samuel Musindo, Roselyn avait reçu un appel de son gendre, l'informant que la GRC avait découvert le corps de son mari dans un chalet en Colombie-Britannique. Peter ignorait que Roselyn se trouvait tout près, il la croyait encore à Chicago. À la suggestion de Max, elle n'avait pas informé son gendre de sa rencontre avec lui, ni de la piste qu'ils avaient suivie ensemble jusqu'à Prince Rupert.

— Qu'est-ce qui s'est passé ? demanda Roselyn.

— La police enquête. Trois autres cadavres ont été découverts sur un quai, à quelques kilomètres de l'endroit où on a retrouvé votre mari. Tous ces crimes pourraient être liés.

Roselyn lui demanda si le corps d'Albert allait être rapatrié, et quand. D'après Peter, ça se ferait dans les prochains jours, dès que la GRC aurait terminé son boulot.

Juste avant leur départ, Max récupéra à la poste restante de Prince Rupert le paquet que Teresa Mwandenga lui avait fait parvenir. Il remit à Daniel le camion jouet qu'avait eu l'intention de lui donner Valéria.

De Teresa, Max apprit que Harold Scofield venait d'arriver à Bukoba, afin de s'assurer de la suite des activités de la fondation. Le travail des deux avocates auprès des albinos pourrait donc continuer.

Le dernier soir, Max entraîna Samuel à l'écart.

— Ta mère était une femme formidable, lui dit-il. Ta sœur aussi.

— Je sais. Il ne reste que moi, dorénavant. J'ai perdu mes deux familles, je ne porte même plus leur nom, ni à l'une ni à l'autre.

Il regarda au loin, songeur.

— Ce qu'ils ont fait pour moi, Valéria la première, je ne l'oublierai jamais.

— Et maintenant ? Quels sont tes projets ?

— Élever ma famille. Continuer à vivre.

De retour à Huntsville, Roselyn avait vidé la chambre de son mari, à Stanford Hill, avec l'aide de Peter. Albert possédait peu de choses, en une heure à peine tout était rangé dans des boîtes et déposé dans le pick-up de son gendre. Ce soir-là, après un souper avec Adrian, Peter prit Roselyn à part et lui révéla que le Beretta qui avait tué Albert était enregistré au nom de Roselyn. Il avait expliqué à la police qu'Albert l'avait récupéré d'une boîte que sa femme gardait dans un casier, à Houston.

— Le meurtrier de votre mari court toujours, ajouta Peter.

— Quelqu'un qui lui en voulait. À la suite de l'exécution d'un proche. Une vengeance dont il a été la victime.

Peter acquiesça. C'était sa théorie, après tout.

— Vous voulez le retrouver ?

— Celui qui l'a tué ?

Elle hésita.

— Je crois qu'Albert est allé au-devant de ce qui lui est arrivé. Je ne veux pas m'engager à mon tour dans la route qu'il a choisie.

Peter ne répliqua rien. Perdu dans ses pensées. Soucieux. Roselyn sentait qu'il voulait lui avouer quelque chose mais sans savoir comment s'y prendre.

— Un jour, votre mari est entré dans mon bureau. Norah venait de mourir. Il paraissait troublé. Bouleversé. Je n'étais pas très en forme, moi non plus.

Kerensky lui avait parlé longuement de la douleur qu'il ressentait et pour laquelle il ne pouvait rien. Peter ressentait la même chose. Et puis, il s'était mis à dire que la maladie et la mort de Norah n'étaient pas fortuites, mais plutôt le résultat de ce qu'il avait fait, ou plutôt n'avait pas fait. Peter ne comprenait pas de quoi il parlait, et son beau-père se garda bien de l'éclairer.

— J'ai eu l'impression qu'il argumentait avec lui-même.

Selon Albert, la mort de Norah était sa punition pour avoir dérogé aux règles élémentaires et essentielles de son métier. La mort était une entité distincte, un être en soi, avec ses codes, ses lois, ses exigences. Celui qui la côtoyait, s'y frottait, la distribuait à qui la méritait ne pouvait lui faire faux bond, la traiter de façon inconvenante, lui mentir en plein visage. Or, avait poursuivi Albert, il avait triché avec la mort et celle-ci, furieuse, avait terrassé sa fille, qu'il aimait plus que tout. La maladie et le décès de Norah, c'était sa punition à lui. Son châtiment personnel.

— Il se sentait responsable de ce qui lui était arrivé.

— Tu crois ? demanda Roselyn, surprise.

— Je ne sais pas. Votre mari avait foi en Dieu même s'il se tenait loin de la religion officielle. Une foi un peu tordue, disons, mais il fonctionnait selon des balises connues de lui seul, et entre lesquelles il guidait sa vie. La mort de Norah avait bouleversé ce monde bien organisé, qu'il avait eu l'impression de dominer jusque-là.

— Qu'est-ce que tu cherches à me dire, Peter ?

Il se racla la gorge.

— Avant de quitter mon bureau, votre mari s'est tourné vers moi et il m'a annoncé, tout bonnement, comme s'il s'agissait d'une phrase anodine, que la mort de Norah lui avait fait prendre conscience que sa propre vie n'était pas autonome, mais liée à toutes les autres. Y compris à celles des hommes et des femmes dont il avait abrégé l'existence.

Roselyn avait détourné les yeux. Albert s'était confié à Glenn Forrester dans des termes aussi étranges. Son mari était un grand malade, se dit-elle. Et un étranger à ses yeux. D'avoir avoué de tels sentiments à son gendre et à un de ses amis, mais non pas à sa femme, lui prouvait encore une fois à quel point leur mariage avait été un échec, une illusion, qui les avait très bien accommodés, elle et lui. Roselyn s'en voulait de ne pas avoir été témoin de son délire, qui s'était développé sans elle, sans qu'elle puisse intervenir et stopper les choses quand il était encore temps. Aurait-elle mieux réagi que Glenn et Peter ? Peut-être pas.

— Peter, reprit-elle, j'aimerais qu'on ne reparle plus jamais de cette histoire.

À la fin de la cérémonie, six hommes s'approchèrent du cercueil selon un rituel bien rodé. Des gardiens de prison, songea Max. Des collègues de Kerensky. Le plus vieux d'entre eux, c'était peut-être Glenn Forrester dont lui avait parlé Roselyn. Un grand gars aux cheveux gris et abondants. Les six hommes soulevèrent le cercueil et se dirigèrent vers la sortie de l'église, bientôt suivis par Roselyn, Peter et Adrian, puis par les autres fidèles, qui se massèrent à la suite du cortège dans un désordre silencieux et chargé d'émotion.

Max rattrapa le groupe près du cimetière.

Kerensky serait enterré près de sa fille.

Pendant les dernières prières, Max repensa à Valéria, qui avait voulu se laver de sa faute en s'intéressant au sort des albinos. Il regrettait qu'elle l'ait tenu loin de ses motivations profondes, à l'écart de ses secrets, mais ne pouvait lui reprocher quoi que ce soit. Sa vie n'était pas un exemple de transparence, il n'avait de leçon à donner à personne.

Tout compte fait, Valéria avait joué avec la mort, elle aussi. Elle avait essayé de la doubler, de la prendre de vitesse, mais la mort l'avait rattrapée, comme Kerensky. Valéria avait bousculé l'ordre des choses, provoquant une réaction en chaîne qui devait assurément la frapper de plein fouet, à un moment où elle ne s'y attendait plus.

Max était surpris de ne pas en vouloir davantage à Kerensky, dont la folie avait provoqué tout ce carnage. Mais il ne pouvait s'empêcher de le voir comme une victime, lui aussi, du destin, de son orgueil, de sa douleur de père en deuil. Habité sans cesse par la mort, elle était devenue sa référence, son territoire de repli, sa solution miraculeuse.

Après la mise en terre, Max fit ses adieux à Roselyn Kerensky, qui lui présenta Peter et Adrian.

— Je ne pensais plus vous voir. Vous étiez à la cérémonie ?

— Oui.

— Il y avait autant de monde qu'aux funérailles de Norah.

Elle ajouta :

— Je suis contente que vous soyez venu.

Max leva les yeux vers le Walls Unit. Dans ce pénitencier et d'autres autour, plusieurs milliers de prisonniers purgeaient leur peine. Il déambula ensuite dans les rues de Huntsville, où les gens vivaient comme si de rien n'était, s'arrêtant aux feux rouges, s'assoyant dans un parc ou lisant leur journal dans un abribus. Des ados étaient scotchés à leur iPhone. Un enfant se mettait de la crème glacée partout. Un policier rédigeait une contravention. Une vie normale pour des êtres normaux, qui avaient fait de la mort sur commande une industrie comme une autre, d'où on avait retiré émotion et colère. Morts aseptisées et sans douleur, données froidement, sans remords ni arrière-pensées.

C'est alors qu'il repensa à Valéria, à Bukoba, lors de son premier séjour.

— Viens. Tu vas adorer, s'était-elle écriée après qu'il l'eut embrassée et serrée contre lui à sa descente du petit avion qui l'avait transporté depuis Mwanza, la dernière escale d'une longue série de sauts de puce à travers l'Afrique.

— Rentrons. Je te veux pour moi tout seul.

Il n'avait qu'une envie, la renverser sur le lit, comme il en rêvait depuis son départ des États-Unis, un siècle plus tôt.

Valéria avait éclaté de rire et s'était enfuie en courant. Dans le sentier, Max l'avait suivie comme un zombie, les vêtements encore imprégnés de l'odeur des quatre avions qu'il avait pris depuis New York, se demandant où elle l'entraînait et pourquoi c'était si urgent alors qu'il y a tant d'autres choses à faire – Max pouvait lui en suggérer une en particulier.

Avant de voir les pêcheurs, on entendait d'abord leur complainte, qui se confondait au son du vent dans les arbres. Et puis, ils apparaissaient tout à coup, en rangs serrés, debout dans leurs embarcations, scandant une mélopée tout en pagayant vers le port dans le même mouvement cadencé. On aurait cru une chorégraphie savamment planifiée. Une vingtaine, au moins, de ces embarcations revenaient chargées de poissons. Elles glissaient doucement dans la mer étale, après qu'on eut ramené les voiles. Le soleil se couchait derrière elles, participant lui aussi à ce tableau idyllique d'une Afrique qui n'existait que dans la tête des touristes ou des cameramen japonais spécialisés dans l'exotisme.

— C'est magnifique, non ?

— Tu sais ce qu'ils chantent ? Tu comprends les paroles ? avait-il demandé.

Valéria avait souri, de nouveau.

— Aucune idée. Mais c'est beau, tout simplement.

P415

Remerciements

Je remercie les personnes suivantes pour l'aide qu'elles m'ont apportée lors de l'écriture de ce roman.

Don Sawatzky, à titre de directeur des opérations de l'organisme Under The Same Sun, a répondu à mes questions et fourni de la documentation au sujet du sort des albinos, en Tanzanie plus particulièrement. Des informations sur le travail effectué par cet organisme sont disponibles sur le site www.underthesamesun.com.

Le Dr Gilles Truffy s'est assuré de l'exactitude des aspects médicaux du récit. Nicole Landry a imaginé le nom de la série « Sur les traces de Max O'Brien », tandis que Francine Landry a fourni commentaires et suggestions en cours d'écriture et au moment de la révision du texte.

Merci aussi à toute l'équipe de Libre Expression, plus particulièrement à Johanne Guay, Jean Baril, Lison Lescarbeau et Pascale Jeanpierre. Je m'estime privilégié d'avoir pu travailler avec l'éditrice Monique H. Messier, qui m'a fait profiter de ses précieux conseils et de ses encouragements continus.

Allez à : Fin de l'enregistrement
feuille jaune

Pour communiquer avec l'auteur :
nuitdesalbinos@hotmail.com

Suivez les Éditions Libre Expression sur le Web :
www.edlibreexpression.com

Cet ouvrage a été composé en Adobe Caslon Pro 12,25/14,75
et achevé d'imprimer en septembre 2012 sur les presses
de Marquis Imprimeur, Québec, Canada.

certifié   procédé sans   100 % post-   archives   énergie biogaz
chlore   consommation   permanentes

Imprimé sur du papier 100 % postconsommation, traité sans chlore,
accrédité Éco-Logo et fait à partir de biogaz.